데이터 통신과
컴퓨터 네트워크

오창석 저_ **Data Communication & Computer Network**

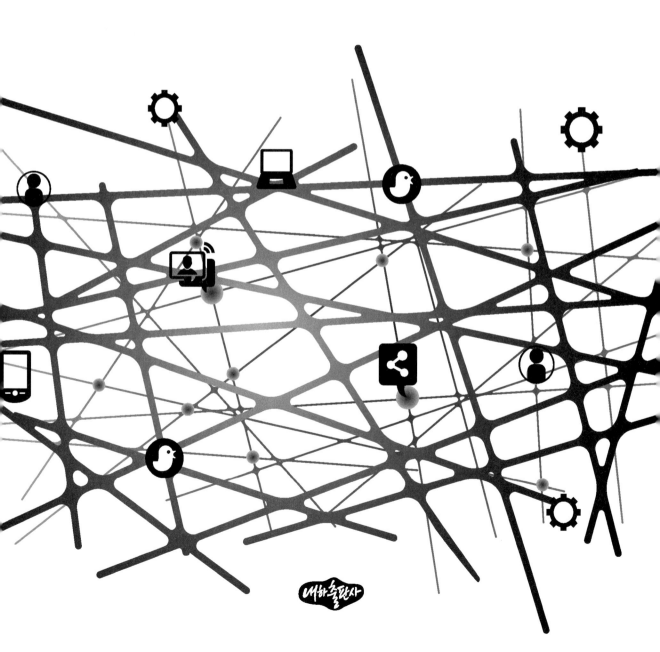

내하출판사

인터넷의 보편적인 확산과 고속의 전송 속도로 인해 우리들의 생활은 매우 편리해지고 있다. 이 책은 통신 이론, 전송 매체, 전송 방식, 오류 제어, 정보 압축, 통신망, 네트워크 장비, TCP/IP 프로토콜, 정보 보안, 차세대 인터넷, 사물 인터넷에 이르기까지 새로운 기술과 광범위한 내용을 다루면서도 개념을 쉽게 파악하고 이론적인 부분을 이해할 수 있도록 간결하게 기술하였다.

이 책은 데이터 통신 및 컴퓨터 네트워크를 공부하려는 대학생은 물론 이 분야에 종사하는 전문가와 대학원생에게도 적합하다. 이 책은 두 학기 강의용으로 적합하지만 수강생들의 수준에 따라 각 절의 이론과 세부적인 부분을 생략한다면 책의 흐름을 유지하면서 한 학기 강의용으로도 활용할 수 있다.

20세기는 다양한 분야에서 기술 개발에 혁신적인 발전이 이루어진 시기였다면 21세기는 창의력이 매우 중요한 시기가 되었다. 인문학적 상상력을 첨단 기술 분야에 도입하여 창의적인 기술 개발을 하고 예술적 감각을 활용하여 제품을 디자인할 수 있도록 이제는 공학자들도 인문학과 문화예술 분야에 보다 많은 관심을 기울여야 하겠다.

즐거운 마음으로 나를 위해 많은 수고를 해준 제자 김훈희, 이상일에게 감사하고 항상 '처음같이'라는 네트워크연구실의 신조에 따라 다양한 분야에서 성실하게 정진하고 있는 모든 제자들의 앞날에 무궁한 발전과 행운이 있기를 바란다. 이 책이 출판될 수 있도록 협조해 주신 내하출판사 모흥숙 사장님과 직원들께도 감사드린다.

이 책을 집필하는 동안에도 건강을 회복할 수 있도록 매일 매일 입에 맞는 맛있는 음식을 준비하느라 너무 고생하였고, 신혼 생활 30여 년간 오직 나만을 바라보고 사랑하며, 항상 곁에서 격려를 아끼지 않은 영원히 사랑하는 아내 영란에게 고마움과 사랑의 마음을 담아 이 책을 바친다.

2015년 10월   오 창 석

Contents

 Chapter 01 개요

Chapter 02 통신 이론

Chapter 03 전송 매체

 Chapter 04 전송 방식

Chapter 05 다중화와 변조

Chapter 10 네트워크 장비

Chapter 11   TCP/IP 인터넷

Chapter 12   인터넷 계층 프로토콜

Chapter 16 정보 보안

Chapter 17 대칭키 암호

Chapter 18 공개키 암호

Chapter 19 네트워크 보안

Chapter **20** 차세대 인터넷

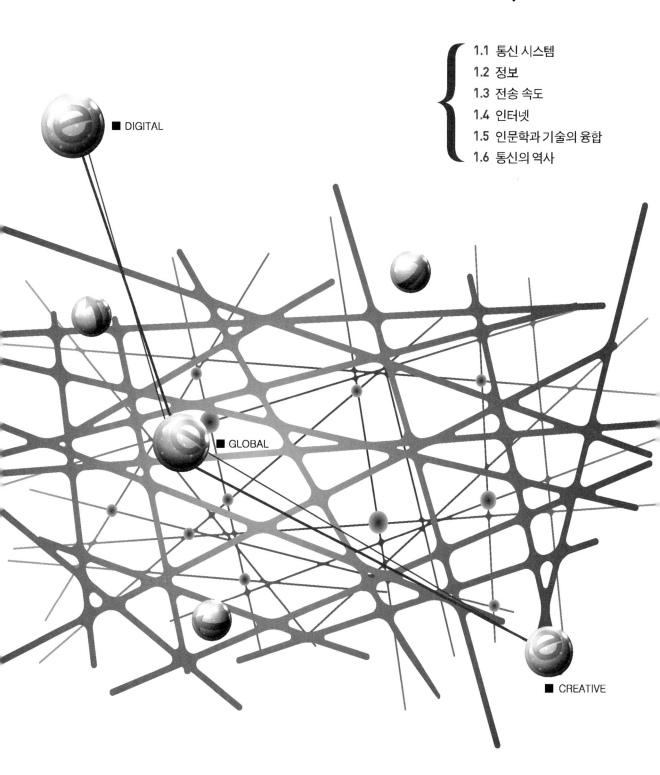

Chapter

01

개요

■ DIGITAL

■ GLOBAL

■ CREATIVE

1.1 통신 시스템

데이터 통신 시스템은 그림 1.1에서 보는 바와 같이 정보를 보내는 송신 측(근원지 컴퓨터), 정보 전달을 담당하는 전송 매체(채널), 정보를 받는 수신 측(목적지 컴퓨터)으로 구성된다.

송신 측에서 수행하는 기능은 다음과 같다.

- 부호화
- 암호화
- 다중화
- 변조

부호화에는 정보원 부호화와 채널 부호화가 있다. 정보원 부호화(source encoding)는 음성이나 영상과 같은 아날로그 정보를 컴퓨터에 입력하기 위해 디지털 데이터로 변환하는 기능이다.

채널 부호화(channel encoding)는 다양한 전송 매체를 통해 전송하는 데 적합하도록 오류 검출이나 동기 맞춤 등을 위해 컴퓨터의 디지털 데이터를 다른 형태의 디지털 신호로 변환하는 기능이다.

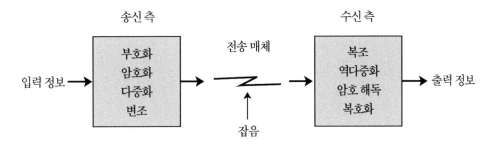

| 그림 1.1 | 데이터 통신 시스템의 기능 모델

암호화(encryption)는 정보가 전송되는 도중에 허가되지 않은 제 삼자나 해커에 의해 정보가 유출되는 것을 방지하기 위해 평문을 암호문으로 변형하는 것으로 정보 보호를 위한 필수적인 기능이다.

다중화(multiplexing)는 전송 매체를 여러 사람이 공유하여 사용하게 함으로써 전송 매체의 효율을 높이기 위한 기능이며, 변조(modulation)는 일반 가정에서 전화망을 이용하여 데이터 통신을 하는 경우, 디지털 데이터를 전화 회선에 적합한 아날로그 신호로 변환하는 기능이다.

여기에 열거한 모든 기능들이 송신 측에서 필수적으로 처리되어야 하는 것은 아니며, 수신 측에서는 송신 측의 반대 기능을 역순으로 수행함으로써 수신된 신호로부터 원래의 정보를 재생한다.

전송 매체는 정보가 전달되는 통로로서 채널 또는 링크라고도 하며, 전송 매체는 크게 유선 매체와 무선 매체로 구분된다. 유선 매체로는 트위스티드 페어, 동축 케이블, 광섬유 등이 있으며, 무선 매체로는 무선 라디오, 마이크로파, 통신위성 등이 있다. 전송 매체에서는 다양한 형태의 잡음이 발생하여 전달되는 데이터에 오류가 발생할 수 있다.

수신 측에서 수행하는 기능은 다음과 같다.

- 복조
- 역다중화
- 암호 해독
- 복호화

복조(demodulation)는 수신된 아날로그 신호로부터 디지털 데이터를 복원하는 기능이며, 역다중화(demultiplexing)는 다중화 된 데이터를 각각의 사용자 데이터로 분리하는 기능이다.

암호 해독(decryption)은 수신된 암호문을 해독하여 원래의 평문으로 복원하는 기능이며, 복호화(decoding)는 디지털 데이터를 아날로그 형태로 변환하여 음성이나 영상을 재생하는 기능이다.

송신 측과 수신 측 간에 신뢰성 있는 데이터의 전송이 이루어지기 위해서는 다음과 같은 기능들도 수행되어야 한다.

- 라우팅
- 오류 제어
- 흐름 제어
- 시스템 보안 및 관리

송신한 데이터가 수신 측에 도착하기 위해 어떤 경로를 경유하여야 하는 지를 결정하는 것을 경로 배정 또는 라우팅(routing)이라고 한다.

어디를 갈 때 먼 길로 돌아가지 않고 가장 가까운 길로 간다든지 명절 때 가족들이 모여 즐기는 윷놀이에서도 게임을 이기기 위해 윷판에서 가장 단거리를 선택하고자 노력하는 것도 라우팅의 개념이 활용된 것이라 할 수 있다.

그림 1.2와 같이 간단한 통신망에 있어서 A에서 F로 갈 수 있는 경로는 A-B-F, A-E-F, A-C-D-F의 3가지가 있다.

이 경로들을 경유할 때의 소요 거리는 각각 $5km$, $4km$, $6km$이므로 가장 단거리인 경로 A-E-F를 최우선적으로 선택하며, 만일 이 경로에 문제가 있을 경우에는 경로 A-B-F, A-C-D-F의 순으로 선택한다.

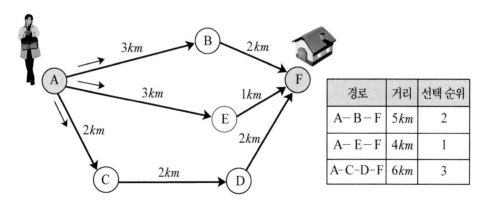

경로	거리	선택 순위
A – B – F	$5km$	2
A – E – F	$4km$	1
A – C – D – F	$6km$	3

| 그림 1.2 | 라우팅의 예

한편, 데이터가 전송되는 도중에는 다양한 요인들에 의해 오류가 발생하게 된다. 따라서 송신한 데이터가 오류가 없이 수신 측에 정확하게 도착하도록 하는 것을 오류 제어(error control)라고 한다.

오디오나 비디오 전송의 경우에는 오류로 인해 음성이나 영상의 품질이 저하되지만 큰 문제를 초래하지는 않는다. 그렇지만 파일 전송의 경우에는 오류로 인해 자칫 큰 문제가 발생될 수도 있다.

어떤 학생의 성적을 전송하는 데 A 학점이 오류로 인해 F 학점으로 바뀐다면 어떻게 되겠는가? 이러한 문제를 해결하기 위해 그림 1.3에 예시한 바와 같이 수신 측에서 수신한 데이터에 오류가 있는 지를 검사하여 만약 오류가 검출되면 송신 측에 재전송을 요청하는 방법으로 오류를 제어하거나 혹은 수신 측에서 수신한 데이터를 이용하여 자체적으로 오류를 정정한다.

흐름 제어(flow control)는 송신 측과 수신 측 간에 원활한 데이터 전송이 이루어질 수 있도록 송신 측의 전송 속도가 수신 측의 처리 속도보다 빠르지 않도록 데이터의 전송 속도를 조절하는 기능을 한다.

시스템 보안(system security)은 패스워드를 이용하여 인가되지 않은 사람이나 해커가 시스템에 무단으로 접근하지 못하게 함으로써 시스템을 보호하고, 해커의 공격을 탐지하여 신속하게 시스템을 원래의 상태로 복구하는 것이다.

시스템 관리(system management)는 통신 시스템을 항상 통신이 가능한 상태로 유지하고, 프로그램의 업데이트 및 시스템의 확장 계획을 수립하는 것이다.

| 그림 1.3 | 재전송에 의한 오류 제어의 예

1.2 정보

○ 정보의 표현

디지털 데이터 0과 1의 2가지 정보를 표현하기 위해서는 1비트(bit : binary digit)가 필요하며, 8비트를 바이트(byte), 32비트를 워드(word)라고 한다. 컴퓨터 기억 장소의 번지 라든지 데이터 통신에서 사용하는 정보의 기본 단위는 바이트이다.

컴퓨터에 사용되는 코드는 다음과 같이 2가지 형태가 있다.

- ASCII 코드
- EBCDIC 코드

예를 들어, ASCII 코드를 사용하는 컴퓨터에서는 "A" 문자가 "01000001"로 표현되지 만 EBCDIC 코드를 사용하는 컴퓨터에서는 "11000001"로 표현되기 때문에 두 컴퓨터가 데이터를 주고받는 데 문제가 발생하게 된다. 이러한 문제를 해결하기 위해서는 두 컴퓨터 가 동일한 코드를 사용하여 통신하여야 하며, 컴퓨터 통신망에서는 ASCII 코드를 사용하 여 통신한다. 표 1.1은 ASCII 코드 표이다.

비트의 수와 표현할 수 있는 정보의 양은 다음과 같다.

- 1비트 $2^1 = 2$
- 2비트 $2^2 = 4$
- 3비트 $2^3 = 8$
- 4비트 $2^4 = 16$
- 5비트 $2^5 = 32$
- 6비트 $2^6 = 64$
- 7비트 $2^7 = 128$
- 8비트 $2^8 = 256$
- 9비트 $2^9 = 512$

- 10비트 $2^{10} = 1024 \simeq 1,000$(k : Kilo)
- 20비트 $2^{20} \simeq 1,000,000$(M : Mega)
- 30비트 $2^{30} \simeq 1,000,000,000$(G : Giga)
- 40비트 $2^{40} \simeq 1,000,000,000,000$(T : Tera)

예제 1.1

:: 32비트의 IP 주소로 몇 대의 컴퓨터를 식별할 수 있는가?

풀이 32비트는 $2^{32} = 2^2 \times 2^{30}$(4G)의 정보를 나타낼 수 있다. 32비트의 IP 주소를 사용하면 약 40억 대의 컴퓨터를 식별할 수 있으므로 차례대로 IP 주소를 할당한다면 인터넷에는 40억 대의 컴퓨터를 연결할 수 있다.

| 표 1.1 | ASCII 코드 표

10진	16진	문자	10진	16진	문자	10진	16진	문자	10진	16진	문자
0	00	Null	32	20	Space	64	40	@	96	60	`
1	01	Start of Header	33	21	!	65	41	A	97	61	a
2	02	Start of Text	34	22	"	66	42	B	98	62	b
3	03	End of Text	35	23	#	67	43	C	99	63	c
4	04	End of Transmit	36	24	$	68	44	D	100	64	d
5	05	Inquiry	37	25	%	69	45	E	101	65	e
6	06	Acknowledge	38	26	&	70	46	F	102	66	f
7	07	Audible Bell	39	27	'	71	47	G	103	67	g
8	08	Backspace	40	28	(	72	48	H	104	68	h
9	09	Horizontal Tab	41	29	)	73	49	I	105	69	i
10	0A	Line Feed	42	2A	*	74	4A	J	106	6A	j
11	0B	Vertical Tab	43	2B	+	75	4B	K	107	6B	k
12	0C	Form Feed	44	2C	,	76	4C	L	108	6C	l
13	0D	Carriage Return	45	2D	-	77	4D	M	109	6D	m
14	0E	Shift Out	46	2E	.	78	4E	N	110	6E	n
15	0F	Shift In	47	2F	/	79	4F	O	111	6F	o
16	10	Data Link Escape	48	30	0	80	50	P	112	70	p
17	11	Device Control 1	49	31	1	81	51	Q	113	71	q
18	12	Device Control 2	50	32	2	82	52	R	114	72	r
19	13	Device Control 3	51	33	3	83	53	S	115	73	s
20	14	Device Control 4	52	34	4	84	54	T	116	74	t
21	15	Neg. Acknowledge	53	35	5	85	55	U	117	75	u
22	16	Synchronous Idle	54	36	6	86	56	V	118	76	v
23	17	End of Trans. Block	55	37	7	87	57	W	119	77	w
24	18	Cancel	56	38	8	88	58	X	120	78	x
25	19	End of Medium	57	39	9	89	59	Y	121	79	y
26	1A	Substitute	58	3A	:	90	5A	Z	122	7A	z
27	1B	Escape	59	3B	;	91	5B	[	123	7B	{
28	1C	File Separator	60	3C	<	92	5C	₩	124	7C		
29	1D	Group Separator	61	3D	=	93	5D	]	125	7D	}
30	1E	Record Separator	62	3E	>	94	5E	^	126	7E	~
31	1F	Unit Separator	63	3F	?	95	5F	_	127	7F	DEL

○ 빅 데이터

SNS(Social Network Service)의 확산으로 인해 매일 생성되는 정보의 양은 상상을 초월하게 되었으며, 이러한 빅 데이터를 표현하는 단위는 다음과 같다.

- P(Peta) : 2^{50}(1,000조)
- E(Exa) : 2^{60}(100경)
- Z(Zetta) : 2^{70}(10해)
- Y(Yotta) : 2^{80}(1자)

빅 데이터는 신상 데이터, 매출 데이터 등과 같은 정형 데이터보다는 동영상, 메시지, 소셜 미디어, 게시물 등의 다양한 비정형 데이터로 구성되고 매우 신속하게 전파되며, 생성되는 정보의 단위 규모가 상당히 크므로 총 정보량은 P 바이트나 E 바이트와 같이 거대한 양이 된다.

빅 데이터를 이용하면 소비 패턴을 분석할 수 있으므로 소비자의 연령과 성별에 따른 맞춤형 마케팅 전략을 세우거나 범죄나 질병 등의 트렌드를 분석하여 리스크 관리를 하는 등 빅 데이터는 다양한 분야에 활용될 수 있다.

빅 데이터를 분석하는 기술은 다음과 같다.

- 텍스트 마이닝
- 오피니언 마이닝
- 소셜 네트워크 분석
- 클러스터 분석

텍스트 마이닝(text mining)은 비정형 텍스트에서 정보를 추출하거나 문서를 분류하고 요약하며, 오피니언 마이닝(opinion mining)은 웹 문서나 댓글에 게재된 특정 사항이나 서비스, 제품 등에 대한 평판을 분석한다.

소셜 네트워크 분석(social network analysis)은 연결 구조와 강도를 분석하여 사용자의 성향이나 영향력을 측정하며, 클러스터 분석(cluster analysis)은 특성이 유사한 데이터 집단인 클러스터를 정의하고 클러스터를 분석하여 전체 데이터의 특성을 파악한다.

○ 정보의 유형

컴퓨터에 저장하거나 전송하고자 하는 정보는 다음과 같이 구분할 수 있다.

- 텍스트
- 오디오
- 비디오
- 멀티미디어

텍스트(text)는 문서, 프로그램 등과 같은 자료를 말하며, 문서 1매의 정보량은 수 $kbps$ 에 불과하므로 정보량이 크지 않아 정보를 저장하거나 전송하는 데에 어려움이 없다.

오디오(audio)는 음성, 악기 소리나 효과음, 자연의 음향과 같이 사람이 들을 수 있는 정보를 말한다. 아날로그인 음성은 PCM(Pulse Code Modulation) 기법을 이용하여 디지털 음성으로 변환한다.

디지털 음성의 정보량은 $64\,kbps$ 이며, 음악을 감상하기 위한 오디오 CD의 정보량은 $1.411\,Mbps$ 이다.

비디오(video)는 그림이나 사진과 같은 정지 영상, TV나 영화와 같은 동영상, 3D 입체 영상 등이 있으며, 정보량이 매우 커서 정보를 저장하거나 전송하기 위해 고도의 압축이 필요할 뿐만 아니라 고속의 데이터 전송 속도가 요구된다.

디지털 TV의 정보량은 $168\,Mbps$ 이며, 720×480 화소로 구성된다. 이에 비하여 HDTV (High Definition TV)의 화소 수는 1366×768이며, UHDTV(Ultra HDTV)의 화소 수는 3840×2160(4K), 7680×4320(8K)이다.

스마트폰이나 디지털 카메라의 해상도가 천만 화소 이상이므로 정지 영상의 정보량이 수 $Gbps$ 에 이르기도 하고, UHDTV, 3D 게임, 4D 영화 등 동영상의 정보량은 나날이 커지고 있기 때문에 보다 효과적으로 압축할 필요가 있다.

멀티미디어(multimedia)는 텍스트, 오디오, 비디오가 혼합된 형태를 말한다.

1.3 전송 속도

데이터의 전송 속도를 나타내는 방법에는 다음과 같은 2가지 형태가 있다.

- bps
- $baud$

bps(bit per second)는 1초 동안에 전송되는 비트의 수이며, $baud$는 1초 동안에 전송되는 신호 요소(signal element)의 수이다.

데이터 통신에 있어서 전송 속도는 신호의 펄스폭(pulse width)과 밀접한 관계가 있다.

예를 들어, 그림 1.4와 같이 펄스폭이 각각 $1ms$와 $1\mu s$인 두 이진 신호의 전송 속도를 비교해 보자.

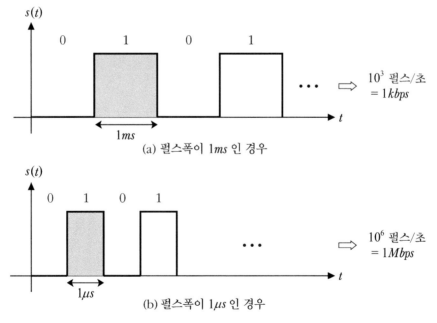

| 그림 1.4 | 펄스폭에 따른 전송 속도

그림 1.4(a)의 경우에는 신호의 펄스폭이 $1ms$이므로 1초에 1,000개의 펄스, 즉 10^3비트를 전송할 수 있기 때문에 전송 속도가 $1kbps$이지만 그림 1.4(b)의 경우에는 신호의 펄스폭이 $1\mu s$이므로 1초에 10^6비트를 전송할 수 있기 때문에 전송 속도가 $1Mbps$이다.

일반적으로 펄스폭이 좁을수록 전송 속도가 높아지므로 고속 통신을 위해서는 펄스폭을 좁게 할 필요가 있지만 펄스폭이 좁아지면 전송 도중에 오류가 발생할 가능성이 높아지는 문제가 있다.

그림 1.5에서 보는 바와 같이 펄스폭은 동일하지만 크기가 다른 4가지 펄스를 신호 요소로 사용하는 경우의 전송 속도를 생각해 보자.

신호 펄스의 폭이 $1ms$라고 한다면 1초 동안에 1,000개의 신호 요소를 전송할 수 있으므로 이 경우의 전송 속도는 $1kbaud$이다. 그렇지만 한 펄스로 2비트의 정보를 보낼 수 있으므로 bps로 환산하면 실제로는 $2kbps$에 해당한다.

M개의 신호 요소를 사용하는 경우에는 bps와 $baud$ 간에 다음과 같은 관계가 있다.

$$bps \;=\; \log_2^{\mathrm{M}} \;\times\; baud \tag{1-1}$$

이와 같이 펄스의 폭을 동일하게 유지하면서도 신호 요소를 4개, 8개, 16개 등 여러 개 사용한다면 전송 속도를 2배, 3배, 4배 향상시킬 수 있다.

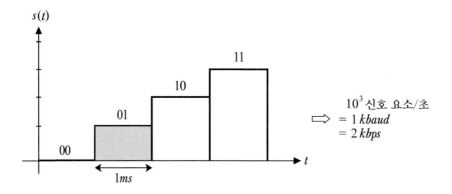

| 그림 1.5 | 4가지 신호 요소를 사용하는 경우의 전송 속도

1.4 인터넷

Data Communication & Computer Network

상이한 통신망들을 상호 연결하는 것을 인터네트워킹(internetworking)이라고 하며, 이렇게 연결된 통신망을 인터넷(internet)이라고 한다.

엄밀한 의미의 인터넷이란 그림 1.6에서 보는 바와 같이 월드 와이드 인터넷 WWW (World Wide Web)를 의미하며, 여기에 연결되어야 인터넷의 다양한 응용 서비스를 제공받을 수 있다.

인터넷은 다음과 같은 특징을 가지고 있다.

- 세계 최대의 통신망이다.
- 통제 기관이 없이 운용되고 있다.
- TCP/IP 프로토콜을 사용한다.
- 클라이언트/서버 형태로 동작한다.
- 수많은 서버를 수많은 사용자가 이용한다.
- 인터넷 뱅킹, 인터넷 게임 등 다양한 응용 서비스를 지원한다.

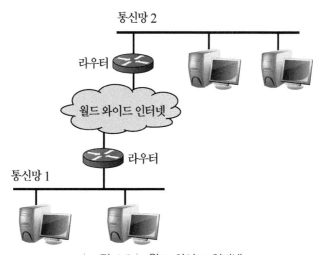

| 그림 1.6 | 월드 와이드 인터넷

인터넷의 주요 발전 과정은 다음과 같다.

- 1969년   ARPANET(Advanced Research Project Agency) 구축
- 1982년   TCP/IP(Transmission Control Protocol/Internet Protocol) 도입
- 1990년   ARPANET 폐지
- 1993년   웹 브라우저 Mosaic 공개

◯ RFC

IANA(Internet Assigned Numbers Authority)는 IP 주소 및 도메인 이름을 관리하고 있으며, IETF(Internet Engineering Task Force)는 인터넷 관련 표준인 RFC(Request for Comments)를 제정하는 역할을 한다.

대표적인 인터넷 관련 표준은 다음과 같다.

- RFC 768   UDP(User Datagram Protocol)
- RFC 791   IP(Internet Protocol)
- RFC 792   ICMP(Internet Control Message Protocol)
- RFC 793   TCP(Transmission Control Protocol)
- RFC 821   SMTP(Simple Mail Transfer Protocol)
- RFC 826   ARP(Address Resolution Protocol)
- RFC 1058   RIP(Routing Information Protocol)
- RFC 1066   Management Information Base for TCP/IP Based Internet
- RFC 1105   BGP(Boarder Gateway Protocol)
- RFC 1157   SNMP(Simple Network Management Protocol)
- RFC 1247   OSPF(Open Shortest Path First) Version 2
- RFC 1889   RTP : Transport Protocol for Real-Time Applications
- RFC 1945   HTTP/1.0 Hypertext Transfer Protocol
- RFC 2373   IP Version 6 Addressing Architecture
- RFC 4302   IP Authentication Header
- RFC 4303   IP Encapsulating Security Payload
- RFC 4443   ICMPv6 for the IPv6 Specification

● 인터넷 응용 서비스

인터넷을 통해 정보를 검색하는 수준을 넘어 그림 1.7에서 보는 바와 같은 홈페이지를 비롯하여 인터넷 폰, 인터넷 쇼핑 등 다양한 인터넷 응용 서비스들이 개발되어 사용자에게 서비스 되고 있다.

인터넷 중독 등 폐해도 있지만 PC를 통해 온라인으로 거의 모든 일상생활이 가능할 정도로 인터넷은 사람들에게 필수적인 것이 되었고, 고속의 모바일 서비스까지 제공되면서 더욱 편리한 세상이 되었다.

인터넷 응용 서비스에는 다음과 유형들이 있다.

- 홈페이지
- 인터넷 폰/인터넷 화상 회의
- 인터넷 게임/인터넷 채팅
- 인터넷 방송
- 인터넷 쇼핑
- 인터넷 뱅킹

| 그림 1.7 | 네트워크연구실 홈페이지

◎ 네트워크 환경 설정

그림 1.8에서 보는 바와 같이 학교나 기업 등에서 전용선을 이용하여 인터넷을 사용하는 경우에는 IP 주소와 DNS(Domain Name System) 서버를 등록하여야 하지만 일반 가정에서 인터넷 서비스 제공업체에 가입한 경우에는 DHCP(Dynamic Host Configuration Protocol) 서버에 의해 IP 주소가 자동 할당된다.

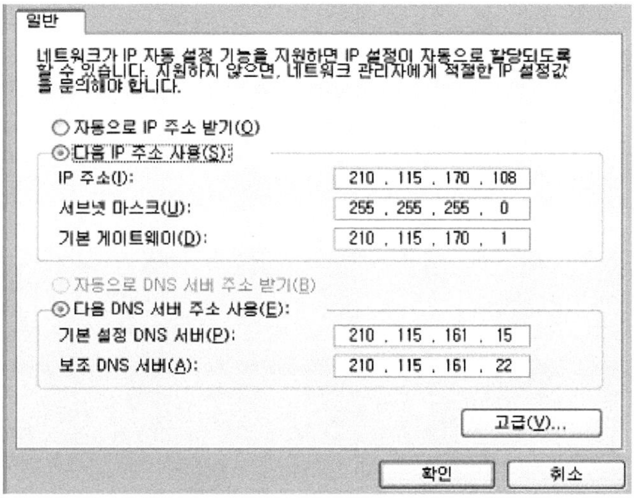

(a) 전용선 사용자

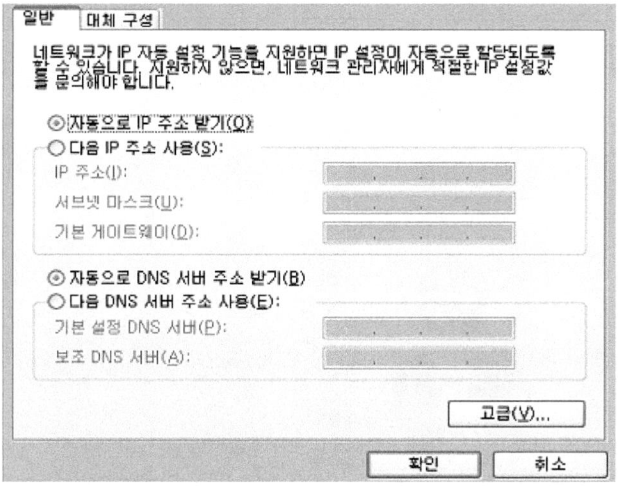

(b) 일반 사용자

| 그림 1.8 | IP 주소의 등록

1.5 인문학과 기술의 융합

20세기는 다양한 분야에서 기술 개발에 혁신적인 발전이 이루어진 시기였다면 21세기는 인문학과 기술의 융합으로 창의력이 매우 중요한 시기가 되었다.

인문학(humanities)은 인간의 근원, 사상과 문화를 탐구하는 학문으로서 광의적인 관점에서 문학, 사학, 철학, 고고학, 신학, 예술, 음악 등을 포함한 정신과학을 의미한다. 자연과학 (natural science)은 물리학, 화학, 생물학, 천문학 등 모든 자연을 연구하는 학문이며, 과학기술 (science and technology)은 과학에 근거하여 인간 생활에 유용한 것을 제작한다.

인간이 사회생활을 하는 데에는 상대방과의 의사소통이 필수적이며, 인문학적 측면에서의 소통은 기술적 측면의 통신이라고 할 수 있다. 스토리텔링(story + telling)이란 이미 존재하는 이야기에 자신의 생각을 더하여 재창조하는 것을 의미하며, 콘텐츠와 엔터테인먼트적 요소를 가미하여 서비스나 제품 개발 등에 활용할 수 있다.

인문학과 기술의 융합이란 인문학적 상상력을 첨단 기술 분야에 도입하여 창의적인 기술 개발을 하고 예술적 감각을 활용하여 제품을 디자인하는 것을 말한다. 첨단 기술 분야란 ICT(Information & Communication Technology)를 의미하며, ICT는 정보 처리 및 저장, 전송을 담당하는 기술 분야이다.

● 정보 처리 및 저장
- H/W 및 S/W
- 정보의 디지털화/정보 압축
- 정보 수집 및 분석
- 컴퓨터 그래픽의 활용

● 정보 전송
- 방송통신/인터넷/모바일
- 정보 보안

1.6 통신의 역사

통신과 정보 처리에 관련된 주요 발전 과정을 다음에 열거하였다.

- 1642년   파스칼의 계산기(덧셈, 뺄셈)
- 1673년   라이프니츠 휠(4칙 연산)
- 1832년   전자기 유도(마이클 패러데이)
- 1844년   공중 전신기(사무엘 모스)
- 1876년   전화(알렉산더 그레이엄 벨)
- 1890년   자동 전화 교환기(앨몬 스트로저)
- 1891년   키네토스코프(토마스 에디슨)
- 1896년   무선 전신(마르코니)
- 1904년   2극 진공관(암브로세 플레밍)
- 1906년   3극 진공관(리 드 포레스트)
- 1932년   TV 방송(NBC)
- 1943년   콜로서스(앨런 튜링)
- 1946년   ENIAC(펜실바니아대학교)
- 1947년   트랜지스터(윌리엄 쇼클리, 존 바딘, 월터 브래튼)
- 1957년   인공위성(스푸트니크 1호)
- 1958년   IC(텍사스 인스트루먼트)
- 1969년   ARPANET(미 국방성)
- 1971년   전자 교환기(벨연구소)
- 1971년   마이크로 프로세서(인텔)
- 1972년   C 프로그래밍(데니스 리치)
- 1982년   TCP/IP 프로토콜(로버트 칸)
- 1989년   WWW(팀 버너스 리)
- 1991년   셀룰러폰(GSM)
- 1996년   CDMA 상용화(한국)
- 2007년   아이폰(애플)
- 2012년   구글 글래스(웨어러블 기기)

Chapter

02

통신 이론

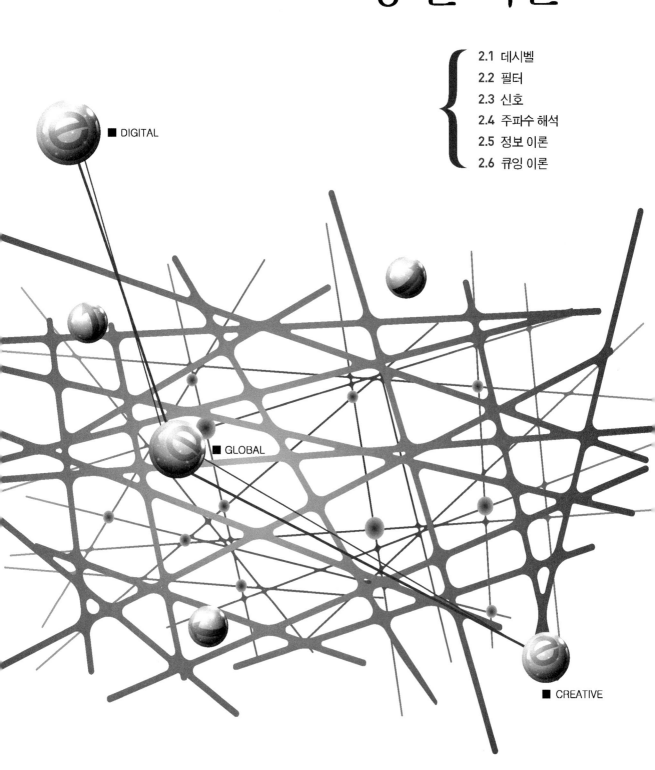

■ DIGITAL

■ GLOBAL

■ CREATIVE

2.1 데시벨

Data Communication & Computer Network

데이터 통신 시스템에서는 송신 신호와 수신 신호의 크기를 비교하거나 혹은 신호 전력과 잡음 전력을 비교하는 데 있어서 dB(데시벨)이라는 단위를 사용하고 있다.

입력 신호의 전력이 P_i이고, 출력 신호의 전력이 P_o인 시스템에서 출력 전력과 입력 전력의 비 A_p는 다음과 같이 나타낼 수 있다.

$$A_p = \frac{출력\ 전력(P_o)}{입력\ 전력(P_i)} \tag{2-1}$$

예를 들어, $P_i = 1\,W$, $P_o = 1kW$인 경우에는 출력 전력이 입력 전력의 1,000배이며, $P_i = 1mW$, $P_o = 1kW$인 경우에는 1,000,000배이다. 이처럼 두 신호를 단순히 비교하면 그 비율이 너무 커서 불편하다.

이러한 불편함을 해소하기 위해 상대 전력 P_2와 기준 전력 P_1의 비에 $\log$를 취하고 그 결과를 10배한 것이 데시벨이다.

$$A_{p_{dB}} = 10 \log_{10} \frac{상대\ 전력(P_2)}{기준\ 전력(P_1)} \ [dB] \tag{2-2}$$

식 (2-2)를 이용하여 다음과 같은 경우의 dB 값을 계산해 보자.

- 상대 전력과 기준 전력이 동일한 경우 : $10 \log_{10} 1 = 0\ dB$
- 상대 전력이 기준 전력의 2배인 경우 : $10 \log_{10} 2 = +3\ dB$
- 상대 전력이 기준 전력의 1/2인 경우 : $10 \log_{10} \frac{1}{2} = -3\ dB$
- 상대 전력이 기준 전력이 100배인 경우 : $10 \log_{10} 100 = 20\ dB$
- 상대 전력이 기준 전력의 1/100인 경우 : $10 \log_{10} \frac{1}{100} = -20\ dB$

상대 전력이 기준 전력보다 큰 경우에는 dB 값이 양수가 되지만 상대 전력이 작은 경우에는 dB 값이 음수가 된다.

dB 값이 양수라면 상대 전력이 기준 전력보다 크다고 할 수 있으므로 이득(gain)이라고 하며, dB 값이 음수라면 상대 전력이 기준 전력보다 작다고 할 수 있으므로 손실(loss)이라고 한다.

상대 전력과 기준 전력의 비에 따른 dB 값을 표 2.1에 열거하였다.

신호 전력 P_s와 잡음 전력 P_n의 비를 신호 대 잡음비라고 하며, 이를 dB로 표현한 것이 SNR(Signal to Noise Ratio)이다.

원활한 데이터 전송을 위해서는 SNR이 $30dB$ 이상이 되도록 하는 것이 바람직하다.

$$SNR_{dB} = 10 \log_{10} \frac{신호\ 전력(S)}{잡음\ 전력(N)}\ [dB] \tag{2-3}$$

dBm이라는 단위도 사용되는 데 dBm이란 기준 전력을 $1mW$ 인가하였을 때의 상대 전력의 dB 값을 말한다.

$$A_{p_{dBm}} = 10 \log_{10} \frac{상대\ 전력[mW]}{1[mW]}\ [dBm] \tag{2-4}$$

| 표 2.1 | 전력의 비에 따른 데시벨 값

기준 전력 : 상대 전력	dB 값	기준 전력 : 상대 전력	dB 값
1 : 1	0	−	−
1 : 2	3	2 : 1	-3
1 : 10	10	10 : 1	-10
1 : 100	20	100 : 1	-20
1 : 1,000	30	1,000 : 1	-30
1 : 10,000	40	10,000 : 1	-40
1 : 100,000	50	100,000 : 1	-50
1 : 1,000,000	60	1,000,000 : 1	-60

상대 전력이 $20mW$인 경우의 dBm은 다음과 같이 구할 수 있다.

$$A_{p_{dBm}} = 10 \log_{10} \frac{20mW}{1mW} = 13 \ dBm$$

이제 전압의 비를 dB로 나타내 보자. 전력에 대한 식 (2-2)로부터,

$$A_{p_{dB}} = 10 \log_{10} \frac{P_2}{P_1} \ [dB]$$

$$= 10 \log_{10} \frac{V_2^2/R_2}{V_1^2/R_1}$$

(2-5)

이며, $R_1 = R_2$라고 가정하면, 다음과 같은 결과를 얻을 수 있다.

$$A_{v_{dB}} = 10 \log_{10} \frac{V_2^{\ 2}}{V_1^{\ 2}}$$

$$= 10 \log_{10} \left(\frac{V_2}{V_1} \right)^2$$

(2-6)

$$= 20 \log_{10} \frac{V_2}{V_1} \ [dB]$$

예제 2.1

:: 0.02 V의 전압을 어떤 시스템에 인가하였더니 10 V의 전압이 출력되었다. 이 시스템의 전압 이득 A_v는 몇 dB인가?

풀이 식 (2-6)으로부터,

$$A_{v_{dB}} = 20 \log_{10} \frac{10V}{0.02V}$$

$$= 20 \log_{10} \frac{1000}{2}$$

$$= 20 \log_{10} 1000 - 20 \log_{10} 2$$

$$= 53.98 \ dB$$

2.2 필터

데이터 통신 시스템에서는 불필요한 주파수를 제거하고 원하는 주파수를 통과시키기 위해 필터(filter)를 사용한다.

필터는 그림 2.1에서 보는 바와 같이 4가지 유형으로 구분된다.

■ 저역 통과 필터
■ 고역 통과 필터
■ 대역 통과 필터
■ 대역 저지 필터

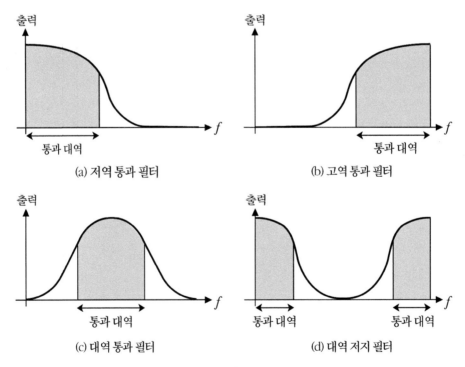

(a) 저역 통과 필터   (b) 고역 통과 필터

(c) 대역 통과 필터   (d) 대역 저지 필터

| 그림 2.1 | 필터의 유형

저역 통과 필터(LPF : Low Pass Filter)는 그림 2.1(a)와 같이 낮은 주파수는 통과하지만 높은 주파수는 차단하는 필터이며, 고역 통과 필터(HPF : High Pass Filter)는 그림 2.1(b)와 같이 높은 주파수는 통과하지만 낮은 주파수는 차단하는 필터이다.

대역 통과 필터(BPF : Band Pass Filter)는 그림 2.1(c)와 같이 중간 주파수는 통과하지만 낮거나 높은 주파수는 차단하는 필터이며, 대역 저지 필터(BRF : Band Reject Filter 또는 BSF : Band Stop Filter)는 그림 2.1(d)와 같이 낮거나 높은 주파수는 통과하지만 중간 주파수는 차단하는 필터이다.

필터는 그 구성 소자에 따라 다음과 같이 구분할 수도 있다.

- 수동 필터
- 능동 필터

수동 필터(passive filter)는 R, L, C와 같은 수동 소자만으로 구성된 필터이며, 능동 필터(active filter)는 연산 증폭기와 같은 능동 소자와 수동 소자의 결합으로 구성된 필터이다.

● 주파수 응답

그림 2.2에서 보는 바와 같이 저항 R과 커패시터 C로 구성된 저역 통과 필터의 기능을 분석함으로써 필터의 주파수 응답을 이해하도록 하자.

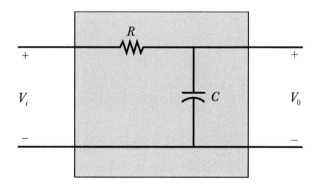

| 그림 2.2 | 저역 통과 필터

전압 V_i가 입력되었을 때의 출력 전압 V_o은 분압 이론에 의해 다음과 같이 구할 수 있다.

$$V_o = \frac{Z_c}{R + Z_c} V_i \qquad (2\text{-}7)$$

주파수가 $0\,Hz$인 경우에는 커패시터의 임피던스 Z_c가 $\infty\,\Omega$이므로 $V_o = V_i$, 즉 입력이 그대로 출력된다.

주파수가 매우 높은 경우에는 커패시터의 임피던스 Z_c가 $0\,\Omega$이므로 $V_o = 0$, 즉 출력이 나오지 않는다.

이들 두 경우만 살펴보아도 저역 통과 필터임을 알 수 있다.

주파수가 $f\,Hz$인 경우에는 $Z_c = 1/j2\pi fC$를 식 (2-7)에 대입하여 다음과 같이 출력을 구할 수 있다.

$$V_o = \frac{\dfrac{1}{j2\pi fC}}{R + \dfrac{1}{j2\pi fC}} V_i \qquad (2\text{-}8)$$

출력 전압과 입력 전압의 비 A_v는 식 (2-8)로부터 다음과 같이 구할 수 있다.

$$
\begin{aligned}
A_v &= \frac{V_o}{V_i} \\
&= \frac{1}{1 + j2\pi fRC} \\
&= \frac{1}{\sqrt{1 + (2\pi fRC)^2}} \; \big/ {-\tan^{-1}(2\pi fRC)}
\end{aligned}
\qquad (2\text{-}9)
$$

필터에서는 $A_v = 1/\sqrt{2}$, 즉 출력 전압이 입력 전압의 0.707배가 되는 주파수까지를 통과한다고 간주하며, 이 주파수를 차단 주파수(cutoff frequency) f_c라고 한다. 차단 주파수는 식 (2-10)과 같이 구할 수 있다.

$$f_c = \frac{1}{2\pi RC} \tag{2-10}$$

차단 주파수에서는 출력 전력이 입력 전력의 1/2이 되기 때문에 차단 주파수를 반전력점 (half power point) 또는 $-3dB$점이라고도 한다.

식 (2-10)을 식 (2-9)에 대입하여 입출력 전압의 비 A_v를 다음과 같이 나타낼 수 있다.

$$A_v = \frac{1}{\sqrt{1+(f/f_c)^2}} \angle -\tan^{-1}(f/f_c) \tag{2-11}$$

식 (2-11)을 이용하여 A_v의 크기를 구할 수 있다.

$$f = 0인\ 경우 \quad : A_v = 1$$
$$f = f_c/2인\ 경우 : A_v = 0.9$$
$$f = f_c인\ 경우 \quad : A_v = 0.707$$
$$f = 2fc인\ 경우 : A_v = 0.45$$
$$f = 10fc인\ 경우 : A_v = 0.1$$

이 결과를 이용하여 그림 2.3에 저역 통과 필터의 크기 응답 A_v를 나타내었다. 마찬가지 방법으로 저역 통과 필터의 위상 응답도 구할 수 있다.

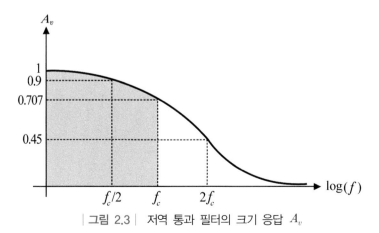

| 그림 2.3 | 저역 통과 필터의 크기 응답 A_v

A_v의 크기를 dB로 나타내면 다음과 같다.

$$A_{v_{dB}} \;=\; 20\log_{10}\frac{1}{\sqrt{1+(f/f_c)^2}} \tag{2-12}$$

$f \gg f_c$라면 식 (2-12)로부터 $A_{v_{dB}}$는 다음과 같다.

$$A_{v_{dB}} \;=\; -20\log_{10}(f/f_c) \tag{2-13}$$

식 (2-13)을 이용하여 $A_{v_{dB}}$를 구할 수 있다.

$$f \;=\; f_c \text{인 경우} \;\;:\; A_{v_{dB}} \;=\; -20\log_{10}1 \;=\; 0\;dB$$

$$f \;=\; 2f_c \text{인 경우} \;\;:\; A_{v_{dB}} \;=\; -20\log_{10}2 \;=\; -6\;dB$$

$$f \;=\; 10f_c \text{인 경우} \;:\; A_{v_{dB}} \;=\; -20\log_{10}10 \;=\; -20\;dB$$

이 결과를 이용하여 그림 2.4에 저역 통과 필터의 크기 응답 $A_{v_{dB}}$의 Bode 선도를 나타내었다.

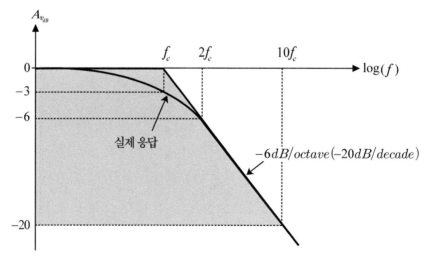

| 그림 2.4 | 저역 통과 필터의 크기 응답 $A_{v_{dB}}$

Data Communication & Computer Network

2.3 신호

신호 $s_i(t)$는 N개의 기저 함수(basis function) $\Phi_j(t)$의 선형 조합으로 나타낼 수 있다. 신호 $s_i(t)$를 수학적으로 표현하면 식 (2-14)와 같다.

$$s_i(t) \ = \ \sum_{j=1}^{N} s_{ij}\Phi_j(t) \qquad 0 \le t \le T, \quad i = 1,2,\cdots,M \tag{2-14}$$

여기서, T는 심벌의 지속시간이며, M은 신호 요소의 수이다.

신호 $s_i(t)$의 $\Phi_j(t)$ 성분인 s_{ij}는 다음과 같다.

$$s_{ij} \ = \ \int_0^T s_i(t)\Phi_j(t)dt \qquad i = 1,2,\cdots,M, \quad j = 1,2,\cdots,N \tag{2-15}$$

그림 2.5는 송신 측에서 식 (2-14)를 이용하여 송신 신호 $s_i(t)$를 생성하는 과정을 나타낸 것이다.

그림 2.6은 수신 측에서 식 (2-15)을 이용하여 수신한 신호 $s_i(t)$로부터 기저 함수 $\Phi_j(t)$의 성분 s_{ij}를 추출하는 과정을 나타낸 것이다.

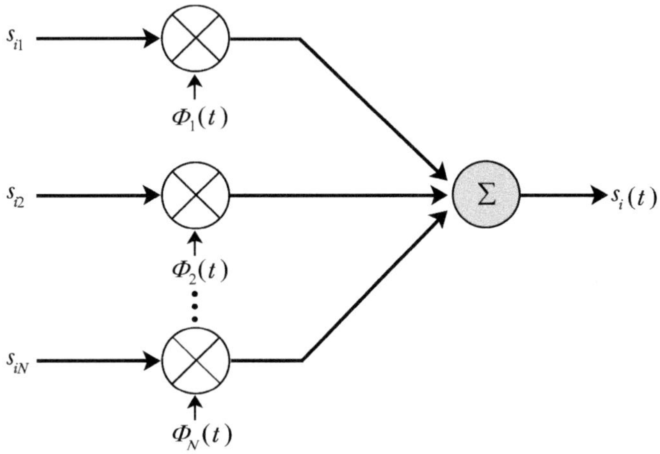

| 그림 2.5 | 송신 측에서의 신호 생성

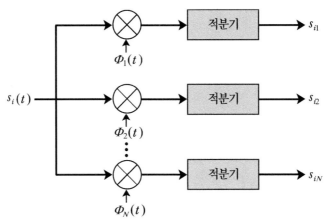

| 그림 2.6 | 수신 측에서의 기저 함수 성분 추출

신호 $s_i(t)$는 다음과 같이 벡터로 표현할 수 있다.

$$s_i = [\ s_{i1},\ s_{i2},\ \cdots,\ s_{iN}\ ] \qquad i = 1, 2, \cdots, N \qquad (2\text{-}16)$$

벡터 s_i를 신호 벡터(signal vector)라고 하며, 신호를 N 차원의 공간에 점으로 나타낼 수 있는데 이 공간을 신호 공간(signal space)이라고 한다.

신호 벡터 $s_1 = [3, 2]$, $s_2 = [-2, 3]$을 2차원 신호 공간에 나타내면 그림 2.7과 같다.

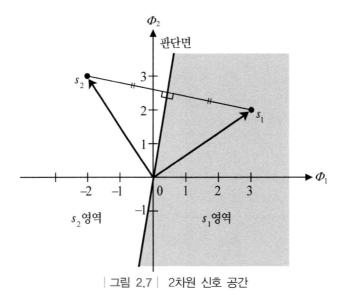

| 그림 2.7 | 2차원 신호 공간

판단면(decision surface)은 두 신호 점을 수직 이등분하는 선이다.

송신 측에서 신호 s_1을 송신하였는데 잡음 n이 섞여 수신 측에 도착하였을 때 그림 2.8(a)의 경우에는 송신 측에서 s_1을 송신한 것으로 판단하지만 그림 2.8(b)의 경우에는 s_2를 송신한 것으로 판단하므로 오류가 발생하게 된다.

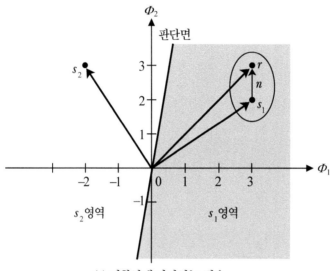

(a) 정확하게 판단하는 경우

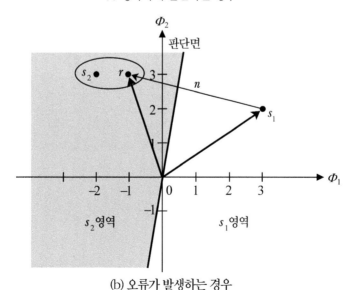

(b) 오류가 발생하는 경우

| 그림 2.8 | 잡음이 섞인 수신 신호의 판단

2.4 주파수 해석

Data Communication & Computer Network

◉ Fourier 급수

신호가 전송 매체를 통해 전송되는 과정에서 발생되는 여러 가지 현상은 시간 관점만으로는 해석하기 어려운 점이 많이 있다. 오히려 주파수 관점에서 해석함으로써 보다 정확한 현상을 이해할 수 있다.

이런 면에서 신호는 시간의 함수이지만 또한 주파수의 함수라고 생각할 수 있으며, 이에 대한 근거를 제시한 것이 바로 Fourier 급수(series)라고 할 수 있다.

주기 신호 $s(t)$를 식 (2-17)과 같이 여러 주파수 성분을 갖는 정현파들의 합으로 표현한 것이 Fourier 급수이다.

$$
\begin{aligned}
s(t) &= a_0 + \sum_{n=1}^{\infty} a_n \sin(2\pi n f_0 t) + \sum_{n=1}^{\infty} b_n \cos(2\pi n f_0 t) \\
a_0 &= \frac{1}{T} \int_0^T s(t)dt \\
a_n &= \frac{2}{T} \int_0^T s(t)\sin(2\pi n f_0 t)dt \\
b_n &= \frac{2}{T} \int_0^T s(t)\cos(2\pi n f_0 t)dt
\end{aligned}
\tag{2-17}
$$

여기서, T는 주기, $f_0(=1/T)$는 기본 주파수(fundamental frequency)이며, 기본 주파수의 배수인 주파수 $n f_0$를 고조파(harmonics)라고 한다.

식 (2-17)에서 첫째 항 a_0는 신호 $s(t)$의 평균값으로서 DC값이라고도 하며, 둘째 항은 기함수 성분, 셋째 항은 우함수 성분이다.

따라서, 신호가 우함수인 경우에는 둘째항의 계수 a_n이 0이 되고, 기함수인 경우에는 셋째항의 계수 b_n이 0이 된다.

예제 2.2

:: 다음과 같은 구형파 신호를 Fourier 급수로 전개하라.

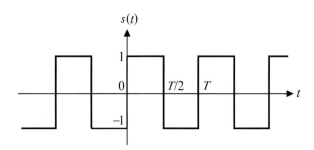

풀이 신호를 수식으로 나타내면,

$$s(t) = \begin{cases} 1 & : \ 0 \ \le \ t \ \le \ \dfrac{T}{2} \\ -1 & : \ \dfrac{T}{2} \ \le \ t \ \le \ T \end{cases}$$

이므로 식 (2-17)을 이용하여 계수를 구할 수 있다.

$$a_0 = \frac{1}{T}\left[\int_0^{\frac{T}{2}} dt + \int_{\frac{T}{2}}^{T} (-1)dt \right] = 0$$

$$b_n = \frac{2}{T}\left[\int_0^{\frac{T}{2}} \cos(2\pi n f_0 t)dt - \int_{\frac{2}{T}}^{T} \cos(2\pi n f_0 t)dt \right] = 0$$

$$a_n = \frac{2}{T}\left[\int_0^{\frac{T}{2}} \sin(2\pi n f_0 t)dt - \int_{\frac{2}{T}}^{T} \sin(2\pi n f_0 t)dt \right]$$

$$= \frac{1}{\pi n}\left[\cos(2\pi n f_0 t)\Big|_{\frac{T}{2}}^{T} - \cos(2\pi n f_0 t)\Big|_0^{\frac{T}{2}} \right]$$

$$= \begin{cases} 0 & : \ n = 짝수 \\ \dfrac{4}{\pi n} & : \ n = 홀수 \end{cases}$$

$$\therefore \ s(t) = \sum_{n=1,3,\cdots}^{\infty} \frac{4}{\pi n} \sin(2\pi n f_0 t)$$

$$= \frac{4}{\pi}\left\{ \sin[2\pi f_0 t] + \frac{1}{3}\sin[2\pi(3f_0)t] + \frac{1}{5}\sin[2\pi(5f_0)t] + \cdots \right\}$$

그림 2.9에서 보는 바와 같이 주파수 성분이 f_0, $3f_0$인 두 정현파를 합성하면 구형파와 유사한 신호를 얻을 수 있다.

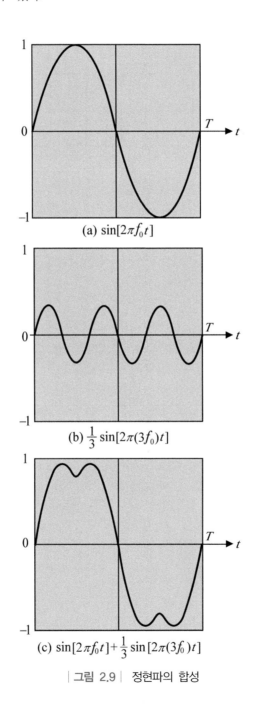

(a) $\sin[2\pi f_0 t]$

(b) $\dfrac{1}{3}\sin[2\pi(3f_0)t]$

(c) $\sin[2\pi f_0 t] + \dfrac{1}{3}\sin[2\pi(3f_0)t]$

| 그림 2.9 | 정현파의 합성

예제 2.2의 결과를 이용하여 f_0, $3f_0$, $5f_0$, ... 성분을 모두 합성하면 그림 2.10과 같이 완전한 구형파를 생성할 수 있다.

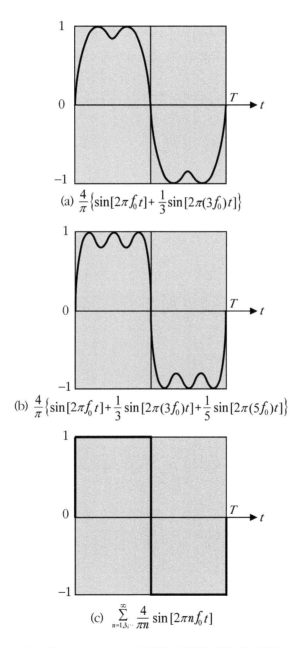

(a) $\dfrac{4}{\pi}\left\{\sin[2\pi f_0 t] + \dfrac{1}{3}\sin[2\pi(3f_0)t]\right\}$

(b) $\dfrac{4}{\pi}\left\{\sin[2\pi f_0 t] + \dfrac{1}{3}\sin[2\pi(3f_0)t] + \dfrac{1}{5}\sin[2\pi(5f_0)t]\right\}$

(c) $\displaystyle\sum_{n=1,3,\cdots}^{\infty} \dfrac{4}{\pi n}\sin[2\pi n f_0 t]$

| 그림 2.10 | Fourier 급수를 이용한 구형파의 생성

○ Fourier 변환

주기 신호의 경우에는 기본 주파수의 배수 주파수에서만 불연속적으로 크기가 존재하기 때문에 Fourier 급수로 전개할 수 있지만 비주기 신호의 경우에는 모든 주파수에서 연속적으로 크기가 존재할 수 있으므로 Fourier 급수로의 전개가 불가능하다. 따라서 비주기 신호를 주파수 영역에서 해석하기 위해서는 Fourier 변환(transform)을 수행하여야 한다.

그림 2.11에서 보는 바와 같이 Fourier 변환은 시간 함수인 신호 $s(t)$를 주파수 함수인 $S(f)$로 변환하는 것이며, 역 Fourier 변환은 주파수 함수인 $S(f)$를 시간 함수인 $s(t)$로 변환하는 것이다.

Fourier 변환과 역 Fourier 변환은 식 (2-18)과 같이 정의한다.

$$
\begin{aligned}
S(f) &= F[s(t)] \\
&= \int_{-\infty}^{\infty} s(t)e^{-j2\pi ft}\,dt \\
s(t) &= F^{-1}[S(f)] \\
&= \int_{-\infty}^{\infty} S(f)e^{j2\pi ft}\,df
\end{aligned}
\tag{2-18}
$$

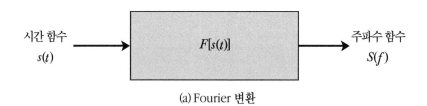

(a) Fourier 변환

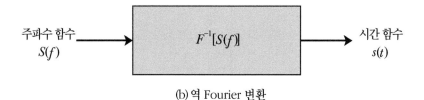

(b) 역 Fourier 변환

| 그림 2.11 | Fourier 변환과 역 Fourier 변환

:: 다음과 같은 신호 $s(t)$를 Fourier 변환하라.

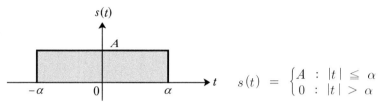

$$s(t) = \begin{cases} A & : |t| \leq \alpha \\ 0 & : |t| > \alpha \end{cases}$$

풀이 식 (2-18)로부터, $S(f) = \displaystyle\int_{-\infty}^{\infty} s(t)e^{-j2\pi ft}dt$

$$= \int_{-\alpha}^{\alpha} Ae^{-j2\pi ft}dt$$

$$= \frac{-A}{j2\pi f}e^{-j2\pi ft}\Big|_{-\alpha}^{\alpha}$$

$$= \frac{A}{j2\pi f}(e^{j2\pi f\alpha} - e^{-j2\pi f\alpha})$$

$$= \frac{A}{j2\pi f}[2j\sin(2\pi f\alpha)]$$

$$= \frac{A}{\pi f}\sin(2\pi f\alpha)$$

$$= 2A\alpha\frac{\sin(2\pi f\alpha)}{2\pi f\alpha}$$

$$= 2A\alpha\,\mathrm{sinc}(2\pi f\alpha)$$

따라서, 펄스를 Fourier 변환하면 그림 2.12와 같은 sinc 함수가 된다.

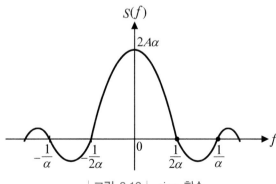

| 그림 2.12 | sinc 함수

펄스폭에 따라서는 주파수 특성이 어떻게 나타날까? 그림 2.13에서 보는 바와 같이 펄스폭이 넓은 경우에는 진폭은 크고 주파수 영역은 좁지만 펄스폭이 좁은 경우에는 진폭은 작아지는 반면에 주파수 영역은 오히려 넓어진다.

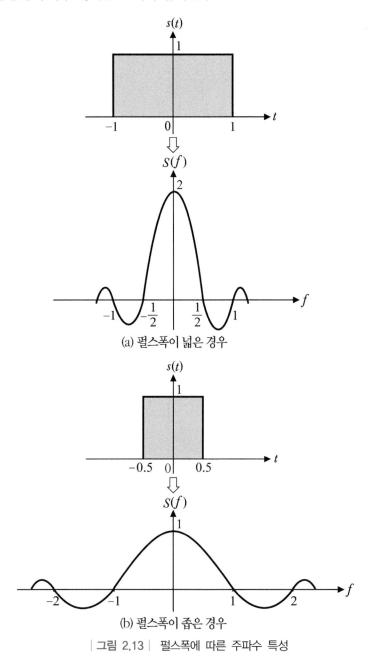

(a) 펄스폭이 넓은 경우

(b) 펄스폭이 좁은 경우

| 그림 2.13 | 펄스폭에 따른 주파수 특성

2.5 정보 이론

Data Communication & Computer Network

● 이진 대칭 채널

정보 이론에서는 가끔 이산 기억이 없는 채널(discrete memoryless channel)이라든지 이산 기억이 없는 정보원(discrete memoryless source)이라는 용어가 등장한다. 전송로인 채널이나 정보원에 기억장치가 없다는 말인지 채널이 사람처럼 기억을 못한다는 말인지 그 의미가 아주 막연하게 느껴질 것이다.

정보 이론에서 말하는 "기억이 없는"이라는 용어의 의미는 컴퓨터의 메모리 개념과는 전혀 무관하며, 확률에서의 독립(independent)이라는 개념이라 할 수 있다.

기억이 없는 채널이란 어떤 시간에서의 채널 출력이 단지 그 시간의 채널 입력에만 관련될 뿐 이전이나 이후의 입력과는 전혀 관계가 없는 채널을 말한다.

기억이 없는 정보원이란 현재 송신하는 데이터 심벌(symbol)이 이전이나 이후의 심벌과는 전혀 관계가 없는 정보의 원천을 의미한다. 다시 말하면 그림 2.14의 정보원에서 송신되는 심벌 s_1, s_2, s_3, ... 들이 어떤 연관이 없이 서로 독립적임을 의미한다.

디지털 형태의 심벌 0과 심벌 1을 전송하는 채널을 디지털 채널 또는 이진 채널이라고 한다.

송신 측에서 심벌 0을 송신하였으나 전송 도중에 발생한 오류로 인하여 수신 측에 심벌 1이 수신될 확률과 역으로 송신 측에서 심벌 1을 송신하였으나 수신 측에 심벌 0이 수신

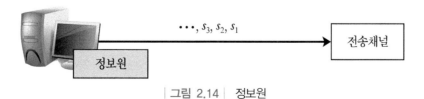

$\cdots, s_3, s_2, s_1$ / 정보원 / 전송채널

| 그림 2.14 | 정보원

될 확률이 동일한 이진 채널을 이진 대칭 채널(BSC : Binary Symmetric Channel)이라고 한다. 이제 통신 채널이 이진 대칭 채널이라고 간주하고, 수신 측에 0과 1이 수신될 확률을 구해보자.

송신 측에서 0과 1을 송신할 확률 p_0와 p_1은 다음과 같이 나타낼 수 있다.

$$p_0 = P(A_0)$$
$$p_1 = P(A_1)$$
$$p_0 + p_1 = 1$$

(2-19)

여기서, A_0와 A_1은 각각 심벌 0과 심벌 1을 송신하는 사건이다.

수신된 심벌이 오류일 확률 p는 다음과 같다.

$$p = P(B_1 | A_0) = P(B_0 | A_1)$$

(2-20)

여기서, B_0와 B_1은 각각 심벌 0과 심벌1을 수신하는 사건이다. $P(B_1 | A_0)$는 0을 송신하였을 때 1이 수신될 확률이며, $P(B_0 | A_1)$은 1을 송신하였을 때 0이 수신될 확률이다.

$P(B_i | A_j)$는 송신 심벌 A_j가 주어진 상태에서 수신 심벌 B_i가 발생할 확률이므로 전향 조건 확률(forward conditional probability)이라고 한다.

사건 B_0와 사건 B_1은 상호 배타적이므로 다음과 같은 관계가 성립한다.

$$P(B_0 | A_0) + P(B_1 | A_0) = 1$$
$$P(B_0 | A_1) + P(B_1 | A_1) = 1$$

(2-21)

따라서, 심벌이 정확하게 수신될 확률은 다음과 같다.

$$P(B_0 | A_0) = 1 - P(B_1 | A_0) = 1 - p$$
$$P(B_1 | A_1) = 1 - P(B_0 | A_1) = 1 - p$$

(2-22)

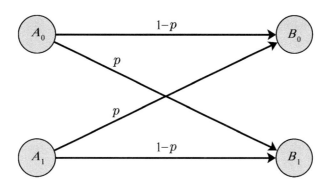

| 그림 2.15 | 이진 대칭 채널의 천이 확률 다이어그램

식 (2-20)과 식 (2-22)를 이용하여 그림 2.15에서 보는 바와 같은 이진 대칭 채널의 천이 확률 다이어그램을 작성할 수 있다.

이진 대칭 채널의 천이 매트릭스(transition matrix)는 다음과 같다.

$$\begin{bmatrix} 1-p & p \\ p & 1-p \end{bmatrix}$$

그림 2.15로부터 심벌 0이 수신될 확률 $P(B_0)$를 구할 수 있다.

$$\begin{aligned} P(B_0) &= P(B_0 \mid A_0)P(A_0) + P(B_0 \mid A_1)P(A_1) \\ &= (1-p)p_0 + pp_1 \end{aligned} \tag{2-23}$$

마찬가지로 심벌 1이 수신될 확률 $P(B_1)$을 구할 수 있다.

$$\begin{aligned} P(B_1) &= P(B_1 \mid A_0)P(A_0) + P(B_1 \mid A_1)P(A_1) \\ &= pp_0 + (1-p)p_1 \end{aligned} \tag{2-24}$$

따라서, Bayes 정리를 적용함으로써 식 (2-25)과 같은 결과를 얻을 수 있다.

$$P(A_0|B_0) = \frac{P(B_0|A_0)P(A_0)}{P(B_0)}$$

$$= \frac{(1-p)p_0}{(1-p)p_0 + pp_1}$$

$$P(A_1|B_0) = \frac{P(B_0|A_1)P(A_1)}{P(B_0)}$$

$$= \frac{pp_1}{(1-p)p_0 + pp_1}$$

$$P(A_0|B_1) = \frac{P(B_1|A_0)P(A_0)}{P(B_1)} \tag{2-25}$$

$$= \frac{pp_0}{pp_0 + (1-p)p_1}$$

$$P(A_1|B_1) = \frac{P(B_1|A_1)P(A_1)}{P(B_1)}$$

$$= \frac{(1-p)p_1}{pp_0 + (1-p)p_1}$$

여기서, $P(A_j|B_i)$는 수신 심벌 B_i가 발생한 상태에서 송신 심벌 A_j가 선택되었을 확률이다.

$P(A_j|B_i)$는 수신 측의 관점에서 볼 때 심벌 B_i를 수신하였지만 송신 측에서 심벌 A_j를 송신하였을 것이라고 추정하는 확률이므로 후향 조건 확률(backward conditional probability)이라고 한다.

후향 조건 확률 $P(A_j|B_i)$는 송신된 심벌을 추정하여 수신한 데이터를 판단하는 데 사용되며, 이러한 방법을 MLD(Maximum Likelihood Decoding)라고 한다.

MLD 방법에서는 다음 조건이 만족하면 수신한 데이터를 0으로 판단한다.

$$P(A_0|B_0) > P(A_1|B_0) \tag{2-26}$$

마찬가지로 다음 조건이 만족하면 수신한 데이터를 1로 판단한다.

$$P(A_1|B_1) > P(A_0|B_1) \tag{2-27}$$

:: 이진 대칭 채널에서 오류가 발생할 확률 p가 0.1이고, 입력 심벌 A_0와 A_1의 발생 확률 p_0와 p_1이 각각 0.7, 0.30이라고 가정하였을 때, 후향 조건 확률 $P(A_0|B_0)$와 $P(A_1|B_1)$을 구하라. 또한, 1이 수신된 경우 수신 측에서는 원래 송신된 데이터가 무엇이라고 판단하는가?

풀이 식 (2-25)로부터,

$$P(A_0|B_0) = \frac{(1-p)p_0}{(1-p)p_0 + pp_1}$$

$$= \frac{(1-0.1) \times 0.7}{(1-0.1) \times 0.7 + 0.1 \times 0.3}$$

$$= 0.95$$

$$P(A_1|B_1) = \frac{(1-p)p_1}{pp_0 + (1-p)p_1}$$

$$= \frac{(1-0.1) \times 0.3}{0.1 \times 0.7 + (1-0.1) \times 0.3}$$

$$= 0.79$$

한편, 마찬가지 방법으로 $P(A_0|B_1)$를 계산하면 0.21이다.

따라서,

$$P(A_1|B_1) > P(A_0|B_1)$$

이므로, 1이 수신된 경우에는 송신 측이 원래 1을 송신하였을 것이라고 판단하게 된다.

그렇지만, 만일 p_0와 p_1이 각각 0.95, 0.05인 경우에는 $P(A_0|B_1) = 0.68$이고, $P(A_1|B_1) = 0.32$이므로 이 경우에는 송신 측이 0을 송신하였으나 전송 도중의 오류로 인해 수신 측에 비록 1로 수신되었을지라도 $P(A_0|B_1) > P(A_1|B_1)$이므로 MLD 방법에 의해 송신 측이 0을 보낸 것으로 판단함으로써 오류를 정정할 수 있다.

○ 엔트로피

음성이나 영상을 포함한 멀티미디어 서비스의 경우에는 정보량이 매우 방대하기 때문에 실시간 전송이 어려우므로 음성이나 영상을 효과적으로 부호화하여 정보량을 줄이는 압축 기법이 사용되고 있다.

압축의 기본 원리를 이해하기 위해 정보원의 평균 정보량을 의미하는 엔트로피(entropy)에 대하여 알아보자.

정보원의 심벌 s_1, s_2, ... , s_k의 발생 확률을 각각 p_1, p_2, ... , p_k라고 한다면 심벌 s_i의 정보량 $I(s_i)$는 다음과 같이 정의한다.

$$I(s_i) = \log_2 \frac{1}{p_i} \ [\text{bit}] \tag{2-28}$$

정보량 $I(s_i)$는 다음과 같은 특성이 있다.

- $p_i = 1$이면, $I(s_i) = 0$이다. 즉, 송신 측의 정보원에서 어떤 심벌 s_i가 발생할 확률이 1이라면 수신 측에서는 수신한 심벌을 항상 s_i라고 판단할 수 있다. 이 경우에는 불확실성이 전혀 없으므로 정보량은 0이 된다.
- $0 \leq p_i \leq 1$이면, $I(s_i) \geq 0$이다.
- $p_j > p_i$이면, $I(s_j) < I(s_i)$이다. 즉, 어떤 심벌이 발생할 확률이 낮을수록 불확실성이 크기 때문에 정보량은 많아진다.
- s_i와 s_j가 서로 독립이면, $I(s_i, s_j) = I(s_i) + I(s_j)$이다.

엔트로피 $H(S)$는 심벌들의 평균 정보량을 말하며, 다음과 같이 정의한다.

$$H(S) = \sum_{i=0}^{k} p_i \log_2 \frac{1}{p_i} \ [\text{bit}] \tag{2-29}$$

$$0 \leq H(S) \leq \log_2^k$$

이진 기억이 없는 정보원의 엔트로피를 구해 보자. 두 심벌 0과 1의 확률을 각각 p_0, $p_1 = 1 - p_0$이라고 한다면 엔트로피는 식 (2-29)에 의해 다음과 같이 구할 수 있다.

$$
\begin{aligned}
H(S) &= \sum_{i=0}^{1} p_i \log_2 \frac{1}{p_i} \\
&= p_0 \log_2 \frac{1}{p_0} + p_1 \log_2 \frac{1}{p_1} \qquad\qquad \text{(2-30)} \\
&= -p_0 \log_2 p_0 - (1-p_0) \log_2 (1-p_0)
\end{aligned}
$$

식 (2-30)으로부터 심벌 0이 발생할 확률 p_0가 0 또는 1인 경우의 엔트로피 $H(S)$는 0비트이고, $p_0 = 1/2$인 경우에는 1비트임을 알 수 있다.

이 결과를 이용하여 그림 2.16과 같은 엔트로피 함수를 얻을 수 있다.

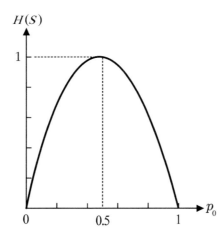

| 그림 2.16 | 이진 기억이 없는 정보원의 엔트로피 함수

예제 2.5

:: 세 심벌 s_1, s_2, s_3의 확률이 각각 $p_1 = 1/2$, $p_2 = 1/4$, $p_3 = 1/4$인 이산 기억이 없는 정보원의 엔트로피를 구하라.

풀이 식 (2-29)로부터,

$$
\begin{aligned}
H(S) &= \sum_{i=0}^{3} p_i \log_2 \frac{1}{p_i} \\
&= \frac{1}{2} \log_2 2 + \frac{1}{4} \log_2 4 + \frac{1}{4} \log_2 4 \\
&= 1.5 \, \text{bit}
\end{aligned}
$$

엔트로피 개념이 어떻게 정보의 압축에 활용될 수 있는지 A 지역의 날씨를 통보하는
예를 통하여 알아보자. 날씨를 다음과 같이 부호화한다고 가정해보자.

기후	확률	부호화 1	부호화 2
맑음	1/2	00	0
흐림	1/4	01	10
비	1/8	10	110
눈	1/8	11	1110

맑음, 흐림, 비, 눈의 4가지 날씨를 표현하기 위해서는 일반적으로 부호화 1의 방법처럼
2비트가 필요하다고 알고 있다. 그렇지만, 정보원 심벌들이 발생할 확률을 고려한 부호화
2의 방법에서는 식 (2-31)과 같이 심벌 당 평균 길이 L은 1.875비트임을 알 수 있다.

$$
\begin{aligned}
L &= \sum_{i=1}^{4} L_i p_i \\
&= 1 \times \frac{1}{2} + 2 \times \frac{1}{4} + 3 \times \frac{1}{8} + 4 \times \frac{1}{8} \\
&= 1.875 \mathrm{bit}
\end{aligned}
\tag{2-31}
$$

날씨에 대한 확률이 주어져 있으므로 식 (2-29)를 이용하여 엔트로피를 다음과 같이 구
할 수 있다.

$$
\begin{aligned}
H(S) &= \sum_{i=1}^{4} p_i \log_2 \frac{1}{p_i} \\
&= \frac{1}{2} \log_2 2 + \frac{1}{4} \log_2 4 + \frac{1}{8} \log_2 8 + \frac{1}{8} \log_2 8 \\
&= 1.75 \ \mathrm{bit}
\end{aligned}
$$

엔트로피를 구해 본 결과, A 지역 날씨의 평균 정보량은 상식적으로 알고 있는 2비트가
아니라 실제로는 1.75비트임을 알 수 있다. 부호화 1의 방법은 한 심벌을 보낼 때마다 0.25
비트씩 낭비하지만 부호화 2의 방법은 0.125비트만이 낭비된다. 이처럼 엔트로피 개념을
활용하여 최적의 부호화 방법을 사용함으로써 정보의 양을 줄이는 압축이 가능해진다.

2.6 큐잉 이론

큐잉 이론(queueing theory)은 대기 이론 또는 대기 행렬 이론이라고도 하며, 도착(arrival), 대기(waiting), 서비스 받음(servicing), 떠남(departure)을 포함하는 여러 유형의 현상을 기술하는 데 유용하다.

◯ 큐잉 시스템

큐잉 시스템(queueing system)은 그림 2.17에서 보는 바와 같이 고객이 시스템에 들어와 큐에서 자신의 차례를 기다리다가 서버의 서비스를 받고 시스템에서 나가는 프로세스로 모델링할 수 있다.

큐잉 시스템은 다음과 같은 5가지 요소에 의해 특성이 결정된다.

- 도착률
- 서비스율
- 서버의 수
- 큐의 크기
- 서비스 규칙

도착률(arrival rate) λ는 서비스를 받기 위해 고객이 시스템에 들어오는 비율, 즉 단위시간당 도착하는 평균 고객의 수(고객/*sec*)를 말하며, 일반적으로 도착 시간 간의 확률 분포는 식 (2-32)와 같은 Poisson 분포를 사용한다.

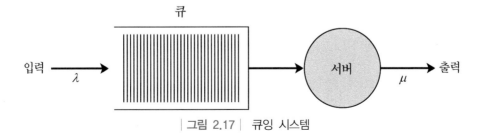

| 그림 2.17 | 큐잉 시스템

$$P_n(t) = \frac{(\lambda t)^n}{n!} e^{-\lambda t} \tag{2-32}$$

서비스율(service rate) μ는 고객이 서버의 서비스를 받는 비율, 즉 단위 시간당 처리하는 평균 고객의 수(고객/sec)를 말하며, 일반적으로 서비스 시간의 확률 분포도 Poisson 분포를 사용한다.

도착률과 서비스율은 큐잉 시스템의 특성을 결정하는 가장 중요한 요소이며, 도착률과 서비스율의 비를 트래픽 밀도(traffic density) ρ라고 정의한다.

$$\rho = \frac{\lambda}{\mu} \tag{2-33}$$

트래픽 밀도 ρ는 반드시 1보다 작아야 한다. $\rho > 1$이면 서버가 처리하는 능력보다 더 많은 고객이 도착하는 상황이므로 서비스를 받기 위해 고객이 대기하는 시간이 급격히 증가하게 된다.

서버의 수에 따라 단일 서버와 다중 서버로 구분하며, 서버의 수도 역시 큐잉 시스템의 특성을 결정하는 중요한 요소 중 하나이다.

실제로는 어떠한 시스템도 무한한 버퍼 용량을 갖고 있지 않으므로 큐의 크기도 큐잉 시스템의 특성에 영향을 미친다. 도착하는 고객이 너무 많아 큐에서 대기할 수 없다면 늦게 도착하는 고객은 시스템에 들어오지도 못하게 되어 결국 서비스를 받을 수 없게 된다.

큐의 크기가 크면 많은 고객을 수용할 수 있지만 서비스를 받기 위해 대기하는 시간이 증가하는 반면에 큐의 크기가 작으면 대기 시간은 감소하지만 시스템에서 차단되는 고객이 늘어나게 된다. 따라서 상황에 적합한 큐의 크기를 설정하는 것이 바람직하다.

서비스를 제공하는 방법은 다양하지만 모든 고객들에게 공평하게 서비스하면서도 최대로 처리할 수 있는 방법을 사용하는 것이 좋다.

- FCFS
- 우선순위

FCFS(First Come First Serve) 방법은 먼저 도착한 고객을 가장 먼저 서비스하는 선착순 방법이며, 우선순위 방법은 고객의 중요도에 따라 우선순위가 높은 고객을 먼저 서비스하고 우선순위가 낮은 고객을 나중에 서비스하는 방법이다.

큐잉 시스템은 $A/B/m$의 형태로 표현한다. A는 도착률, B는 서비스율, m은 서버의 수이다.

- M(Markov) : 지수 분포
- G(general) : 임의 분포
- D(deterministic) : 확정 분포

$M/M/1$은 도착률과 서비스율이 Poisson 분포이고 서버가 하나인 큐잉 시스템을 의미하며, $M/G/1$은 도착률이 Poisson 분포, 서비스율이 임의 분포, 서버가 하나인 큐잉 시스템을 의미하고 $M/D/1$은 도착률이 Poisson 분포, 서비스율이 확정 분포, 서버가 하나인 큐잉 시스템을 의미한다.

● 생성-소멸 프로세스

미래 상태 x_{n+1}이 과거 상태에 영향을 받지 않고 단지 현재 상태 x_n에 의해서만 결정되는 랜덤 프로세스를 Markov 프로세스라고 하며, 상태 공간이 이산적인 경우 Markov 체인이라고 한다.

Markov 프로세스를 수학적으로 표현하면 식 (2-34)와 같다.

$$P[x(t_{n+1}) = x_{n+1}|x(t_n) = x_n, \ x(t_{n-1}) = x_{n-1}, \ \dots \ , \ x(t_1) = x_1]$$
$$= P[x(t_{n+1}) = x_{n+1}|x(t_n) = x_n] \tag{2-34}$$

그림 2.18과 같이 Markov 체인에서 상태가 0, 1, 2, ...이고, 인접 상태 간에서만 천이가 일어나는 프로세스를 생성-소멸 프로세스(birth-death process)라고 한다.

그림 2.19에서 보는 바와 같이 $t + \Delta t$ 시간에 시스템이 k 상태가 될 확률 $P_k(t + \Delta t)$은 식 (2-35)와 같다.

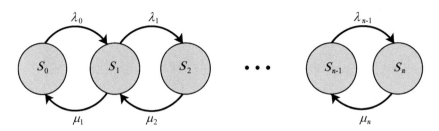

| 그림 2.18 | 생성–소멸 프로세스

$$P_k(t+\triangle t) = P_k(t)p_{k,k}(\triangle t) + P_{k-1}(t)p_{k-1,k}(\triangle t) + P_{k+1}(t)p_{k+1,k}(\triangle t) \quad (2\text{-}35)$$

여기서, $p_{i,j}$는 상태 i에서 상태 j로 천이하는 확률이다.

인접 상태에서 k 상태로 천이하는 확률은 식 (2-36)과 같다.

$$\lambda_{k-1}P_{k-1}(t) + \mu_{k+1}P_{k+1}(t) \quad (2\text{-}36)$$

k 상태에서 인접 상태로 천이하는 확률은 식 (2-37)과 같다.

$$\lambda_k P_k(t) + \mu_k P_k(t) \quad (2\text{-}37)$$

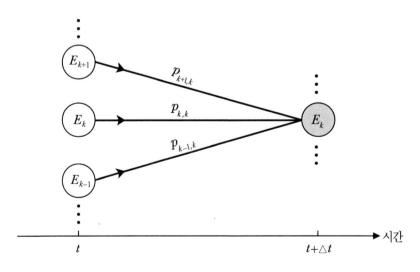

| 그림 2.19 | 시스템이 k 상태일 확률

인접 상태에서 k 상태로 천이하는 확률과 k 상태에서 인접 상태로 천이하는 확률이 같다면 시스템은 k 상태로 유지되므로 이를 평형 상태(balance state)라고 한다.

평형 상태는 식 (2-36)과 식 (2-37)로부터 다음과 같이 나타낼 수 있다.

$$\lambda_{k-1}P_{k-1}(t) + \mu_{k+1}P_{k+1}(t) = \lambda_k P_k(t) + \mu_k P_k(t) \tag{2-38}$$

여기서, λ_k는 상태 k의 도착률, μ_k는 상태 k의 처리율이다.

그림 2.20의 상태 천이도에서 평형 상태는 다음과 같이 나타낼 수 있다.

$$
\begin{aligned}
\lambda P_0 &= \mu P_1 \\
P_1 &= \frac{\lambda}{\mu}P_0 \\
&= \rho P_0 \\
\lambda P_1 &= \mu P_2 \\
P_2 &= \frac{\lambda}{\mu}P_1 \\
&= \rho P_1 \\
&= \rho^2 P_0
\end{aligned}
\tag{2-39}
$$

식 (2-39)로부터 상태 k일 확률을 상태 0일 확률로 나타내면 다음과 같다.

$$P_k = \rho^k P_0 \tag{2-40}$$

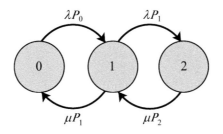

| 그림 2.20 | 상태 천이도

또한, 모든 확률의 합은 1이므로,

$$\sum_{k=0}^{\infty} P_k = 1 \tag{2-41}$$

이며, 식 (2-40)과 식 (2-41)로부터 상태 0일 확률을 구할 수 있다.

$$\sum_{k=0}^{\infty} \rho^k P_0 = 1$$
$$\frac{P_0}{1-\rho} = 1 \tag{2-42}$$
$$P_o = 1-\rho$$

따라서, 상태 k일 확률은 식 (2-40)과 식 (2-42)를 이용하여 구할 수 있다.

$$P_k = \rho^k (1-\rho) \tag{2-43}$$

시스템에서 대기하는 사용자의 수 N은 식 (2-43)을 이용하여 다음과 같이 나타낼 수 있다.

$$N = \sum_{k=0}^{\infty} k P_k$$
$$= (1-\rho) \sum_{k=0}^{\infty} k \rho^k \tag{2-44}$$

$\sum_{k=0}^{\infty} \rho^k = \dfrac{1}{1-\rho}$ 이므로 양변을 ρ로 미분하면,

$$\sum_{k=1}^{\infty} k \rho^{k-1} = \frac{1}{(1-\rho)^2} \tag{2-45}$$

이므로, 식 (2-44)에 식 (2-45)를 대입하여 시스템에서 대기하는 사용자의 수 N을 구할 수 있다.

$$N = (1-\rho) \sum_{k=1}^{\infty} k \rho^{k-1} \rho$$
$$= \frac{(1-\rho)}{(1-\rho)^2} \rho \tag{2-46}$$
$$= \frac{\rho}{1-\rho}$$

사용자가 시스템에 들어와서 서비스를 받고 시스템에서 나가는 데 소요되는 대기 시간 T는 식 (2-47)의 Little의 정리를 이용하여 식 (2-48)과 같이 구할 수 있다.

$$N = \lambda T \qquad (2\text{-}47)$$

$$
\begin{aligned}
T &= \frac{N}{\lambda} \\
&= \frac{\rho}{1-\rho} \bigg/ \frac{1}{\lambda} \\
&= \frac{\rho/\lambda}{1-\rho} \qquad (2\text{-}48) \\
&= \frac{1/\mu}{1 - \lambda/\mu} \\
&= \frac{1}{\mu - \lambda}
\end{aligned}
$$

트래픽 밀도에 따른 사용자의 수와 총 대기 시간을 그림 2.21에 나타내었다.

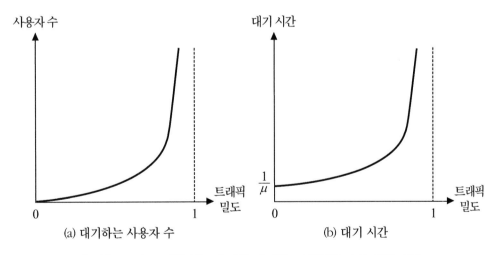

(a) 대기하는 사용자 수   (b) 대기 시간

| 그림 2.21 | 트래픽 밀도에 따른 대기하는 사용자의 수와 대기 시간

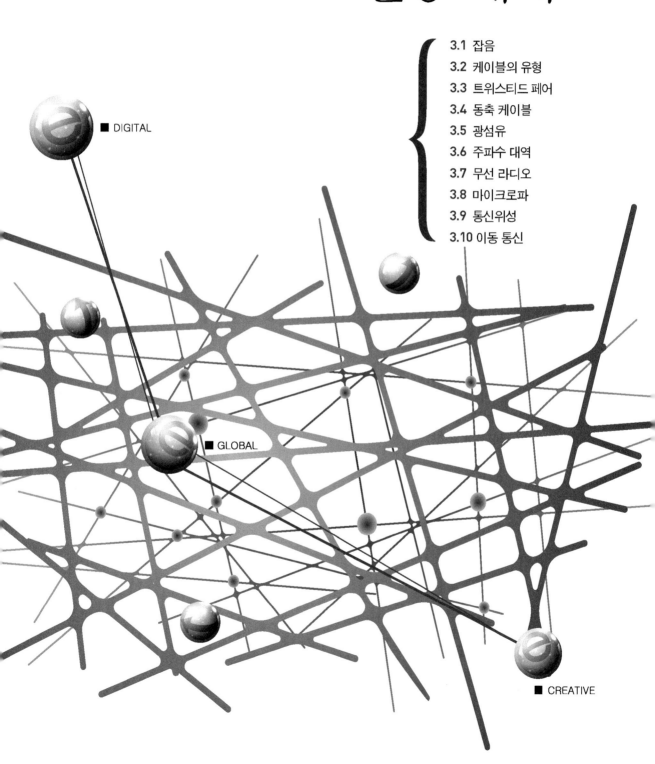

Chapter

03

전송 매체

DIGITAL

GLOBAL

CREATIVE

3.1 잡음

데이터가 전송되는 도중에 발생되는 잡음은 다음과 같은 유형이 있다.

- 열잡음
- 누화
- 반향
- 페이딩
- 상호변조 잡음
- 충격성 잡음

열잡음(thermal noise)은 유선 매체와 통신 장비에서 열에 의해 발생되는 잡음이며, 열잡음은 모든 주파수대에서 균일하게 분포하기 때문에 백색 잡음(white noise)이라고도 한다.

누화(crosstalk)는 인접 채널의 신호가 유입되어 발생되는 잡음이다.

반향(echo)은 송신한 신호가 송신측으로 되돌아오는 잡음으로 장거리 통신에서 발생되며, 반향 제거기(echo canceller)를 사용하여 반향을 제거한다.

페이딩(fading)은 무선 매체에서 발생하며, 눈이나 비가 오는 악천후 날씨에 전파의 세기가 변동하거나 이동 통신에서 전파가 여러 경로를 통해 수신측에 도착함으로써 전파의 세기가 변동하는 잡음이다.

상호변조 잡음(intermodulation noise)은 서로 다른 주파수의 신호들이 다중화되어 전송되는 경우, 신호 주파수들의 합이나 차 주파수를 갖는 원하지 않는 새로운 신호가 생성됨으로써 발생되는 잡음이다.

충격성 잡음(impulsive noise)은 공장에서 발생되는 스파크나 번개 등의 원인에 의해 짧은 기간 동안에 매우 큰 전압이 발생됨으로써 유발되는 잡음이다.

충격성 잡음은 오류가 집중적으로 발생되기 때문에 데이터 통신에 큰 영향을 미친다.

예제 3.1

:: 충격성 잡음이 $1ms$ 동안 발생한다면 전송 속도가 $100Mbps$인 Fast Ethernet의 경우, 몇 비트의 데이터에 영향을 미치게 되는가?

풀이 충격성 잡음으로 인해 영향을 받는 데이터의 비트 수 N_b는 전송 속도와 잡음 발생 시간의 곱이므로,

$$N_b = 100Mbps \times 1ms$$
$$= 10^5 \ bit$$

따라서 $1ms$ 동안의 충격성 잡음으로 인해 100,000비트의 데이터에 영향을 미치게 된다.

데이터가 전송되는 도중에는 잡음 이외에도 감쇠와 지연 왜곡과 같은 열화 현상으로 인해 오류가 발생할 수도 있다.

감쇠(attenuation)는 신호가 전송 매체를 통해 전달되는 도중에 크기가 감소되는 현상으로 신호의 주파수에 따라 감소되는 양이 다르다.

감쇠를 보상하기 위해서는 등화기(equalizer)를 이용하며, 신호의 크기가 어느 정도의 수준 이하로 떨어지기 전에 중계기(repeater)를 이용하여 약해진 신호를 증폭하여 전송해야 한다.

유선 매체에서의 감쇠는 매체의 유형과 거리에 따라 어느 정도 정량적으로 결정되지만 무선 매체에서의 감쇠는 전송 거리, 대기권의 상태 등 여러 가지 요인이 복합적으로 작용하여 영향을 미치기 때문에 상당히 복잡한 형태로 나타난다.

지연 왜곡(delay distortion)은 신호가 전송 매체를 통해 전달될 때 주파수에 따라 수신 측에 도달하는 시간이 다르기 때문에 원래의 신호와 그 형태가 달라지는 현상이다.

3.2 케이블의 유형

전송 케이블은 전송 속도, 대역의 유형, 전송 거리 혹은 전송 매체의 유형으로써 특징을
나타내며, 다음과 같은 명칭으로 구분하고 있다.

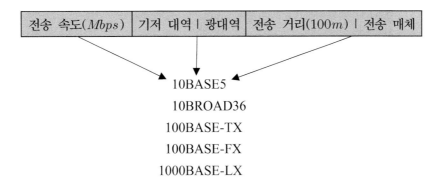

전송 속도($Mbps$)	기저 대역 | 광대역	전송 거리($100m$) | 전송 매체

10BASE5
10BROAD36
100BASE-TX
100BASE-FX
1000BASE-LX

10BASE5는 전송 속도가 $10\,Mbps$이고 전송 거리가 $500\,m$인 기저 대역 동축 케이블을
의미하며, 10BROAD36는 전송 속도가 $10\,Mbps$이고 전송 거리가 $3,600\,m$인 광대역 동축
케이블을 의미한다.

100BASE-TX는 전송 속도가 $100\,Mbps$인 기저 대역 트위스티드 페어 케이블을 의미하
며, 100BASE-FX는 전송 속도가 $100\,Mbps$인 기저 대역 광섬유, 1000BASE-LX는 전송
속도가 $1\,Gbps$인 기저 대역 광섬유를 의미한다.

◉ 기저 대역 케이블

▪ 디지털 전송

▪ 다중화 하지 않음

◉ 광대역 케이블

▪ 아날로그 및 디지털 전송

▪ 여러 신호를 다중화 하여 전송

3.3 트위스티드 페어

트위스티드 페어(TP : Twisted Pair)는 그림 3.1과 같이 두 도선을 꼬아 놓은 형태이며, UTP(Unshielded Twisted Pair)와 STP(Shielded Twisted Pair)의 2가지 유형이 있다.

UTP 케이블은 전송 품질은 떨어지지만 가격이 저렴하기 때문에 단거리의 데이터 통신에 널리 이용되고 있다.

STP 케이블은 간섭을 차폐시키도록 제작하였으므로 가격이 비싸지만 UTP 케이블에 비해 성능이 좋기 때문에 단거리의 고속 데이터 통신에 제한적으로 이용되고 있다.

UTP 케이블에는 여러 가지 유형(category)이 있으며, 다음과 같은 용도에 주로 사용되고 있다.

- 1종 UTP : 전화망
- 2종 UTP : Token Ring(4$Mbps$)
- 3종 UTP : Ethernet(10$Mbps$)
- 4종 UTP : Token Ring(16$Mbps$)
- 5종 UTP : Fast Ethernet(100$Mbps$)
  Gigabit Ethernet(1$Gbps$)
- 6종 UTP : Gigabit Ethernet(1$Gbps$)
  10Gigabit Ethernet(10$Gbps$)
- 7종 UTP : 10Gigabit Ethernet(10$Gbps$)

| 그림 3.1 | 트위스티드 페어

| 표 3.1 | 트위스티드 페어의 감쇠 특성

주파수 (MHz)	감쇠($dB/100m$)		
	3종 UTP	5종 UTP	STP
1	2.6	2.0	1.1
4	5.6	4.1	2.2
16	13.1	8.2	4.4
25	-	10.4	6.2
100	-	22.0	12.3

표 3.1에서 보는 바와 같이 STP는 UTP에 비해 더 좋은 감쇠 특성을 가지고 있으나 신호 주파수가 높아질수록 감쇠가 커지므로 UTP의 경우에도 장거리 초고속의 통신에는 적합하지 않다.

트위스티드 페어의 특징은 다음과 같다.

- 아날로그 및 디지털 전송을 한다.
- 감쇠 특성이 나쁘다.
- 간섭에 약하다.
- 대역폭이 좁다.
- 전송 속도가 낮다.
- 비용이 저렴하다.

그림 3.2는 UTP 케이블을 이용하여 성형 LAN을 구축한 예이다.

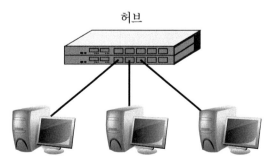

허브

| 그림 3.2 | UTP 케이블을 이용한 성형 LAN

3.4 동축 케이블

Data Communication & Computer Network

동축 케이블(coaxial cable)은 그림 3.3과 같이 내부 도체와 망사형의 외부 도체로 구성되어 있으며, 유선 방송이나 고속의 데이터 통신에 널리 사용되고 있다.

동축 케이블의 특징은 다음과 같다.

- 아날로그 및 디지털 전송을 한다.
- 감쇠 특성이 좋다.
- 간섭에 강하다.
- 대역폭이 넓다.
- 전송 속도가 높다.
- 광섬유에 비하여 가격이 싸다.

그림 3.4는 동축 케이블을 이용하여 Ethernet을 구축한 예이다.

| 그림 3.3 | 동축 케이블

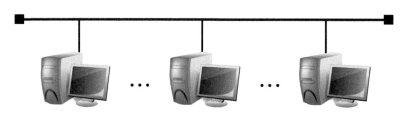

| 그림 3.4 | 동축 케이블을 이용한 Ethernet

3.5 광섬유

Data Communication & Computer Network

광섬유(optical fiber)는 빛으로 정보를 전송하는 $100\mu m$ 정도의 가느다란 전송 매체로서 그림 3.5와 같이 굴절률이 높은 코어(core)와 굴절률이 낮은 클래딩(cladding)으로 구성되어 있다. 광섬유 케이블은 ATM(Asynchronous Transfer Mode), FTTH(Fiber To The Home) 등의 초고속 데이터 통신에 사용되고 있다.

광섬유는 코어의 굴절률 분포에 따라 계단형(step index)과 언덕형(graded index) 광섬유로 구분한다. 계단형 광섬유는 코어와 클래딩의 굴절률이 계단 형태로 변하며, 언덕형 광섬유는 코어 중심의 굴절률이 가장 크고 클래딩 쪽으로 갈수록 굴절률이 감소한다.

빛이 전파되는 형태에 따라 단일 모드(single mode) 광섬유와 멀티 모드(multimode) 광섬유로도 구분한다. 단일 모드 광섬유는 코어를 아주 좁게 제작하여 그림 3.6에서 보는 바와 같이 빛이 한 가닥만 광섬유를 통해 전파되지만 멀티 모드 광섬유는 코어를 넓게 제작하여 여러 가닥의 빛이 전파된다.

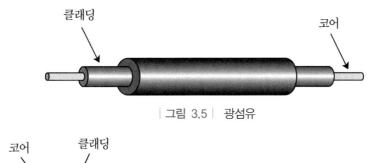

| 그림 3.5 | 광섬유

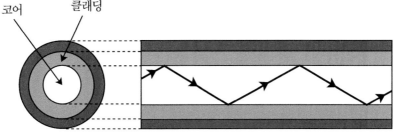

| 그림 3.6 | 단일 모드 광섬유에서의 전파

광섬유를 이용하여 데이터를 전송하기 위해서는 송신 측에서 컴퓨터의 전기 신호를 빛으로 변환하여야 하며, 이러한 기능을 하는 E/O 변환기(electral to optical converter)를 광원이라고 한다.

광원으로는 파장이 $850nm$, $1,300nm$, $1,550nm$인 LED(Light Emitting Diode)나 LD (Laser Diode)가 사용된다.

수신 측에서는 광섬유로부터의 빛을 전기 신호로 변환하여 컴퓨터에 입력하여야 하며, 이러한 기능을 하는 O/E 변환기(optical to electrical converter)를 수광 소자라고 한다.

수광 소자로는 APD(Avalanche Photo Diode)나 pin 다이오드가 사용된다.

광섬유의 특징은 다음과 같다.

- 대역폭이 넓다.
- 초고속 전송이 가능하다.
- 감쇠가 적다.
- 전자기적 간섭이 없다.
- 정보 보안성이 좋다.
- 부피가 작고 가볍다.
- 가격이 비싸다.

광섬유는 수십 $Gbps$의 초고속 전송이 가능하며, 무게가 가볍고 부피가 작아서 고층 빌딩 등에의 설치가 용이하다. 또한, 광섬유는 그림 3.7에서 보는 바와 같이 감쇠가 매우 적어서 중계기가 없어도 장거리 전송이 가능하다.

특히, 장파장 $1,550nm$인 광원을 사용할 경우에는 감쇠가 불과 $0.2dB/km$이므로 초고속의 장거리 통신이 가능하다.

광섬유는 빛으로 정보를 전송하므로 전자기적 간섭을 받지 않기 때문에 인접 회선으로부터의 누화나 공장에서의 스파크로 인한 충격성 잡음에도 전혀 영향을 받지 않을 뿐만 아니라 전송되는 정보의 보안성이 뛰어난 전송 매체이다.

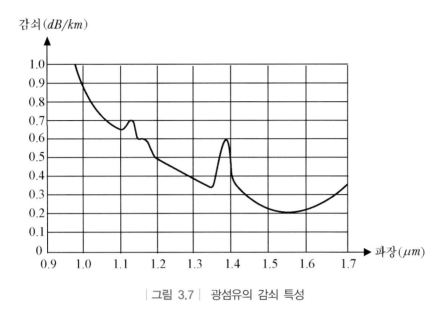

| 그림 3.7 | 광섬유의 감쇠 특성

그림 3.8은 광케이블을 이용하여 초고속 통신망을 구축하고, 일반 가정까지 FTTH(Fiber To The Home)를 구축한 예이다.

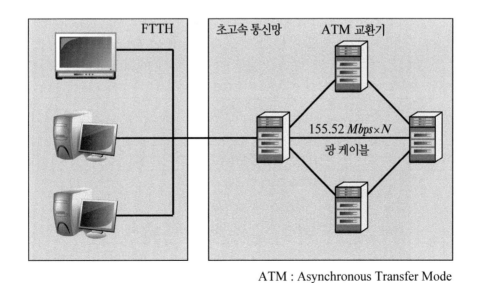

ATM : Asynchronous Transfer Mode
FTTH : Fiber-To-The-Home

| 그림 3.8 | 광섬유를 이용한 초고속 통신망

3.6 주파수 대역

무선 통신은 전자파가 퍼져 나가는 형태에 따라 전방향성 통신과 지향성 통신으로 구분할 수 있다.

전방향성(omnidirectional) 통신은 전자파가 모든 방향으로 전파되기 때문에 어떤 방향에 있는 안테나에서도 신호를 수신할 수 있지만 지향성(directional) 통신은 전자파가 특정 방향으로만 전파되므로 그 방향에 위치한 안테나에서만 신호를 수신할 수 있다.

신호 주파수가 높을수록 지향성이 크며, 동일한 신호 전력이라면 지향성이 클수록 보다 멀리까지 전파될 수 있다.

$30\,MHz \sim 1\,GHz$ 범위의 무선 라디오(radio)는 전방향성이고 날씨의 영향을 덜 받기 때문에 주로 라디오나 TV 등의 방송용으로 사용된다. $2\,GHz \sim 40\,GHz$ 범위의 마이크로파 (microwave)는 지향성이 크므로 점대점 통신이나 위성 통신에 사용된다.

표 3.2에 주파수 대역의 명칭과 용도를 열거하였다.

| 표 3.2 | 주파수 대역

주파수 대역	명칭	용도
$20 \sim 20kHz$	audible frequency	가청 주파수
$30 \sim 300kHz$	LF(Low Frequency)	해상 통신
$300 \sim 3,000kHz$	MF(Medium Frequency)	AM 방송
$3 \sim 30MHz$	HF(High Frequency)	단파 라디오
$30 \sim 300MHz$	VHF(Very High Frequency)	FM 방송, VHF TV
$300 \sim 3,000MHz$	UHF(Ultra High Frequency)	UHF TV, 이동전화
$3 \sim 30GHz$	SHF(Super High Frequency)	통신위성, 레이더
$30 \sim 300GHz$	EHF(Extremely High Frequency)	단거리 점대점 통신
$10^3 \sim 10^7GHz$	infrared, visible ray, ultraviolet	광통신

Data Communication & Computer Network

3.7 무선 라디오

무선 라디오(radio)는 일반적으로 $1GHz$ 보다 낮은 주파수 대역을 말하며, 주로 FM 방송, TV 방송, 이동 전화 등에 사용되고 있다.

무선 라디오의 특징은 다음과 같다.

- 전방향성이다.
- 날씨의 영향이 적다.
- 다중 경로 간섭이 심하다.

무선 라디오는 전방향성이고 눈비 등의 날씨에 의한 영향이 적어서 이동 전화나 방송용으로 적합하다.

무선 라디오는 지형이나 물체에 의해 전파가 반사되고 이로 인해 다중 경로 간섭이 발생하므로 통신할 수 있는 거리에 제약이 있다.

무선 라디오를 데이터 통신에 활용한 사례로는 그림 3.9에서 보는 바와 같이 $400MHz$ 대의 주파수를 사용하는 Hawaii대학교의 ALOHANET이 있다.

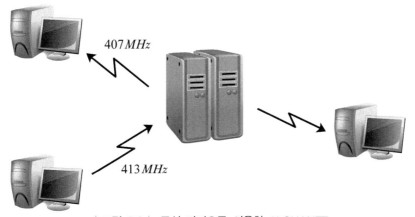

| 그림 3.9 | 무선 라디오를 이용한 ALOHANET

3.8 마이크로파

마이크로파는 일반적으로 $2 \sim 40\,GHz$의 주파수 대역을 말하는데 여기서는 위성을 제외한 지상 마이크로파(terrestrial microwave)의 특징에 관하여 기술한다.

마이크로파를 수신하기 위해서는 접시형 안테나(parabolic antenna)가 필요하다. 마이크로파는 장거리 전화에 주로 사용되며, 그림 3.10과 같이 빌딩 간의 단거리 점대점 통신에도 사용되고 있다.

마이크로파의 특징은 다음과 같다.

- 지향성이 좋다.
- 날씨의 영향이 심하다.
- 주파수가 높을수록 감쇠가 크다.
- 대역폭이 크다.

마이크로파는 무선 라디오에 비해 주파수가 높기 때문에 대역폭이 크고 지향성이 좋아서 일반적으로 장거리 고속 통신에 사용되고 있다. 그렇지만, 주파수가 높아지면 주파수의 제곱에 비례하여 감쇠가 급격히 커져서 성능이 떨어진다.

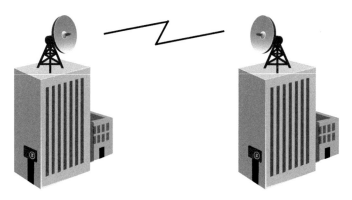

| 그림 3.10 | 마이크로파를 이용한 점대점 통신

주파수가 $10\,GHz$ 이상으로 높아지면 눈이나 비가 오는 악천후 날씨에는 감쇠가 심각할 정도로 커질 뿐만 아니라 다른 안테나로부터 방사되는 전자파와의 간섭이 심해져서 오히려 장거리 통신이 곤란해진다.

통신할 수 있는 거리를 가시거리(line-of-sight)라고 하며, 다음과 같이 계산할 수 있다.

$$d \;=\; 7.14\sqrt{Kh}\;\;[km] \qquad\qquad (3\text{-}1)$$

여기서, K는 지구의 곡률에 의한 보정 계수이며, h는 안테나의 높이(m)이다.

마이크로파 통신에서는 송신 안테나의 높이가 높을수록 멀리까지 전송이 가능하기 때문에 안테나를 산이나 빌딩 옥상에 설치하는 것이다.

예제 3.2

:: $30\,m$ 높이의 빌딩 옥상에 설치된 안테나로부터 전파를 송출한다고 하자. 장애물이 없을 경우에 이 전파가 도달할 수 있는 최대 거리는 얼마인가? 또한, A 전화국에서 $120\,km$ 떨어져 있는 B 전화국까지 중계기 없이 직접 신호를 보내려면 송수신 안테나를 어느 정도의 높이에 설치하여야 하는가? 단, 지구 곡률에 의한 보정 계수 K는 4/3이다.

풀이 안테나의 높이가 $30\,m$이므로 이 전파가 도달할 수 있는 최대 거리는 식 (3-1)로부터 구할 수 있다.

$$d \;=\; 7.14\sqrt{Kh} \;=\; 7.14\sqrt{\frac{4}{3}\times 30}$$

$$=\; 45.2\,km$$

마찬가지 방법으로 거리가 $120\,km$인 경우의 안테나 높이를 구할 수 있다.

$$h \;=\; \frac{d^2}{7.14^2\,K} \;=\; \frac{120^2}{7.14^2\times 4/3}$$

$$=\; 212\,m$$

3.9 통신위성

통신위성(satellite)이라 함은 일반적으로 고도 $35,784km$ 지점에 위치하여 지구 자전 주기와 동일하게 이동함으로써 특정 지역의 상공에 정지해 있는 것처럼 여겨지는 정지 궤도 위성을 의미한다.

통신위성은 SHF(Super High Frequency) 대역의 주파수를 사용하고 있으며, 위성 TV 방송, 장거리 전화, 디지털 멀티미디어 방송 등에 이용되고 있다.

통신위성은 지구국으로부터 그림 3.11과 같이 업링크(uplink)를 통해 보내온 신호를 수신하여 증폭한 다음 다른 주파수로 변환하여 다운링크(downlink)를 통해 지구국으로 송신하는 트랜스폰더(transponder)의 역할을 한다.

위성 TV 방송의 경우에는 그림 3.12와 같이 통신위성이 TV 신호를 방송하면 가정에서는 지구국과 방송국을 경유하지 않고 직접 위성용 안테나를 통해 TV를 시청할 수 있다. 이를 직접 위성 방송(DBS : Direct Broadcasting Satellite)이라고 한다.

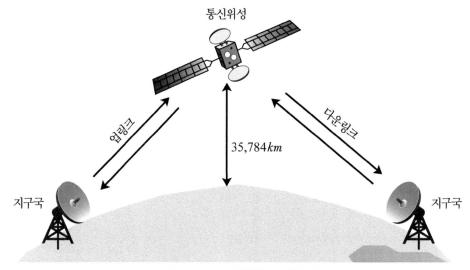

| 그림 3.11 | 통신위성을 이용한 통신

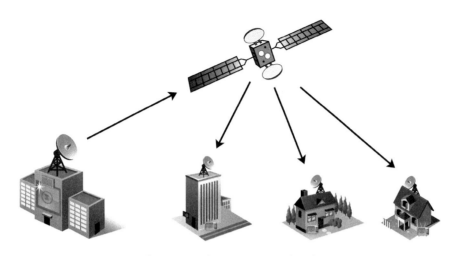

| 그림 3.12 | 위성 TV 방송(DBS)

위성 기업통신망(VSAT : Very Small Aperture Terminal)은 그림 3.13과 같이 기업체에서 통신위성의 채널을 임대하여 데이터 전송, 전화 및 화상회의를 하는 통신망이다.

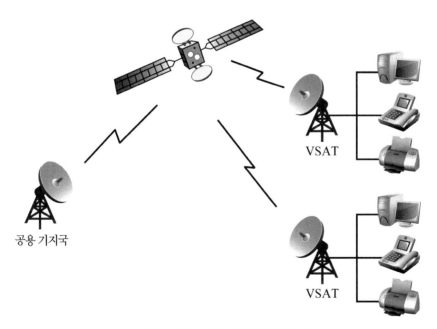

| 그림 3.13 | 위성 기업통신망(VSAT)

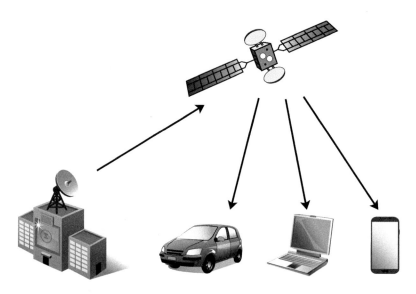

| 그림 3.14 | 디지털 멀티미디어 방송(DMB)

　디지털 멀티미디어 방송(DMB : Digital Multimedia Broadcasting)은 그림 3.14에서 보는 바와 같이 CD 수준의 음악과 영상 서비스 등을 제공하는 디지털 방식의 멀티미디어 방송을 말한다.

　DMB 서비스가 제공됨으로써 누구라도 차량 이동 중이나 야외에서 휴대폰이나 PDA (Personal Digital Assistants)와 같은 휴대용 단말기를 통해 음악 방송이나 TV 시청이 가능하게 되었다.

　위치 추적 시스템(GPS : Global Positioning System)은 $20,000 km$ 상공의 이동 위성을 이용하는 미 국방성에서 개발한 위성 항법 시스템이지만 무기 유도, 항법, 측량, 지도 제작 등 군용 및 민간용으로 사용되고 있다.

　GPS는 그림 3.15에서 보는 바와 같이 3대의 GPS 위성의 측위 정보를 이용하여 모바일 단말기의 정확한 위치를 측정하고 있다.

　위치 정보 서비스(LBS : Location Based Service)는 GPS나 이동 통신망을 통해 얻은 위치 정보를 활용하여 사용자에게 다양한 맞춤형 서비스를 제공한다.

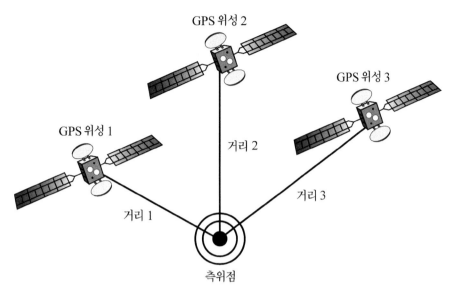

| 그림 3.15 | 위치 추적 시스템(GPS)

위치 정보 서비스는 다음과 같이 여러 분야에 활용되고 있다.

- 위치 확인
- 긴급 구조
- 교통 및 항법 관제
- 물류 추적
- 날씨나 생활 정보 등 주변 정보 제공
- 위치 기반 스마트 관광
- 위치 기반 맞춤형 광고

이동 통신 서비스에 활용되는 이동 위성은 다음과 같이 구분된다.

- 저궤도 위성
- 중궤도 위성

저궤도 위성(LEO : Low Earth Orbit)의 고도는 $1,000km \sim 2,000km$이고, 중궤도 위성(MEO : Middle Earth Orbit)의 고도는 $10,000km \sim 20,000km$로서 정지 위성에 비해

전파 지연이 작은 장점은 있으나 글로벌 이동 통신 서비스를 제공하기 위해서는 많은 위성이 필요하다.

통신위성의 특징은 다음과 같다.

- 대역폭이 크다.
- 고속의 데이터 전송이 가능하다.
- 주파수가 높을수록 감쇠가 크다.
- 전파 지연이 크다.
- 광범위한 영역의 통신이 가능하다.
- 정보 보안성이 취약하다.

통신위성에서 사용하는 주파수 대역인 SHF는 무선 라디오나 지상 마이크로파에 비해 주파수가 높아서 대역폭이 크기 때문에 고속 데이터 전송이 가능하다.

통신위성에 사용되는 주파수 대역은 다음과 같다.

○ 4/6 GHz 대역(C 밴드)
- 업링크 : $5.925 \sim 6.425\,GHz$
- 다운링크 : $3.7 \sim 4.2\,GHz$

○ 12/14 GHz 대역(Ku 밴드)
- 업링크 : $14 \sim 14.5\,GHz$
- 다운링크 : $11.7 \sim 12.2\,GHz$

통신위성은 아주 광범위한 영역에 데이터를 전송할 수 있어서 도시는 물론 케이블 설치가 어려운 도서나 산악 지역과도 통신이 용이한 장점이 있는 반면에 전파 지연이 매우 큰 단점이 있다.

통신위성을 통한 데이터 전송에서의 가장 큰 취약점은 보안성이다. 보안이 요구되는 정보를 전송할 때에는 반드시 암호화 하여 전송하여야 한다.

예제 3.3

:: 한 지구국에서 통신위성을 경유하여 상대편 지구국과 정보를 교환하려고 한다. 이때 발생되는 왕복 전파 지연은 얼마인가?

풀이 통신위성의 고도는 약 $36,000 km$이고, 전파의 속도는 $3 \times 10^8 m/s$이므로 지구국에서 통신위성에 도달하는 데 소요되는 시간의 2배인 전파 지연 t_p는 다음과 같이 구할 수 있다.

$$t_p = 2 \times \frac{d(거리)}{v(속도)} = 2 \times \frac{36000\ km}{3 \times 10^8\ m/s}$$
$$= 0.24초$$

따라서, 통신위성에서 발생하는 왕복 전파 지연은 0.48초이다.

최초의 위성은 1957년 10월 구 소련에서 쏘아 올린 Sputnik 1호이며, 1958년 1월에는 미국에서 Explorer 1호를 발사하였다.

우리나라는 1992년에 우리별 1호를 최초로 발사하였고, 1996년에는 통신방송위성인 무궁화 2호, 2006년에는 다목적위성인 아리랑 2호를 발사하였다. 2013년 1월 30일에는 나로호(KSLV3 : Korea Space Launch Vehicle 3) 발사에 성공하여 10번째로 스페이스 클럽에 가입하게 되었다.

스페이스 클럽이란 자국의 기술로 제작한 인공위성을 자국의 로켓으로 자국의 우주 기지에서 발사한 국가이며, 스페이스 클럽에 가입한 나라는 다음과 같다.

- 소련(1957년 10월 4일)   Sputnik1
- 미국(1958년 1월 31일)   Explorer1
- 프랑스(1965년 11월 26일)   Asterix1
- 일본(1970년 2월 11일)   Ohsumi
- 중국(1970년 4월 24일)   DFH1
- 영국(1971년 10월 28일)   Prospero
- 인도(1980년 7월 18일)   Rohini1
- 이스라엘(1988년 9월 19일)   Ofeq1
- 이란(2005년 10월 27일)   Sinah1

3.10 이동 통신

이동 통신 분야에서는 주파수 할당이 중요한 문제이다. 최근에 상용화되었거나 아직 개발 단계인 이동 통신 서비스는 이미 다른 용도에 할당되어 있는 주파수 대역을 사용할 수 없기 때문에 이동 통신 서비스에 할당된 주파수가 최적이라고 할 수는 없다.

이동 통신에서는 한정된 주파수로써 많은 사용자에게 서비스를 제공하기 위해 서비스 영역을 셀(cell)이라는 소규모 영역으로 나누어 주파수를 재사용하고 있다.

주파수 재사용(frequency reuse)이란 그림 3.16에서 보는 바와 같이 인접한 셀들은 서로 다른 주파수를 사용하고 인접하지 않은 셀에서는 동일한 주파수를 사용하게 하는 것을 말한다. 이렇게 함으로써 주파수의 사용 효율을 높일 수 있다.

이동 단말기가 한 셀에서 다른 셀로 이동할 경우, 서비스를 처리하는 기지국이 바뀌어야 하는 데 이 과정에서 잠시 동안 통신이 두절되는 현상이 나타나게 된다.

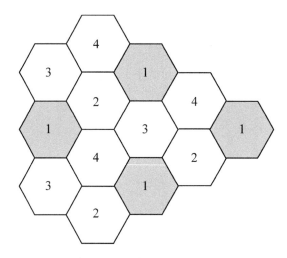

│ 그림 3.16 │ 주파수 재사용

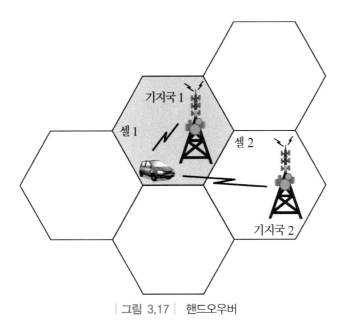

| 그림 3.17 | 핸드오우버

그림 3.17에서 자동차가 셀 1에서 셀 2로 이동한다면 기지국 1에서 기지국 2로 전환되어야 하며, 이를 핸드오우버(handover) 또는 핸드오프(handoff)라고 한다. 핸드오우버는 사용자가 불편을 느끼지 않도록 신속하게 이루어져야 한다.

이동 통신의 각 세대별 특징은 다음과 같다.

- 1세대(1G) : 음성 서비스
  AMPS(Advanced Mobile Phone Systems)
  1978년 상용화
- 2세대(2G) : 음성, SMS(Short Message Service) 서비스
  CDMA(Code Division Multiple Access)
  TDMA(Time Division Multiple Access)
  1992년 상용화
- 3세대(3G) : 음성, SMS, 영상 서비스
  IMT-2000((International Mobile Telecommunication-2000)
  WCDMA(Wideband CDMA), CDMA2000
  2000년 상용화

- 4세대(4G) : 음성, SMS, 인터넷, 실시간 멀티미디어 서비스
  IMT-Adv(IMT-Advanced)
  LTE(Long Term Evolution)-Adv
  2014년 상용화
- 5세대(5G) : 음성, SMS, 초고속 인터넷, 실시간 고화질 멀티미디어 서비스
  IMT-2020
  2020년 상용화

21세기에 진입하면서 도입된 3세대 IMT-2000의 특징은 다음과 같다.

- 어디서나 누구하고나 어떠한 형태의 통신이라도 가능하다.
- 유선망과 이동 위성을 망라한 통합 서비스를 제공한다.
- 국제적인 로밍이 가능하다.
- 2,000MHz의 주파수 대역을 사용한다.

이에 비하여 4세대 이동 통신의 특징은 다음과 같다.

- 실시간 멀티미디어 서비스를 제공한다.
- 고속 이동 시 100$Mbps$의 전송 속도를 제공한다.
- 정지 시 1$Gbps$의 전송 속도를 제공한다.

5세대 이동 통신의 공식 명칭은 IMT-2020이며, 최대 20$Gbps$의 데이터 전송이 가능하고, 1km^2에 약 10^6개의 기기들에게 사물 인터넷 서비스가 제공되며, 기지국 내 어디에서도 사용자들은 100$Mbps$ 이상의 빠른 속도로 데이터를 주고받을 수 있다.

5G 사용자는 스마트 폰으로 초고화질 UHD 영화 한 편을 10초 이내에 다운받을 수 있고, 실시간 가상현실 영상 콘텐츠나 홀로그램 활용 서비스 및 모든 기기가 하나로 연결되어 정보를 주고받는 스마트 홈, 스마트 오피스 등 다양한 모바일 서비스를 어디서나 편리하게 활용할 수 있다.

전송 방식

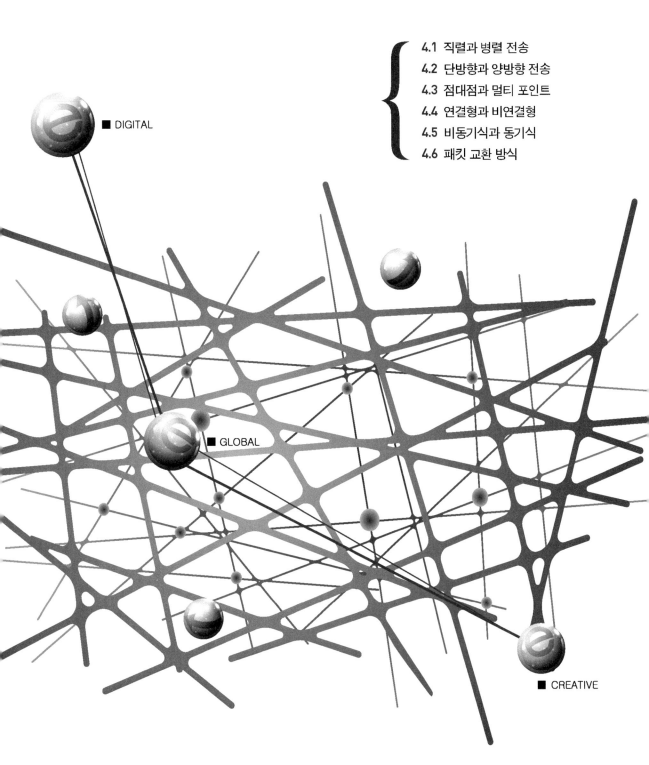

■ DIGITAL

■ GLOBAL

■ CREATIVE

4.1 직렬과 병렬 전송

Data Communication & Computer Network

데이터 전송 채널의 수에 따라 동시에 전송할 수 있는 데이터 비트의 수가 다르다. 전송 채널이 1개라면 한 번에 1비트밖에 전송할 수 없지만 전송 채널이 여러 개라면 한꺼번에 여러 비트씩 전송할 수 있다. 한 번에 전송되는 비트의 수에 따라 직렬 전송과 병렬 전송으로 구분할 수 있다.

● 직렬 전송

직렬 전송(serial transmission)은 그림 4.1과 같이 1개의 전송 채널을 이용하여 한 번에 1비트씩 전송하는 방식이다.

예를 들어, 표 1.1의 ASCII 코드표에서 "A(41_H = 0100 0001)"를 직렬 방식으로 전송하는 경우에는 0, 1, 0, 0, ... 형태로 순차적으로 한 번에 1비트씩 8회에 걸쳐 전송한다.

직렬 전송 방식은 한 번에 1비트씩 전송하기 때문에 데이터를 보내는 데 시간이 많이 소요되는 단점이 있는 반면에 전송로가 1개만 필요하므로 케이블의 비용이 절감되는 장점이 있다.

일반적으로 데이터 통신에서는 포설되는 케이블의 비용을 절감하기 위해 직렬 전송 방식을 이용한다.

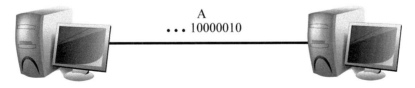

| 그림 4.1 | 직렬 전송

예제 4.1 ───

:: Love를 2진의 ASCII 코드로 표현하라.

풀이 표 1.1의 ASCII 코드표를 이용하여 Love의 각 문자를 16진으로 대치하면,

$$L \rightarrow 4C_H$$
$$o \rightarrow 6F_H$$
$$v \rightarrow 76_H$$
$$e \rightarrow 65_H$$

이므로, Love를 2진의 ASCII 코드로 표현하면 '0100 1100   0110 1111   0111 0110 0110 0101'과 같다.

병렬 전송

병렬 전송(parallel transmission)은 그림 4.2와 같이 여러 개의 전송 채널을 이용하여 한 꺼번에 여러 비트를 동시에 전송하는 방식이다.

병렬 전송 방식은 데이터를 전송하는 시간은 적게 들지만 케이블의 비용이 많이 드는 단점이 있다.

병렬 전송 방식은 데이터 통신에는 이용되지 않으며, 단지 컴퓨터 내부에서 데이터 버스를 통해 CPU와 메모리 간에 데이터를 전달한다든지 병렬 포트를 통해 컴퓨터에서 프린터로 출력할 데이터를 전달하는 등의 제한된 용도로만 이용되고 있다.

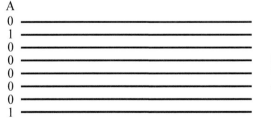

A
0
1
1
0
0
0
0
0
1

| 그림 4.2 | 병렬 전송

4.2 단방향과 양방향 전송

Data Communication & Computer Network

데이터가 전달되는 방향에 따라 단방향 전송 방식과 양방향 전송 방식으로 구분할 수 있다.

○ 단방향 전송

단방향(simplex) 전송 방식은 그림 4.3에서 보는 바와 같이 전송 채널이 1개로써 데이터 가 한쪽 방향으로만 전달되므로 송신 측은 데이터를 송신만 하며, 수신 측은 데이터를 수 신만 한다.

단방향 전송 방식의 경우에는 수신 측에서 송신 측으로의 역방향 채널이 없기 때문에 수신한 데이터에 대한 응답을 송신 측에 보낼 수 없으므로 수신 측에서 전송 오류를 정정 하는 오류 제어 기법을 사용하여야 한다.

단방향 전송 방식의 예로는 라디오 방송, TV 방송, 무선 호출 등이 있다.

| 그림 4.3 | 단방향 전송

○ 양방향 전송

양방향(duplex) 전송은 데이터가 양쪽 방향으로 전달되는 방식이다. 양방향 전송 방식의 경우에는 수신 측에서 송신 측으로 응답을 보낼 수 있기 때문에 오류가 발생하면 송신 측 에 재전송을 요청하는 오류 제어 기법을 사용할 수 있다.

양방향 전송 방식의 예로는 전화 등이 있으며, 거의 대부분의 통신이 양방향 전송 방식 으로 이루어지고 있다.

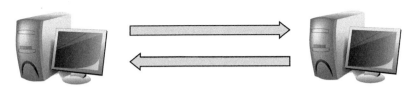

| 그림 4.4 | 전이중 방식

양방향 전송 방식은 전송 채널의 수에 따라 전이중 방식과 반이중 방식으로 구분된다.

전이중(full duplex) 방식은 그림 4.4에서 보는 바와 같이 전송 채널이 2개로써 한 채널은 송신용, 다른 채널은 수신용으로 사용되므로 동시에 데이터를 송수신할 수 있다.

반이중(half duplex) 방식은 그림 4.5에서 보는 바와 같이 하나의 전송 채널을 이용하여 데이터를 양쪽 방향으로 전달하는 방식이다.

반이중 방식은 전송 채널이 1개이므로 전이중 방식에 비해 케이블의 비용이 적게 드는 장점은 있으나 동시에 데이터를 송수신할 수는 없다. 반이중 방식에서는 턴 어라운드(turn around)에 의해 송신과 수신을 번갈아 할 수 밖에 없다.

반이중 방식은 주로 트래픽이 적은 지역의 데이터 통신이나 무전기에 사용되고 있다.

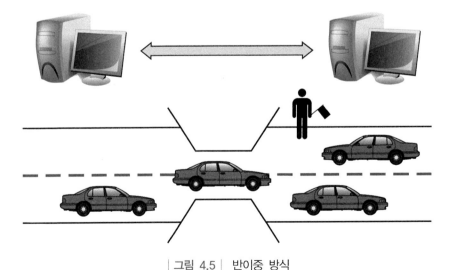

| 그림 4.5 | 반이중 방식

4.3 점대점과 멀티 포인트

Data Communication & Computer Network

컴퓨터를 전송 채널로 연결하는 방법에 따라 점대점 방식과 멀티 포인트 방식으로 구분할 수 있다.

● 점대점 방식

점대점(point-to-point) 방식은 그림 4.6과 같이 두 컴퓨터를 케이블로 직접 연결하는 방식이다.

점대점 방식은 두 컴퓨터 간에 전용 케이블이 존재하므로 항상 통신이 가능하고 케이블의 전체 용량을 사용할 수 있는 장점이 있는 반면에 연결시킬 수 있는 컴퓨터의 수가 포트에 제약을 받으며, 케이블의 비용이 많이 든다.

점대점 방식의 통신의 예로는 허브와 컴퓨터 간의 통신이 있으며, 통신 프로토콜에는 PPP 프로토콜(Point-to-Point Protocol)이 있다.

| 그림 4.6 | 점대점 방식

● 멀티 포인트 방식

멀티 포인트(multipoint) 방식은 다중점이라고도 하며, 그림 4.7과 같이 하나의 케이블에 여러 대의 컴퓨터를 연결하는 방식이다.

멀티 포인트 방식은 케이블의 비용이 적게 드는 장점이 있으나 여러 컴퓨터가 동시에 데이터를 전송하는 경우에는 충돌(collision)이 발생한다. 충돌을 회피하기 위해 회선 사용을 통제하는 액세스 제어(access control)가 필요하다.

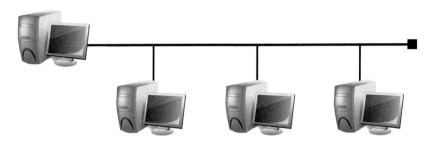

| 그림 4.7 | 멀티 포인트 방식

멀티 포인트 방식에 사용되는 회선의 액세스 제어 방법은 다음과 같다.

■ 경쟁식 방법
■ 회선 사용을 통제하는 방법

각 컴퓨터들이 임의로 회선을 사용하는 경쟁식 방법의 예로는 Ethernet에서 사용하고 있는 CSMA/CD(Carrier Sense Multiple Access/Collision Detection) 방식이 있다.

회선 사용을 통제하는 주 컴퓨터를 주 스테이션(primary station), 통제를 받는 컴퓨터를 부 스테이션(secondary station)이라고 하며, 주 스테이션이 회선을 제어하는 방법에는 다음과 같은 유형이 있다.

■ 폴링
■ 선택

폴링(polling)은 라운드 로빈(round robin) 방식으로 주 스테이션이 부 스테이션에게 전송할 데이터가 있는 지를 질의하는 방법이다. 주 스테이션이 부 스테이션에게 폴 메시지를 보내면 부 스테이션은 보낼 데이터가 있는 경우에는 데이터를 전송하고, 보낼 데이터가 없는 경우에는 NAK로 응답한다.

선택(selection)은 주 스테이션이 특정 부 스테이션에게 데이터를 보내기 위해 스테이션이 데이터를 수신할 준비가 되어 있는 지를 질의하는 방법이다. 주 스테이션이 부 스테이션에게 선택 메시지를 보내면 부 스테이션은 데이터를 수신할 준비가 되어 있으면 ACK로 응답하고, 주 스테이션은 데이터를 전송한다.

4.4 연결형과 비연결형

통신 당사자 간에 전송로를 설정하는 방법에 따라 연결형 방식과 비연결형 방식으로 구분할 수 있다.

● 연결형 방식

연결형(connection-oriented) 방식은 전화와 마찬가지로 미리 상대방과의 전송로를 설정한 다음 통신하는 방식이다.

연결형 방식을 이해하기 위해 전화로 여자 친구와 데이트 약속하는 과정을 생각해보자. 통신 프로토콜의 프리미티브(primitive)와 관련지은 전화 절차는 다음과 같다.

- 단계 1 : 그녀의 전화번호를 다이얼 한다.   CONNECT.request
- 단계 2 : 그녀의 전화벨이 울린다.   CONNECT.indication
- 단계 3 : 그녀가 응답한다.   CONNECT.response
- 단계 4 : 호출음이 종료된다.   CONNECT.confirm
- 단계 5 : 데이트 신청을 한다.   DATA
- 단계 6 : 그녀가 데이트 신청을 수락한다.   DATA.acknowledge
- 단계 7 : 전화를 끊는다.   DISCONNECT

전화 절차에서 단계 1~4는 연결을 설정하는 과정이며, 이 과정이 완료되면 상대방과의 통화가 가능한 상태가 된다. 단계 5~6은 송신 측이 데이터를 전송하고 수신 측으로부터 응답을 받는 과정이다. 단계 7은 연결을 종료하는 과정이다.

연결형 방식에서도 그림 4.8에서 보는 바와 같이 3단계로 데이터 전송이 이루어진다.

- 연결 설정(connection establishment)
- 데이터 전달(data transfer)
- 연결 종료(connection termination)

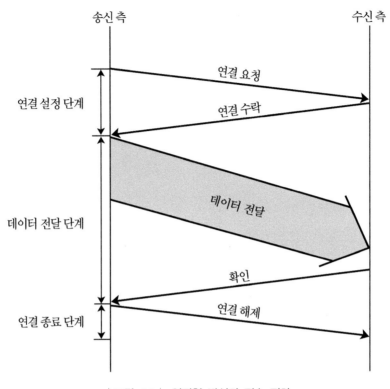

| 그림 4.8 | 연결형 방식의 전송 절차

연결형 방식의 특징은 다음과 같다.

■ 연결을 설정하는 데 지연이 발생한다.
■ 수신 측이 통신 가능한 상태이어야 한다.
■ 데이터 전달 도중에는 연결이 유지되어야 한다.
■ 연속적인 데이터 전달이 가능하다.
■ 신뢰성 있는 데이터 전달이 가능하다.

연결형 방식에서는 데이터를 전달하기 전에 송신 측이 연결 요청을 하고 수신 측으로부터 허락을 받아야 하기 때문에 통신 당사자들이 통신 가능한 상태이어야 하며, 연결을 설정하는 데 지연이 발생하는 단점이 있으나 연결이 설정되면 연속적으로 데이터를 전달할 수 있으므로 실시간 회화형 서비스에 적합하다.

연결형 방식은 수신 측으로부터 보낸 데이터에 대한 응답을 받기 때문에 신뢰성 있는 데이터 전달이 가능하다.

데이터 통신에서는 전화와 같이 물리적으로 전송로를 연결하지 않고 단지 논리적으로 통신 당사자를 연결하는 방식이 적용되며, 대표적인 연결형 통신 프로토콜에는 인터넷의 전송 계층 프로토콜인 TCP(Transmission Control Protocol)가 있다.

◉ 비연결형 방식

비연결형(connectionless) 방식은 우편처럼 통신 당사자 간에 전송로를 설정하지 않고 통신하는 방식이다.

비연결형 방식의 특징은 다음과 같다.

- 연결 설정 지연이 발생하지 않는다.
- 수신 측이 부재중이라도 통신이 가능하다.
- 데이터가 불연속적으로 전달된다.
- 신뢰성 없는 데이터 전달이 이루어진다.

비연결형 방식에서는 데이터를 전송하기 전에 상대방까지의 전송로를 설정할 필요가 없기 때문에 연결 설정 지연이 발생하지 않으며, 수신 측이 부재중이라도 통신이 가능한 장점이 있다.

비연결형 방식은 통신 당사자 간에 전송로가 설정되어 있지 않으므로 연속적으로 데이터를 전달할 수 없으므로 주로 파일 전달과 같은 비실시간 서비스나 통신망의 관리 등에 이용되고 있다.

비연결형 방식은 수신 측으로부터 응답을 받지 않기 때문에 신뢰성 없는 데이터 전달 또는 최선형 데이터 전달(best effort data transfer)이라고도 한다.

대표적인 비연결형 통신 프로토콜에는 인터넷의 전송 계층 프로토콜인 UDP(User Datagram Protocol)와 인터넷 계층 프로토콜인 IP(Internet Protocol)가 있다.

4.5 비동기식과 동기식

한 번에 전송되는 데이터의 형태에 따라 비동기식 전송 방식과 동기식 전송 방식으로 구분할 수 있다.

○ 비동기식 전송

비동기식(asynchronous) 전송 방식은 그림 4.9에서 보는 바와 같이 한 문자 단위로 전송하는 방식이다.

송신 측에서는 1을 계속적으로 전송하는 휴지 상태(idle state)에 있다가 보낼 데이터가 있으면 먼저 시작 비트(start bit)인 0을 보낸 다음 한 문자(8비트)를 전송하고 정지 비트(stop bit)인 1을 보낸다.

정지 비트를 보낸 다음에는 다시 휴지 상태로 들어가거나 혹은 마찬가지 방법으로 후속되는 한 문자를 전송한다.

비동기식 전송 방식은 오버헤드가 크고 전송 효율이 낮아서 RS-232 직렬 포트를 이용한 저속 통신 등에 사용되고 있다.

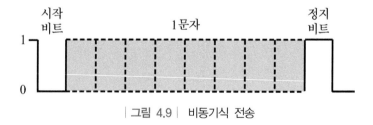

| 그림 4.9 | 비동기식 전송

○ 동기식 전송

동기식(synchronous) 전송 방식은 한 문자씩 전송하는 비동기식 전송 방식의 단점을 보완하여 고속 통신이 가능하도록 프레임(frame) 단위로 전송하는 방식이다.

동기식 전송 방식의 프로토콜은 다음과 같이 구분할 수 있다.

- 문자 위주 프로토콜
- 비트 위주 프로토콜

● BSC 프로토콜

문자 위주(character-oriented)의 프로토콜은 주로 저속 통신에 활용되며, 대표적인 프로토콜에는 BSC(Binary Synchronous Communication) 프로토콜이 있다.

BSC의 프레임 포맷은 그림 4.10과 같으며, 각 필드의 기능은 다음과 같다.

- SYN(SYNchronous) : 프레임의 시작을 나타낸다.
- SOH(Start Of Header) : 다음 필드가 헤더임을 나타낸다.
- Header : 주소나 라우팅 정보 등을 포함한 헤더이다.
- STX(Start of TeXt) : 헤더의 끝이며, 다음 필드가 정보임을 나타낸다.
- Text : 전송할 정보이다.
- ETX(End of TeXt) : 정보 필드가 끝났음을 나타낸다.
- BCC(Block Check Code) : 오류를 검출하는 데 사용한다.

SYN, SOH 등 제어 문자의 비트 스트림은 표 1.1의 ASCII 코드 표에 열거되어 있다.

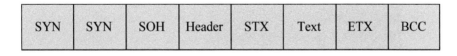

| SYN | SYN | SOH | Header | STX | Text | ETX | BCC |

| 그림 4.10 | BSC의 프레임 포맷

● HDLC 프로토콜

HDLC(High-level Data Link Control)는 비트 위주의 프로토콜이며, 대표적인 데이터 링크 제어 프로토콜이다.

HDLC의 프레임 포맷은 그림 4.11과 같으며, 각 필드의 기능은 다음과 같다.

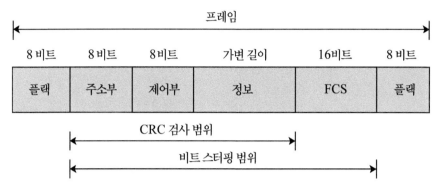

| 그림 4.11 | HDLC의 프레임 포맷

- 플래그(flag) : "01111110"의 비트 시퀀스이며, 프레임의 시작과 끝을 식별한다. 플래그으로 오인하여 통신이 종료되지 않도록 송신 측에서는 5번째 1 다음에 0을 삽입하는 비트 스터핑(bit stuffing)을 수행한다.
- 주소부(address field) : 컴퓨터를 식별하기 위한 8비트 주소이며, 확장 가능하다. 주소부가 모두 1인 경우를 방송 주소(broadcast address)라고 한다.
- 제어부(control field) : 프레임의 유형 식별, 수신 확인, 흐름 제어 등의 용도로 사용하며, 3비트 순서 번호를 사용하는 경우에는 8비트, 7비트 순서 번호를 사용하는 경우에는 16비트이다.
- 정보(information) : 전송할 가변 길이의 정보이다.
- FCS(Frame Check Sequence) : 오류를 검출하기 위한 16비트의 CRC이다.

HDLC는 3가지 유형의 프레임을 정의하고 있다.

- I-프레임
- S-프레임
- U-프레임

I-프레임(Information frame : 정보 프레임)에는 사용자 정보가 포함되며, S-프레임(Supervisory frame : 감시 프레임)은 확인 응답을 보냄으로써 오류 제어와 흐름 제어를 수행한다. U-프레임(Unnumbered frame : 비번호 프레임)은 링크 설정이나 해제 등의 용도로 사용된다.

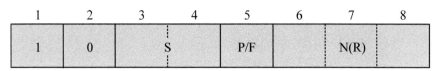

1	2	3	4	5	6	7	8
1	0	S		P/F		N(R)	

N(R) : 수신 순서 번호   P/F : 폴/종료 비트   S : 감시 기능 비트

| 그림 4.12 | S-프레임의 제어부

S-프레임 제어부(그림 4.12)의 감시 기능 비트는 다음과 같은 기능을 한다.

0 0   RR(Receive Ready)
1 0   RNR(Receive Not Ready)
0 1   REJ(Reject)
1 1   SREJ(Selective Reject)

RR은 $N(R) - 1$까지의 프레임을 정확히 수신하였고 후속 프레임을 계속 전송하라는 의미이며, RNR은 $N(R) - 1$까지의 프레임은 잘 받았으나 후속 프레임의 전송을 잠시 중지하라는 의미로서 흐름 제어 기능을 제공한다. REJ는 순서 번호가 $N(R)$인 프레임에 오류가 있으므로 그 프레임을 재전송하라는 의미이다.

예제 4.2

:: 100개의 문자로 구성된 한 문장을 전송하고자 한다. 비동기식과 동기식 방식으로 전송할 때의 전송 효율을 비교하라.

풀이 전송 효율 η는 식 (4-1)과 같다.

$$\eta = \frac{정보\ 비트수}{전송한\ 전체\ 비트수} \times 100\ [\%] \qquad (4-1)$$

시작 비트와 정지 비트가 각각 1비트인 비동기식 전송의 경우에는 한 문자를 보내는 데 10비트를 전송하여야 하므로, 100문자(100×8=800비트)를 보내려면 1,000비트를 전송한다. 따라서 비동기식 전송의 효율은 80%이다.

동기식 전송의 경우에는 한 프레임의 오버헤드가 48비트이고, 정보가 800비트이므로 총 848비트를 전송한다. 따라서 동기식 전송의 효율은 94.3%이다.

4.6 패킷 교환 방식

회선 교환 방식은 연속적인 전송이 가능하므로 음성 통화에는 적합하지만 연결된 동안 회선을 계속 점유하므로 데이터 통신에 사용한다면 회선 효율이 매우 낮아진다.

이러한 문제점을 해결하고 통신망을 효과적으로 사용하기 위해 통신 당사자 간에 물리적 전송로를 설정하지 않고 데이터를 전송하는 기법인 패킷 교환 방식이 도입되었다.

패킷 교환 방식은 전송할 데이터를 패킷이라는 단위로 분할하여 패킷별로 전송하는 교환 방식이다.

송신 측에서는 그림 4.13에서 보는 바와 같이 전송할 데이터를 분할하고, 라우팅에 필요한 주소 등의 제어 정보를 덧붙여 패킷을 생성한 다음 전송한다. 이때 덧붙인 제어 정보를 패킷 헤더(packet header)라고 한다. 수신 측에서는 패킷 헤더를 제거하여 원래의 데이터 형태로 재조립한다.

패킷이 경유하는 노드에서는 들어오는 패킷을 일단 큐(queue)에 저장한 다음, 패킷 헤더에 있는 주소를 참조하여 패킷을 보낼 후속 노드를 결정하고 나서 출력 링크가 유용할 때 후속 노드로 패킷을 전달한다.

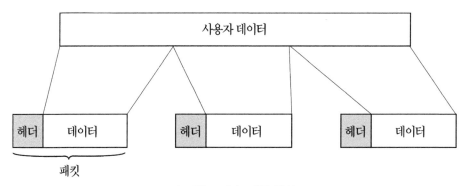

| 그림 4.13 | 패킷 생성

이 과정에서 지연이 발생하게 되며, 이를 노드 지연(node delay)이라고 한다. 이와 같이 패킷 교환 방식은 각 노드에서 일단 패킷을 저장한 다음 전달하기 때문에 축적-전달 (store-and-forward) 방식이라고도 한다.

패킷 교환 방식에서는 근원지에서 목적지까지의 물리적 전송로를 설정하지 않고 각 노드에서 목적지의 주소에 따라 경로를 선택하기 때문에 라우팅이 매우 중요하다.

패킷 교환 방식은 다음과 같이 구분할 수 있다.

■ 데이터그램 방식
■ 가상 회선 방식

데이터그램 방식은 통신 당사자 간에 물리적이나 논리적 전송로를 설정하지 않고 통신하는 비연결형 패킷 교환 방식이다.

데이터그램 방식에서는 전송로를 미리 설정하지 않고 패킷마다 독립적으로 라우팅을 하기 때문에 패킷들이 서로 다른 경로를 거쳐 목적지에 도달할 수 있으며, 그림 4.14에서 보는 바와 같이 패킷들의 순서가 뒤바뀌어 도착하거나 패킷이 상실될 수도 있기 때문에 데이터그램 방식을 신뢰성 없는 전달이라고 한다.

데이터그램 방식의 특징은 다음과 같다.

■ 전송로를 설정하지 않으므로 연결을 설정하는 데 지연이 발생하지 않는다.
■ 노드에서의 지연이 발생한다.

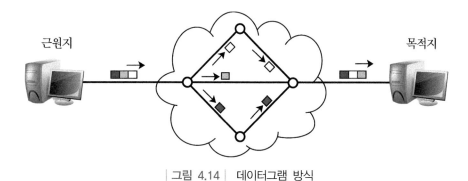

| 그림 4.14 | 데이터그램 방식

- 목적지에 도착하는 패킷의 순서가 뒤바뀔 수 있다.
- 확인 패킷을 보내지 않는다.
- 짧은 데이터 전달에 효과적이다.
- 통신망을 효율적으로 운영할 수 있다.

가상 회선 방식은 통신 당사자 간에 논리적 전송로를 설정하고 나서 패킷들을 전송하는 연결형 패킷 교환 방식이다.

논리적 전송로라 함은 통신 당사자 간에 물리적 회선이 연결되어 있지는 않지만 패킷이 전달될 때에는 이 전송로를 경유하므로 가상 회선(virtual circuit)이라고 한다.

가상 회선 방식에서는 그림 4.15에서 보는 바와 같이 모든 패킷들이 동일한 전송로를 경유하기 때문에 패킷들이 순서대로 도착하며, 목적지에서는 수신한 패킷에 대해 확인 패킷을 근원지로 보내므로 신뢰성 있는 데이터 전달이 가능하다.

가상 회선 방식의 특징은 다음과 같다.

- 논리적 전송로를 설정하므로 연결을 설정하는 데 지연이 발생한다.
- 노드에서의 지연이 발생한다.
- 모든 패킷들이 목적지에 순서대로 도착한다.
- 노드에서의 전송 속도 및 코드 변환이 가능하다.
- 연속적이고 긴 데이터 전달에 효과적이다.
- 신뢰성 있는 데이터 전달이 가능하다.

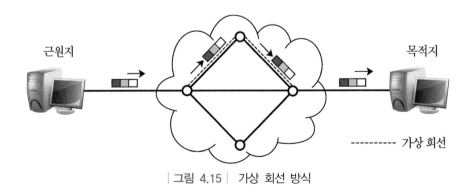

| 그림 4.15 | 가상 회선 방식

Chapter

05
다중화와 변조

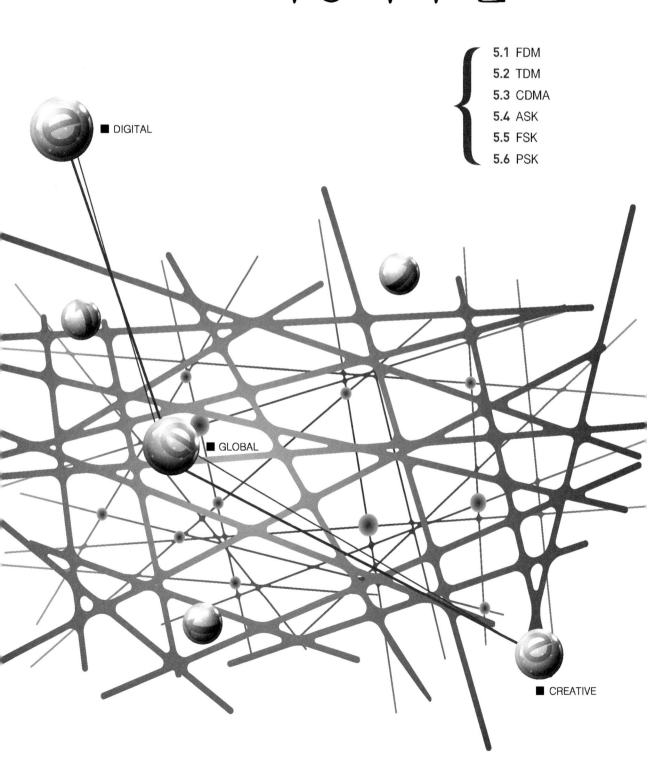

5.1 FDM

Data Communication & Computer Network

FDM(Frequency Division Multiplexing)은 주파수 분할 다중화라고 하며, 그림 5.1에서 보는 바와 같이 신호들을 각각 다른 반송 주파수(carrier frequency)로 변조하여 동시에 전송하는 방식이다.

FDM의 특징은 다음과 같다.

- 아날로그 전송 방식이다.
- 채널마다 다른 반송 주파수를 사용한다.
- 다중화 할 수 있는 채널의 수에 한계가 있다.
- 라디오와 TV 방송에 사용된다.

FDM은 여러 신호를 동시에 전송할 수 있기 때문에 전송 효율은 좋으나 여러 반송파를 사용해야 한다. 전송 매체의 대역폭이 전체 신호들의 대역폭보다 커야 하며, 한정된 대역폭으로 다중화 할 수 있는 채널의 수에 제약이 있어서 보다 많은 채널을 다중화 할 수 없는 단점이 있다.

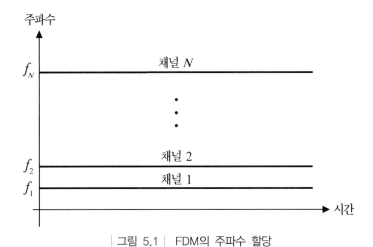

| 그림 5.1 | FDM의 주파수 할당

변조되는 신호들은 반송 주파수를 중심으로 특정한 대역폭이 요구되며, 그림 5.2에서 보는 바와 같이 채널(channel)들은 간섭을 방지하기 위해 보호 대역(guard band)으로 분리된다.

음성 신호의 경우에는 유효 스펙트럼이 $300 \sim 3,400 Hz$ 정도이므로 유효 대역폭이 3,100 Hz 정도이지만 보호 대역을 포함한 음성 채널의 대역폭은 일반적으로 $4kHz$로 간주한다.

AM 방송에는 $530kHz \sim 1,700kHz$의 MF(Medium Frequency) 주파수 대역이 사용되며, 각 방송국에는 $10kHz$의 대역폭이 할당된다.

FM 방송에는 $88MHz \sim 108MHz$의 VHF(Very High Frequency) 주파수 대역이 사용되며, 스테레오 방송을 위해 각 방송국에 $20kHz$의 대역폭이 할당된다.

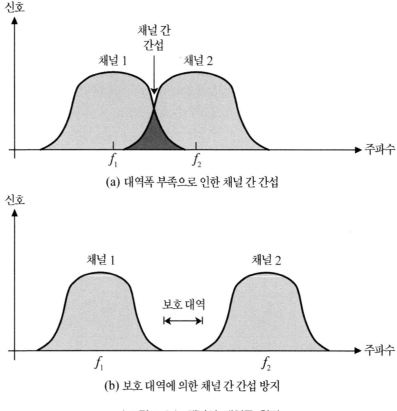

(a) 대역폭 부족으로 인한 채널 간 간섭

(b) 보호 대역에 의한 채널 간 간섭 방지

| 그림 5.2 | 채널의 대역폭 할당

TV 방송에는 VHF와 UHF(Ultra High Frequency) 주파수 대역이 사용되며, 각 방송국에는 $6MHz$의 대역폭이 할당되고, HDTV 방송에는 $20MHz$의 대역폭이 할당된다.

$4kHz$ 대역폭의 음성 채널 12개를 FDM 다중화 한 것을 군(group)이라고 한다. 5개의 군을 FDM 다중화 한 것을 초군(super group)이라고 하며, 60개의 음성 채널에 해당한다.

5개의 초군을 FDM 다중화 한 것을 주군(master group)이라고 하며, 3개의 주군을 FDM 다중화 한 것을 초주군(supermaster group)이라고 한다.

초주군 링크라 함은 900개의 음성 채널, 즉 900명의 사람이 FDM 방식을 이용하여 동시에 통화하는 회선을 의미한다.

그림 5.3에 FDM의 전송 시스템을 나타내었다.

송신 측에서는 여러 신호를 해당 반송 주파수 f_i로 변조한 다음 이들을 합성한 신호 $s(t)$를 전송 매체로 송출한다.

수신 측에서는 대역 통과 필터(BPF : Band Pass Filter)를 사용하여 수신 신호 $r(t)$로부터 해당 주파수의 신호 f_i만을 선택적으로 수신한다.

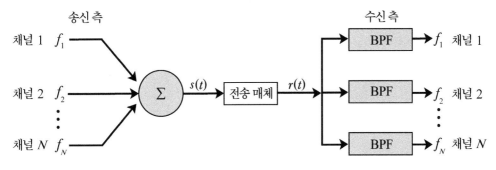

| 그림 5.3 | FDM 전송 시스템

5.2 TDM

TDM(Time Division Multiplexing)은 시분할 다중화라고 하며, 그림 5.4와 같이 시간을 타임 슬롯(time slot)으로 분할하여 각 채널에 해당 타임 슬롯을 할당함으로써 여러 사람이 공동으로 회선을 사용하는 다중화 방식이다.

TDM의 특징은 다음과 같다.

- 디지털 전송 방식이다.
- 라운드 로빈 방식으로 채널에 타임 슬롯을 할당한다.
- FDM에 비해 더 많은 채널의 다중화가 가능하다.
- 전화 및 데이터 전송에 사용된다.

타임 슬롯 구간은 1바이트로 설정하며, 타임 슬롯은 라운드 로빈(round robin) 방식으로 각 채널에 할당된다.

한국은 그림 5.5와 같은 DS(Digital Signal)-1 방식을 채택하고 있으며, 24개의 채널을 TDM 다중화 한 것으로 전송 속도는 $1.544Mbps$이다. DS-1 방식의 한 프레임은 24개 채널로부터 8비트씩 인터리빙한 192비트와 프레임 동기를 맞추기 위한 1비트의 동기 비트를 포함하여 193비트로 구성된다. 유럽은 30개의 채널을 TDM 다중화 한 $2.048Mbps$를 기본 속도로 하고 있다.

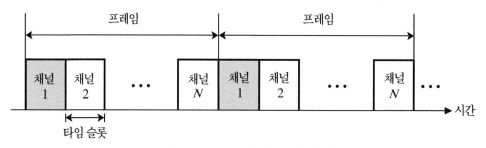

| 그림 5.4 | TDM의 타임 슬롯 할당

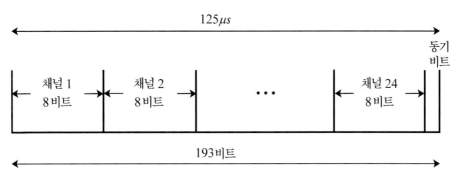

| 그림 5.5 | DS-1 방식의 프레임 포맷

그림 5.6에 TDM의 전송 시스템을 나타내었다

송신 측에서는 스캔 동작에 의해 여러 신호 m_i를 인터리빙 하여 다중화 된 신호 $s(t)$를 전송 매체로 송출한다. 이때, 송신원들은 자기 차례가 올 때까지 데이터를 버퍼에 대기시킨다.

수신 측에서는 스캔 동작에 의해 수신 신호 $r(t)$로부터 해당 슬롯의 데이터를 분배한다.

STDM(Statistical Time Division Multiplexing)은 통계적 시분할 다중화라고 하며, 전송할 데이터가 있는 정보원에만 타임 슬롯을 동적으로 할당하는 다중화 방식으로 트래픽이 적은 경우에는 TDM보다 성능이 우수하다.

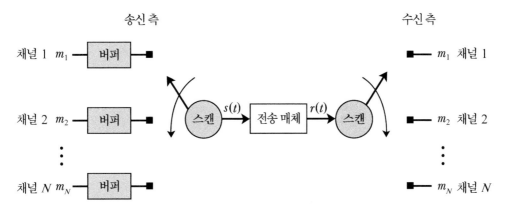

| 그림 5.6 | TDM 전송 시스템

5.3 CDMA

CDMA(Code Division Multiple Access)는 코드 분할 다중 접속 방식이라고 하며, 그림 5.7에서 보는 바와 같이 각 채널이 상호 간섭 없는 코드를 이용하여 동일한 주파수로써 동시에 통신하는 방법이다.

CDMA는 원래 도청 방지를 위해 군용 통신에 사용되는 대역 확산(spread spectrum) 통신 방식이지만 이동 통신 분야에도 널리 활용되고 있다.

대역 확산 통신은 전체 주파수 대역에 각각의 정보를 고유한 코드와 시간차로 전송하고 수신 측에서는 자신의 고유한 코드와 시간차를 이용하여 신호를 재생하는 방식이다.

CDMA의 특징은 다음과 같다.

- 다중 접속 용량이 크다.
- 통화 품질이 우수하다.
- 보안성이 좋다.

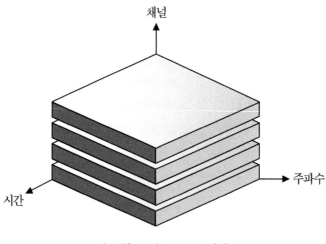

| 그림 5.7 | CDMA 방식

5.4 ASK

ASK(Amplitude Shift Keying)는 진폭 편이 변조라고 하며, 0과 1의 두 이진 값을 다른 진폭의 반송파로 변환하는 방법이다.

ASK의 신호 $s_i(t)$는 다음과 같이 정의된다.

$$\begin{aligned} s_1(t) &= A\cos(2\pi f_c t) &&: \text{이진 } 1 \\ s_2(t) &= 0 &&: \text{이진 } 0 \end{aligned} \tag{5-1}$$

여기서, $A = \sqrt{2E_b / T_b}$이며, E_b는 비트 당 에너지, T_b는 비트 지속시간, f_c는 반송파의 주파수이다.

ASK 변조기와 변조된 신호 파형을 그림 5.8에 나타내었다.

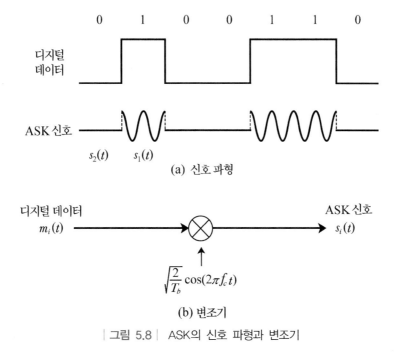

(a) 신호 파형

(b) 변조기

| 그림 5.8 | ASK의 신호 파형과 변조기

5.5 FSK

FSK(Frequency Shift Keying)는 주파수 편이 변조라고 하며, 그림 5.9와 같이 0과 1의 두 이진 값을 다른 주파수의 반송파로 변환하는 방법이다.

FSK 방식에서의 신호 $s_i(t)$는 다음과 같이 정의된다.

$$s_i(t) = \begin{cases} A\cos(2\pi f_i t) : & 0 \le t \le T_b \\ 0 & : \quad \text{그 외} \end{cases} \tag{5-2}$$

여기서, $A = \sqrt{2E_b / T_b}$ 이며, E_b는 비트 당 에너지, T_b는 비트 지속시간이다.

f_i는 반송파의 주파수로서 다음과 같은 값을 갖는다.

$$f_i = \frac{n + i}{T_b} \qquad n = \text{고정 정수}, \quad i = 1, 2 \tag{5-3}$$

식 (5-2)에서 $s_1(t)$는 이진 1로, $s_2(t)$는 이진 0으로 간주한다.

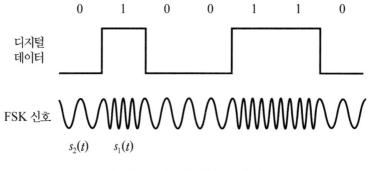

| 그림 5.9 | FSK의 신호 파형

FSK 방식의 기저 함수 $\Phi_j(t)$는 다음과 같다.

$$\Phi_j(t) = \begin{cases} \sqrt{\dfrac{2}{T_b}} \cos(2\pi f_j t) & : \ 0 \le t \le T_b \\ 0 & : \ \text{그 외} \end{cases} \tag{5-4}$$

여기서, $j = 1,2$이며, 식 (2-15)를 이용하여 신호 $s_i(t)$의 $\Phi_j(t)$ 성분 s_{ij}를 구할 수 있다.

$$s_{ij} = \begin{cases} \sqrt{E_b} & : \ i = j \\ 0 & : \ i \ne j \end{cases} \tag{5-5}$$

따라서, FSK 방식의 신호 벡터 s_1과 s_2는 다음과 같다.

$$\begin{aligned} s_1 &= \begin{bmatrix} \sqrt{E_b}, \ 0 \end{bmatrix} \\ s_2 &= \begin{bmatrix} 0, \ \sqrt{E_b} \end{bmatrix} \end{aligned} \tag{5-6}$$

FSK 방식의 신호를 신호 공간에 나타내면 그림 5.10과 같다.

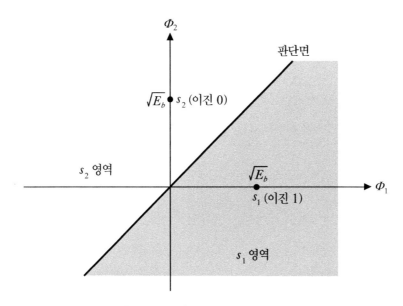

| 그림 5.10 | FSK의 신호 공간도

그림 5.11에 FSK의 변조기와 복조기를 나타내었다.

FSK의 변조기에 1이 입력되면 주파수가 f_1인 신호 s_1이 출력되고, 0은 인버터(inverter)를 통해 입력되어 주파수가 f_2인 신호 s_2가 출력된다.

복조기에 잡음이 섞인 신호 r이 수신되면 Φ_1과 Φ_2를 각각 곱한 다음 적분하여 신호 s_1과 s_2의 상관(correlation)을 구하고 이 상관의 크기를 비교하여 수신한 신호가 1인지 혹은 0인지를 판단한다.

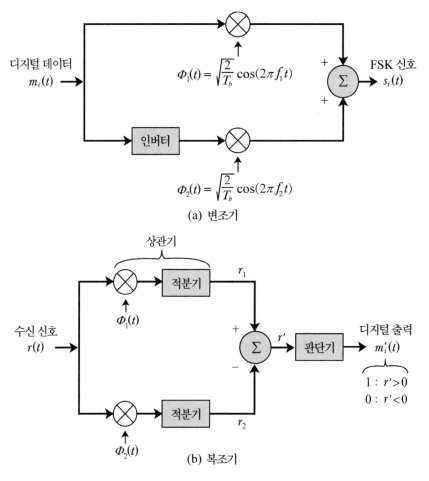

(a) 변조기

(b) 복조기

| 그림 5.11 | FSK의 변조기와 복조기

5.6 PSK

PSK(Phase Shift Keying)는 위상 편이 변조라고 하며, BPSK, QPSK, M진 QAM 등의
여러 가지 방식이 있다.

◯ BPSK

BPSK(Binary PSK) 방식은 0과 1의 두 이진 값을 위상이 다른 반송파로 변환하는 방법
이다.

1은 0°, 0은 180°의 위상차를 갖도록 한 BPSK 방식의 신호 파형을 그림 5.12에 나타내
었다.

신호 $s_1(t)$를 이진 1, 신호 $s_2(t)$를 이진 0이라고 한다면 BPSK 방식의 신호는 식 (5-7)
과 같이 정의된다.

$$
\begin{aligned}
s_1(t) &= A\cos(2\pi f_c t) \\
s_2(t) &= A\cos(2\pi f_c t + \pi) \qquad 0 \le t \le T_b \qquad (5\text{-}7) \\
&= -A\cos(2\pi f_c t)
\end{aligned}
$$

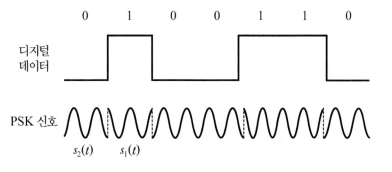

| 그림 5.12 | BPSK의 신호 파형

여기서, $A = \sqrt{2E_b/T_b}$ 이며, E_b는 비트 당 에너지, T_b는 비트 지속시간, f_c는 반송파의 주파수이다.

BPSK 방식에는 다음과 같은 하나의 기저 함수 $\Phi_1(t)$가 있다.

$$\Phi_1(t) \;=\; \sqrt{\frac{2}{T_b}}\,\cos(2\pi f_c t) \tag{5-8}$$

식 (2-15)를 이용하여 신호 $s_i(t)$의 $\Phi_1(t)$ 성분 s_{i1}을 구할 수 있다.

$$\begin{aligned} s_{11} &= \sqrt{E_b} \\ s_{21} &= -\sqrt{E_b} \end{aligned} \tag{5-9}$$

따라서, BPSK 방식의 신호 벡터 s_1과 s_2는 다음과 같다.

$$\begin{aligned} s_1 &= \sqrt{E_b}\,\Phi_1(t) \\ s_2 &= -\sqrt{E_b}\,\Phi_1(t) \end{aligned} \tag{5-10}$$

BPSK 방식의 신호를 신호 공간에 나타내면 그림 5.13과 같다.

그림 5.14에 BPSK의 변조기와 복조기를 나타내었다.

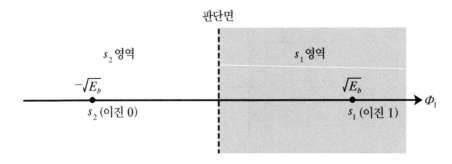

| 그림 5.13 | BPSK의 신호 공간도

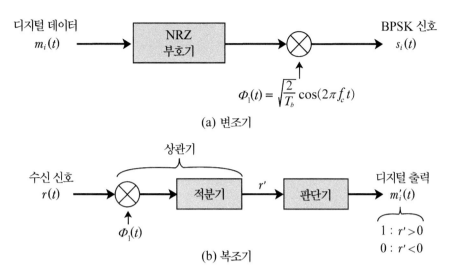

디지털 데이터
$m_i(t)$

NRZ
부호기

BPSK 신호
$s_i(t)$

$$\Phi_1(t) = \sqrt{\frac{2}{T_b}} \cos(2\pi f_c t)$$

(a) 변조기

상관기

수신 신호
$r(t)$

적분기

r'

판단기

디지털 출력
$m_i'(t)$

$\Phi_1(t)$

1 : $r' > 0$
0 : $r' < 0$

(b) 복조기

| 그림 5.14 | BPSK의 변복조기

BPSK의 변조기에서는 NRZ(NonReturn-to-Zero) 부호기를 통해 입력된 1은 $+\sqrt{E_b}$ 전압으로, 0은 $-\sqrt{E_b}$ 전압으로 변환한 다음 Φ_1과 곱하여 BPSK 신호를 송신한다.

복조기에 잡음이 섞인 신호 r이 수신되면 Φ_1과 곱한 다음 적분하여 상관을 구하고 이 상관의 크기가 0보다 크면 1로, 0보다 작으면 0으로 판단한다.

○ QPSK

PSK 방식에서 4개의 신호를 사용한다면 한 신호 요소로 2비트를 표현할 수 있으므로 2개의 신호를 사용하는 경우보다 2배 빠른 속도로 정보를 전송할 수 있다. 마찬가지로 8개, 16개의 신호를 사용한다면 3배, 4배의 속도로써 통신할 수 있다.

이러한 원리를 활용하여 90°의 위상차를 갖는 4개의 신호를 사용하여 한꺼번에 2비트씩 변조하는 방법을 QPSK(Quadrature PSK)라고 하며, 2비트씩 변조되는 파형을 그림 5.15에 나타내었다.

QPSK 방식에서는 반송파의 위상이 $\pi/4$, $3\pi/4$, $5\pi/4$, $7\pi/4$인 4개의 신호를 사용하고 2비트가 하나의 심벌이 되므로 신호 $s_i(t)$는 식 (5-11)과 같이 정의한다.

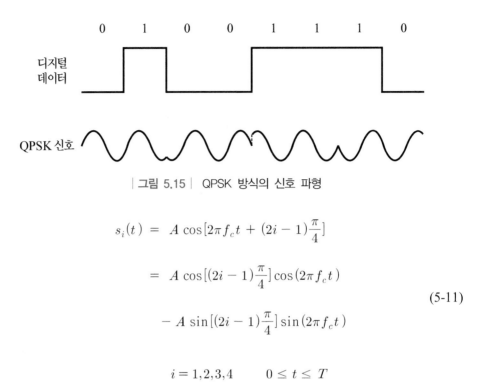

| 그림 5.15 | QPSK 방식의 신호 파형

$$s_i(t) = A \cos[2\pi f_c t + (2i - 1)\frac{\pi}{4}]$$

$$= A \cos[(2i - 1)\frac{\pi}{4}] \cos(2\pi f_c t) \qquad \text{(5-11)}$$

$$- A \sin[(2i - 1)\frac{\pi}{4}] \sin(2\pi f_c t)$$

$$i = 1,2,3,4 \qquad 0 \le t \le T$$

여기서, $A = \sqrt{2E/T}$이며, E는 심벌 당 에너지, T는 심벌 지속시간, f_c는 반송파의 주파수이다.

QPSK 방식의 기저 함수 $\Phi_i(t)$는 다음과 같다.

$$\Phi_1(t) = \sqrt{\frac{2}{T}} \cos(2\pi f_c t)$$

$$\text{(5-12)}$$

$$\Phi_2(t) = \sqrt{\frac{2}{T}} \sin(2\pi f_c t)$$

식 (2-15)를 이용하여 신호 $s_i(t)$의 $\Phi_j(t)$ 성분 s_{ij}를 구할 수 있다.

$$s_i = \begin{bmatrix} \sqrt{E} \cos[(2i - 1)\frac{\pi}{4}] \\ \\ -\sqrt{E} \sin[(2i - 1)\frac{\pi}{4}] \end{bmatrix} \qquad \text{(5-13)}$$

	입력	위상	s_{i_1}	s_{i_2}
s_1	1 0	$\pi/4$	$\sqrt{E/2}$	$-\sqrt{E/2}$
s_2	0 0	$3\pi/4$	$-\sqrt{E/2}$	$-\sqrt{E/2}$
s_3	0 1	$5\pi/4$	$-\sqrt{E/2}$	$\sqrt{E/2}$
s_4	1 1	$7\pi/4$	$\sqrt{E/2}$	$\sqrt{E/2}$

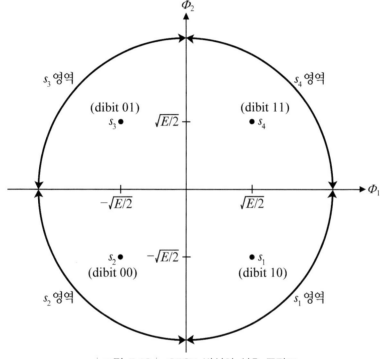

| 그림 5.16 | QPSK 방식의 신호 공간도

QPSK 방식의 신호 s_i를 신호 공간에 나타내면 그림 5.16과 같다.

그림 5.17에 QPSK의 변조기와 복조기를 나타내었다.

QPSK의 변조기에서는 NRZ(NonReturn-to-Zero) 부호기를 통해 입력된 1은 $+\sqrt{E_b}$, 0은 $-\sqrt{E_b}$ 전압으로 변환되어 역다중화기로 들어간다. 역다중화기에서는 홀수 번째 비트와 짝수 번째 비트를 각각 동위상의 I-채널과 90° 위상차가 있는 Q-채널로 분리한 다음 Φ_1과 Φ_2를 곱하여 생성한 QPSK 신호 s_1를 송신한다.

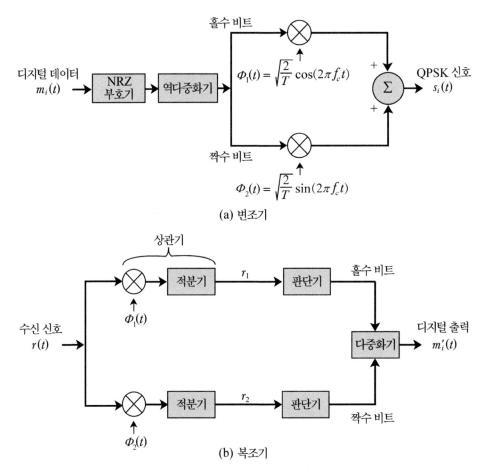

(a) 변조기

(b) 복조기

| 그림 5.17 | QPSK 방식의 변조기와 복조기

복조기에 잡음이 섞인 신호 r이 수신되면 Φ_1과 Φ_2를 각각 곱한 다음 적분하여 I-신호 s_1과 Q-신호 s_2의 상관을 구하여 수신한 신호가 1인지 0인지를 판단한다. 이 결과들은 다중화기에 의해 비트 스트림으로 출력된다.

○ M진 QAM

M진 QAM(Quadrature Amplitude Modulation)은 PSK와 ASK를 혼합하여 모두 M개의 심벌을 사용하여 한꺼번에 여러 비트를 전송하는 변조 방법이다.

M진 QAM 방식의 신호는 다음과 같다.

$$s_i(t) = A\,a_i \cos(2\pi f_c t) + A\,b_i \sin(2\pi f_c t)$$

$$i = 1, 2, \cdots, M \tag{5-14}$$

여기서, $A = \sqrt{2E_0/T}$ 이며, E_0는 심벌의 최소 에너지, T는 심벌 지속시간, f_c는 반송파의 주파수, a_i와 b_i는 신호점에 따른 적절한 정수이다.

16진 QAM 방식에서는 12가지의 위상을 사용하며, 그중 4가지 위상에서는 2가지 진폭을 사용함으로써 전체 16개의 심벌로 구성된다. 따라서 16진 QAM 방식은 한 신호를 전송하면 4비트를 전송하는 효과를 갖게 된다.

그림 5.18에 16진 QAM 방식의 신호 공간도를 나타내었다.

변조 방식을 선택하는 경우에는 전력 스펙트럼, 대역폭의 효율, 심벌의 동기화, 변조 방식에 따른 송수신기의 복잡도 및 가격, 비트 오류 확률 등 여러 가지 요인을 고려하여야 한다.

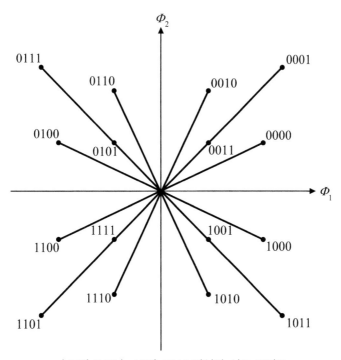

| 그림 5.18 | 16진 QAM 방식의 신호 공간도

그림 5.19에 ASK, FSK, BPSK, QPSK 변조 방식의 비트 오류 확률(BER : Bit Error Rate)을 비교하였다.

BPSK와 QPSK 방식이 ASK나 FSK 방식에 비하여 동일한 비트 오류 확률을 얻는 데 비트 당 전력/잡음(E_b/N_o)이 약 $3dB$ 개선됨을 알 수 있다. 10^{-7}의 비트 오류 확률을 얻는 데 ASK나 FSK는 $14.2dB$의 E_b/N_o가 요구되지만 BPSK나 QPSK는 $11.2dB$만이 필요하다.

E_b/N_o를 증가시킬수록 모든 변조 방식에서 비트 오류 확률이 감소됨을 알 수 있다.

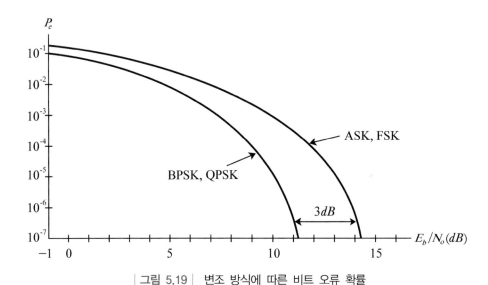

| 그림 5.19 | 변조 방식에 따른 비트 오류 확률

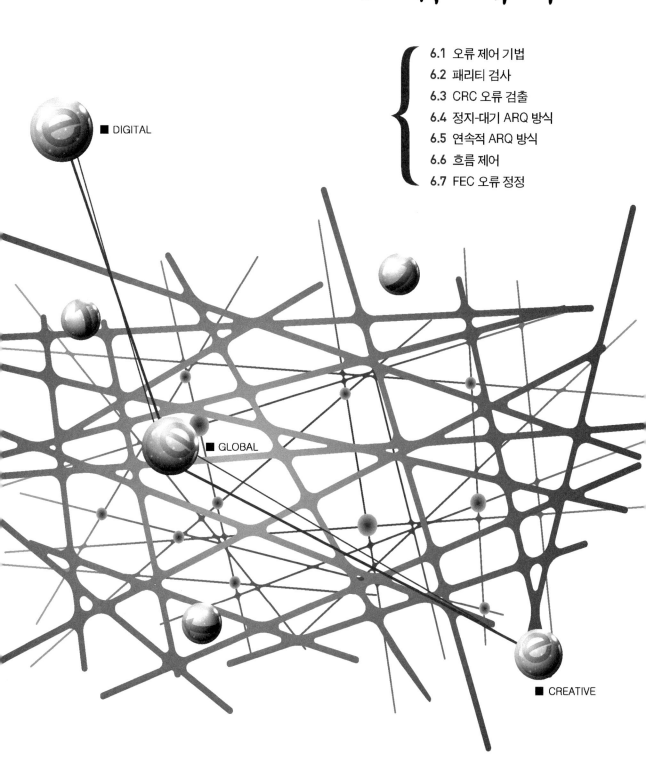

Chapter

06

오류 제어

■ DIGITAL

■ GLOBAL

■ CREATIVE

6.1 오류 제어 기법

전송되는 프레임(frame)에는 다음과 같은 현상이 발생할 수 있다.

- 프레임 상실
- 프레임 지연
- 프레임 손상
- 프레임의 순서 바뀜
- 프레임의 잘못된 배달

프레임이 수신 측에 도착하지 못하여 프레임이 상실될 수 있으며, 프레임이 너무 늦게 도착할 수도 있다. 또한, 프레임이 손상되어 수신 측에 도착할 수도 있고, 송신한 순서와 다르게 프레임들이 도착할 수도 있으며, 목적지가 아닌 곳에 프레임이 잘못 도착되는 상황이 발생할 수도 있다.

프레임이 손상된 경우에는 오류를 검출하여 송신 측에 재전송을 요청하거나 수신 측이 자체적으로 오류를 정정하여야 한다.

오류 제어에는 다음과 같은 방법이 사용되고 있다.

- 오류 무시
- 패리티 검사
- CRC 코드
- convolutional 코드

문자로만 구성된 전문을 수신한 경우에는 문장의 앞 뒤 문맥에 따라 오류를 정정할 수 있다. 예를 들어 'I lave you.'가 수신되었더라도 lave를 love로 정정할 수 있다. 오류를 무시하는 방법은 문자 전송이나 실시간 멀티미디어 서비스에 사용된다.

패리티 검사와 CRC 코드는 오류를 검출하는 데 사용되며, convolutional 코드는 오류를 정정하는 데 사용된다.

6.2 패리티 검사

1차원 패리티 검사는 그림 6.1과 같이 한 문자마다 1비트의 패리티 비트를 사용하여 1의 개수가 홀수 또는 짝수가 되도록 패리티 비트를 세팅하는 방식이다. 1차원 패리티 검사는 홀수개의 오류만 검출할 수 있다.

2차원 패리티 검사는 그림 6.2와 같이 각 문자마다 패리티 비트를 추가하고, 블록에 대하여 패리티를 추가하는 방법이다. 블록의 마지막 문자는 패리티로만 구성된 BCC(Block Check Code)이다. 2차원 패리티 검사는 모든 홀수개의 오류와 2비트의 오류를 검출할 수 있다.

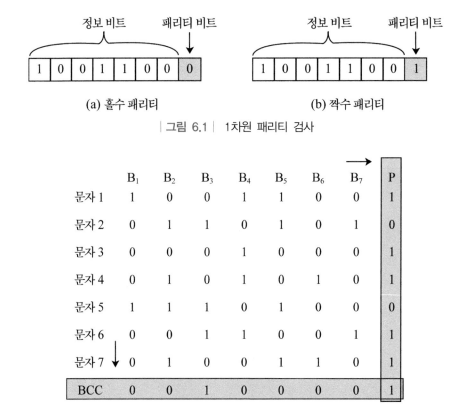

정보 비트							패리티 비트
1	0	0	1	1	0	0	0

(a) 홀수 패리티

정보 비트							패리티 비트
1	0	0	1	1	0	0	1

(b) 짝수 패리티

| 그림 6.1 | 1차원 패리티 검사

	B_1	B_2	B_3	B_4	B_5	B_6	B_7	P
문자 1	1	0	0	1	1	0	0	1
문자 2	0	1	1	0	1	0	1	0
문자 3	0	0	0	1	0	0	0	1
문자 4	0	1	0	1	0	1	0	1
문자 5	1	1	1	0	1	0	0	0
문자 6	0	0	1	1	0	0	1	1
문자 7	0	1	0	0	1	1	0	1
BCC	0	0	1	0	0	0	0	1

| 그림 6.2 | 2차원 패리티 검사

6.3 CRC 오류 검출

CRC(Cyclic Redundancy Check)는 집중적으로 발생하는 버스트(burst) 오류를 검출할 수 있는 능력이 있으며, 가장 보편적으로 사용되고 있는 오류 검출용 코드이다. CRC는 프레임의 오류를 검사하는 비트 시퀀스이므로 프레임 검사 시퀀스(FCS : Frame Check Sequence)라고도 한다.

CRC를 이용하여 오류 검사를 하는 경우, 송신 측에서는 그림 6.3에서 보는 바와 같이 n비트의 정보에 k비트의 CRC를 추가하여 전체 $n+k$비트의 프레임을 전송한다.

수신 측에서는 수신한 정보로부터 CRC를 생성하여 수신된 CRC와 비교한다. 두 CRC가 동일하다면 오류가 없이 정확하게 수신되었지만 두 CRC가 다르다면 오류가 발생하였음을 알 수 있다.

CRC 코드는 소프트웨어 혹은 하드웨어로 구현할 수 있으며, CRC를 생성하기 위해서는 생성 다항식(generator polynomial)이 필요하다.

CRC를 소프트웨어적으로 생성하는 과정은 다음과 같다.

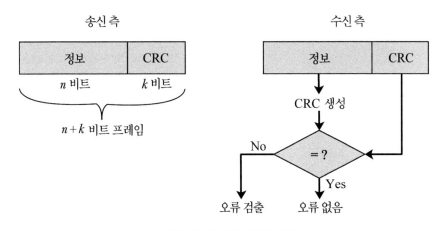

| 그림 6.3 | CRC 오류 검사

- 단계 1 : 생성 다항식 $G(x)$를 선택한다.
- 단계 2 : 전송할 메시지에 CRC 비트 수만큼 차수를 곱하여 메시지 다항식 $M(x)$로 표현한다.
- 단계 3 : $M(x)$를 $G(x)$로 모듈로-2 나눗셈을 한다.
- 단계 4 : 단계 3에서의 나눗셈의 나머지가 CRC이다.

예제 6.1

:: 메시지가 "1001101"이고, 생성 다항식 $G(x) = x^4 + x^2 + 1$일 때 생성되는 CRC는?

풀이 ▶
- 단계 1 : 생성 다항식은 $G(x) = x^4 + x^2 + 1$
- 단계 2 : 메시지가 1001101이고, 생성되는 CRC가 4비트이므로 메시지 다항식 은 $M(x) = x^{10} + x^7 + x^6 + x^4$이 된다.
- 단계 3 : $M(x)$를 $G(x)$로 나누면 다음과 같다.

$$
\begin{array}{r}
1011111 \\
G(x) \to 10101 \overline{)10011010000} \leftarrow M(x) \\
\underline{10101} \\
11001 \\
\underline{10101} \\
11000 \\
\underline{10101} \\
11010 \\
\underline{10101} \\
11110 \\
\underline{10101} \\
10110 \\
\underline{10101} \\
0011 \leftarrow \text{CRC}
\end{array}
$$

- 단계 4 : 생성된 CRC는 "0011"이다.

소프트웨어적으로 CRC 오류 검사를 하기 위해서는 수신한 전체 프레임을 생성 다항식으로 나눈다. 나눗셈의 결과, 나머지가 0이면 오류가 없고, 0이 아니면 전송 도중 오류가 발생한 것으로 판단한다.

일반적으로 사용되는 생성 다항식 $G(x)$는 다음과 같다.

- CRC-8 : $x^8 + x^2 + x + 1$
- CRC-16 : $x^{16} + x^{15} + x^2 + 1$
- CRC-32 : $x^{32} + x^{26} + x^{23} + x^{22} + x^{16} + x^{12} + x^{11}$
  $+ x^{10} + x^8 + x^7 + x^5 + x^4 + x^2 + 1$

CRC 방법은 생성 다항식 $G(x)$를 적절히 선정한다면 다음과 같은 오류를 검출할 수 있다.

- 모든 한 비트의 오류를 검출할 수 있다.
- 생성 다항식 $G(x)$가 최소한 3개의 항으로 구성되어 있다면 모든 두 비트의 오류를 검출할 수 있다.
- 생성 다항식 $G(x)$가 $x + 1$의 인수를 가진다면 모든 홀수 개 비트의 오류를 검출할 수 있다.
- CRC 코드의 길이와 같거나 작은 버스트 오류를 검출할 수 있다.
- 거의 대부분의 버스트 오류를 검출할 수 있다.

CRC를 하드웨어적으로 구현하는 방법은 다음과 같다.

CRC는 쉬프트 레지스터와 XOR 게이트를 이용하여 CRC 인코더(encoder) 및 디코더(decoder)를 설계할 수 있다.

생성 다항식 $G(x)$가 식 (6-1)과 같다면 그림 6.4와 같은 CRC 인코더(디코더)를 설계할 수 있다.

$$G_{(x)} = x^k + g_{k-1}x^{k-1} + g_{k-2}x^{k-2} + \cdots + g_1 x + 1 \tag{6-1}$$

생성 다항식 : $G(x) = x^k + g_{k-1}x^{k-1} + \cdots + g_1x + 1$

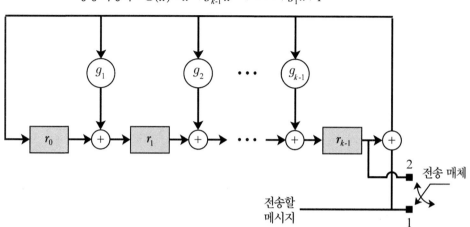

| 그림 6.4 | CRC 인코더

CRC 인코더는 생성 다항식의 차수가 k이면 일단 k개의 1비트 쉬프트 레지스터 r_0, r_1, r_2, ..., r_{k-1}들 사이에 XOR 게이트를 배치한 다음, 계수 g_i가 0인 경우에는 XOR 게이트를 제거하고 쉬프트 레지스터를 통합함으로써 간단히 설계할 수 있다.

전송할 데이터는 1비트씩 CRC 인코더에 입력되며, 모든 데이터가 입력된 다음에 최종적으로 쉬프트 레지스터에 남아 있는 내용이 CRC이다.

송신 측에서는 그림 6.4에서 보는 바와 같이 처음에는 스위치가 1의 위치에 있어서 데이터를 CRC 인코더에 입력함과 동시에 전송 매체를 통해 전송하고 데이터가 모두 입력되면 스위치가 2의 위치로 전환되어 쉬프트 레지스터의 내용, 즉 CRC를 전송한다.

수신 측에서는 수신된 데이터와 CRC를 1비트씩 CRC 디코더에 입력하여 최종적으로 쉬프트 레지스터의 내용에 따라 오류가 발생하였는지의 여부를 판단한다.

쉬프트 레지스터의 내용이 모두 0이면 오류가 없으며, 0이 아니면 오류라고 판단한다.

생성 다항식이 $x^3 + x + 1$인 CRC 인코더에 전송할 메시지 "100110"이 입력되었을 때 CRC가 생성되는 과정을 그림 6.5에 예시하였다.

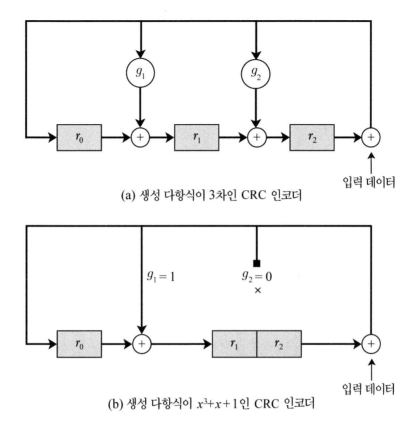

(a) 생성 다항식이 3차인 CRC 인코더

(b) 생성 다항식이 $x^3 + x + 1$인 CRC 인코더

	쉬프트 레지스터의 현 상태			입력 데이터	결 과		
	r_2	r_1	r_0		r_2	r_1	r_0
단계 1	0	0	0	1	0	1	1
단계 2	0	1	1	0	1	1	0
단계 3	1	1	0	0	1	1	1
단계 4	1	1	1	1	1	1	0
단계 5	1	1	0	1	1	0	0
단계 6	1	0	0	0	0	1	1

CRC

(c) CRC 생성 과정

| 그림 6.5 | 생성 다항식이 $x^3 + x + 1$인 CRC 인코더 및 CRC 생성 과정

6.4 정지-대기 ARQ 방식

Data Communication & Computer Network

정지-대기(stop-and-wait) ARQ(Automatic Repeat reQuest) 방식은 송신 측이 일단 프레임을 전송하고 수신 측의 응답을 기다리는 방식이다.

정지-대기 ARQ 방식의 동작 과정을 그림 6.6에 나타내었다.

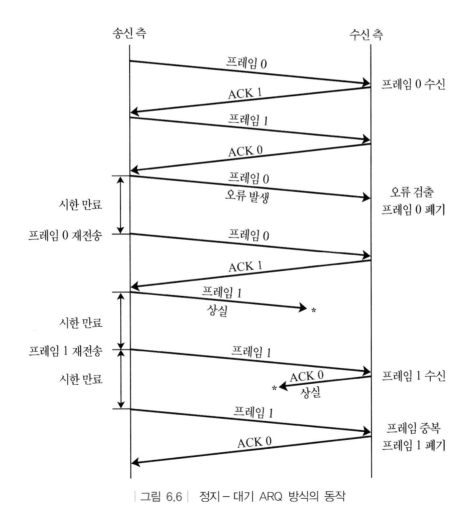

| 그림 6.6 | 정지 – 대기 ARQ 방식의 동작

송신 측과 수신 측에서는 다음과 같은 기능을 한다.

- 송신 측 : 타임아웃 타이머 구동
- 수신 측 : ACK/NAK 응답 또는 무응답

송신 측에서는 프레임 0을 송신하고 수신 측으로부터의 응답을 기다린다. 수신 측에서는 프레임 0이 도착하면 CRC 오류 검사를 하여 오류가 없으면 프레임 0을 수신하고, 후속 프레임인 프레임 1을 보내라는 의미로 ACK 1 응답을 송신 측에 보낸다. ACK 1 응답을 받으면 송신 측은 프레임 1을 전송한다.

수신 측에 도착한 프레임 0에 오류가 있다면 수신 측은 프레임 0을 폐기하고 NAK 0 응답을 송신 측에 보내거나 응답을 하지 않는다.

송신 측은 수신 측으로부터 NAK 0 응답을 받거나 타임아웃 타이머가 시한 만료되면 수신 측에 도착한 프레임 0에 오류가 발생하였음을 알게 되고 프레임 0을 재전송한다.

송신 측에서 프레임 1을 송신하였으나 전송 도중에 프레임이 상실되어 수신 측에 도착하지 못하였다면 송신 측은 타임아웃 타이머가 시한 만료될 때까지 수신 측으로부터 응답을 받지 못하므로 프레임 1을 재전송한다.

송신 측에서 송신한 프레임 1이 수신 측에 오류 없이 도착하여 수신 측이 ACK 0 응답을 보냈으나 전송 도중에 ACK 0 응답이 상실된 경우에는 타임아웃 타이머가 시한 만료되어 송신 측은 프레임 1을 재전송한다. 이 경우에는 수신 측에 동일한 프레임 1이 두 번 수신되는 상황이 발생하게 되므로 중복된 프레임은 폐기한다.

정지-대기 ARQ 방식은 그림 6.7에서 보는 바와 같이 송신 측에서 한 프레임을 전송하고 수신 측으로부터 확인 응답을 받는 데 소요되는 전체 시간 T_F는 다음과 같다.

$$T_F = 2t_p + t_f + t_{ack} + 2t_{proc} \tag{6-2}$$

여기서, t_p는 전파 지연, t_f는 프레임 전송 시간, t_{proc}는 송신 측이나 수신 측에서의 처리 시간, t_{ack}는 확인 응답 전송 시간이다.

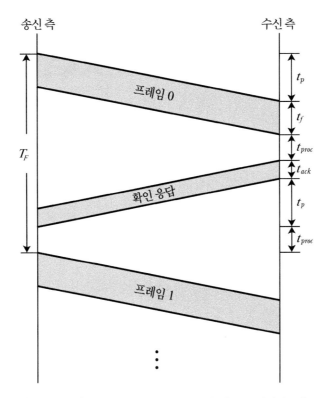

| 그림 6.7 | 정지 – 대기 ARQ 방식의 타이밍 다이어그램

전파 지연(propagation delay)이란 프레임의 첫 번째 비트가 송신 측을 출발하여 수신 측에 도달하는 데 소요되는 시간을 말하며, 송신 측과 수신 측 간의 거리를 신호의 전파 속도로 나눈 값이다.

프레임 전송 시간(frame transmission time)이란 송신 측이 프레임의 모든 비트를 송신하는 데 소요되는 시간, 즉 프레임의 첫 번째 비트가 출발한 시간부터 마지막 비트가 떠나는 시간까지의 시간 간격을 말한다. 프레임 전송 시간은 프레임의 크기를 전송 속도로 나눈 값이다.

확인 응답 전송 시간 t_{ack}와 처리 시간 t_{proc}는 비교적 작기 때문에 이들을 무시한다면 한 프레임을 전송하는 데 소요되는 전체 시간 T_F는 식 (6-3)과 다음과 같다.

$$T_F = 2t_p + t_f \tag{6-3}$$

정지-대기 ARQ 방식의 링크 효율 U는 다음과 같이 구할 수 있다.

$$U = \frac{\text{프레임 전송 시간}(t_f)}{\text{전체 소요 시간}(T_F)}$$

$$= \frac{t_f}{2t_p + t_f} \qquad (6\text{-}4)$$

$$= \frac{1}{2t_p/t_f + 1}$$

링크 효율에 영향을 미치는 주요 파라미터인 a를 식 (6-5)와 같이 정의하면,

$$a = \frac{\text{전파 지연}(t_p)}{\text{프레임 전송 시간}(t_f)} \qquad (6\text{-}5)$$

식 (6-4)와 식 (6-5)로부터, a에 따른 링크 효율 U는 다음과 같다.

$$U = \frac{1}{2a + 1} \qquad (6\text{-}6)$$

식 (6-6)으로부터 전파 지연과 프레임 전송 시간이 링크 효율에 미치는 영향이 매우 크다는 것을 알 수 있다.

전파 지연, 프레임 전송 시간, 링크 효율의 상관관계는 다음과 같다.

- 전파 지연 t_p와 프레임 전송 시간 t_f의 비, 즉 a가 클수록 링크 효율은 낮아진다.
- 프레임 전송 시간이 일정하다면 전파 지연이 클수록 링크 효율은 낮아진다. 즉, 송신 측과 수신 측 간의 거리가 멀수록 링크 효율은 낮아진다.
- 전파 지연이 일정하다면 프레임 전송 시간이 클수록 링크 효율은 높아진다. 즉, 전송 속도가 낮거나 프레임의 크기가 클수록 링크 효율은 높아진다.

장거리 고속 통신인 경우에는 정지-대기 ARQ 방식의 링크 효율이 매우 낮은 단점이 있으므로 이를 개선하기 위해 연속적 ARQ 방식을 사용한다.

6.5 연속적 ARQ 방식

Data Communication & Computer Network

○ Go-back-*N* ARQ

go-back-*N* ARQ 방식은 그림 6.8에서 보는 바와 같이 최대 *N*개까지의 프레임을 연속적으로 전송할 수 있다. *N*을 최대 윈도우(window) 크기라고 하며, *k*비트의 프레임 순서 번호와 최대 윈도우 크기 *N*은 다음과 같은 관계가 있다.

$$N = 2^k - 1 \tag{6-7}$$

수신 측에서는 수신한 프레임에 오류가 없을 경우 몇 개의 프레임에 대하여 ACK 응답을 보낼 수도 있다. 송신 측에서는 프레임들을 연속적으로 전송하며, 만일 수신 측으로부터 NAK 응답을 받게 되면 이미 송신한 프레임이라 하더라도 NAK 응답을 받은 해당 프레임부터 다시 재전송한다.

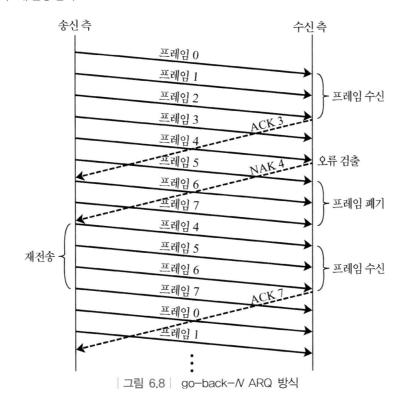

| 그림 6.8 | go-back-*N* ARQ 방식

○ 선택적 ARQ

선택적(selective) ARQ 방식은 그림 6.9에서 보는 바와 같이 NAK 응답을 받은 해당 프레임만을 재전송한다.

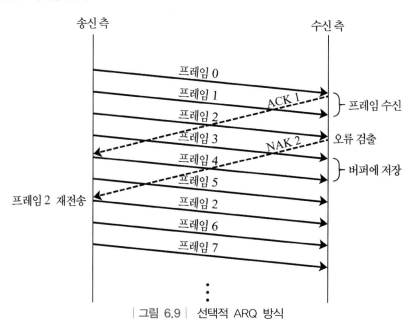

| 그림 6.9 | 선택적 ARQ 방식

그림 6.10에 ARQ 방식의 링크 효율을 비교하였다.

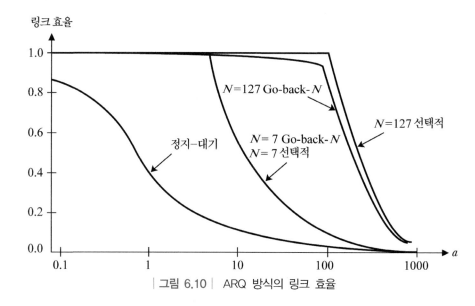

| 그림 6.10 | ARQ 방식의 링크 효율

6.6 흐름 제어

● 슬라이딩 윈도우 프로토콜

송신 측과 수신 측 간의 데이터 흐름을 조절하는 기능을 흐름 제어라고 하며, 그림 6.11
과 같은 슬라이딩 윈도우 프로토콜(sliding window protocol)을 사용한다. 슬라이딩 윈도
우 프로토콜은 송신 측과 수신 측이 윈도우라고 하는 특정 범위 내의 프레임을 송신하고
수신할 수 있다.

송신 측은 그림 6.11(a)와 같이 전송한 프레임에 대한 수신 측의 확인 응답을 받지 않고
서도 윈도우 범위 내의 프레임들을 연속적으로 전송할 수 있다. 한 프레임을 보낼 때마다
송신 측 윈도우의 크기는 1씩 감소되며, 만일 윈도우의 크기가 0이 되면 더 이상 프레임을
보낼 수 없다.

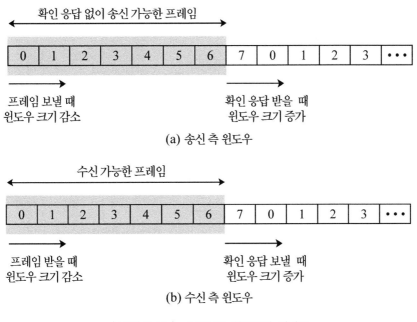

| 그림 6.11 | 슬라이딩 윈도우의 개념도

수신 측은 그림 6.11(b)와 같이 윈도우 범위 내의 프레임들을 연속적으로 수신할 수 있다. 한 프레임을 받을 때마다 수신 측 윈도우는 1씩 감소되며, 윈도우의 크기가 0이 되면 더 이상 후속 프레임을 받을 수 없으므로 송신 측에 확인 응답을 보내면서 윈도우의 크기를 증가시킨다.

슬라이딩 윈도우 프로토콜에서는 윈도우 범위 내의 프레임들이 연속적으로 전송되므로 이들을 식별하기 위해 프레임 순서 번호(frame sequence number) 또는 프레임 식별자(frame identifier)를 사용한다.

3비트 순서 번호를 사용하는 슬라이딩 윈도우 프로토콜을 그림 6.12에 예시하였다. 초기에는 송신 측과 수신 측의 윈도우가 최대로 열려 있다. 송신 측에서는 프레임 0, 1, 2를 연속적으로 보내면서 윈도우를 1씩 감소시킨다. 수신 측에서는 프레임 0, 1, 2를 받으면서 윈도우를 1씩 감소시킨다.

수신 측이 확인 응답 ACK 3을 보내면서 윈도우를 최대 크기로 증가시킨다. ACK 3의 확인 응답을 받은 송신 측은 윈도우를 최대 크기로 증가시킨다.

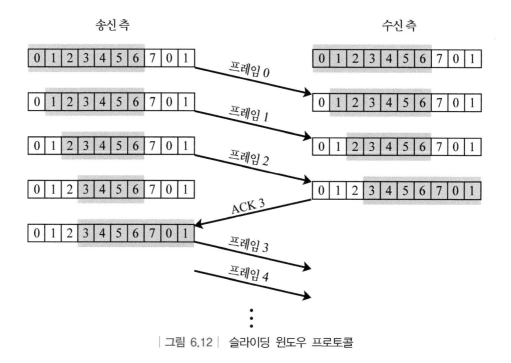

| 그림 6.12 | 슬라이딩 윈도우 프로토콜

6.7 FEC 오류 정정

Data Communication & Computer Network

FEC(Forward Error Correction) 방식은 convolutional 코드 등을 이용하여 수신 측에서 오류를 정정하는 방법이며, 주로 이동 통신 분야에 활용되고 있다.

● Convolutional 인코더

convolutional 인코더는 오류를 정정하기 위해 k비트의 메시지를 $n(>k)$비트의 코드로 변환하는 기능을 한다.

convolutional 인코더는 쉬프트 레지스터와 모듈로-2 가산기로 구성되며, 입력과 출력의 비 k/n을 부호율, K를 구속장(constraint length)이라고 한다.

그림 6.13에서 보는 바와 같이 부호율 $= k/n$, 구속장 K인 convolutional 인코더는 kK 비트의 쉬프트 레지스터와 n개의 모듈로-2 가산기로 구성되며, 한번에 k비트씩 입력되어 n비트 코드가 출력된다.

부호율 $= 1/2$, $K = 3$인 convolutional 인코더는 3비트의 쉬프트 레지스터와 2개의 모듈로-2 가산기로 구성되며, 메시지가 1비트씩 입력되어 2비트씩 출력된다.

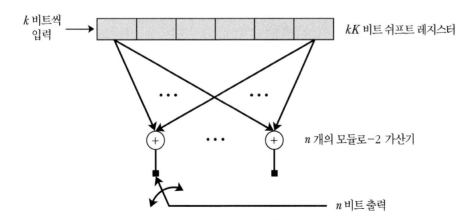

| 그림 6.13 | 부호율 $= k/n$, 구속장 K인 convolutional 인코더

convolutional 인코더에 일련의 메시지를 입력시킨 다음에는 반드시 $K-1$개의 0을 입력하여 이미 입력된 메시지의 최종 비트가 쉬프트 레지스터의 가장 오른쪽에 위치되게 함으로써 후속 메시지가 입력되면 이전 메시지가 쉬프트 레지스터에서 모두 빠져 나가 후속 메시지의 출력에 영향을 주지 않게 하여야 한다. 이러한 동작을 플러싱(flushing)이라고 한다.

그림 6.14는 부호율 $= 1/2$, $K = 3$인 convolutional 인코더이다. 인코더에 메시지 "1011"과 플러싱을 위한 2비트의 0이 입력될 때 출력되는 convolutional 코드는 "11 10 00 01 01 11"이며, 이 과정을 그림 6.15에 나타내었다.

부호율 $= 1/2$, $K = 3$인 convolutional 인코더는 $a = 00$, $b = 10$, $c = 01$, $d = 11$의 4가지 상태로 나타낼 수 있다.

convolutional 인코더에 "10110011100"을 입력하여 얻은 결과를 이용하여 인코더의 상태도를 표현하면 그림 6.16과 같다.

트리 다이어그램을 작성하기 위해서는 인코더가 초기 상태($a = 00$)에 있다고 가정한 다음, 입력이 0이면 위로 분기, 입력이 1이면 아래로 분기하면서 입력에 따라 출력을 구하여 트리를 구성한다. 그림 6.17에서 굵은 선으로 표시한 것은 입력이 "10110"인 경우이며, 이로부터 출력이 "11 10 00 01 01"임을 알 수 있다.

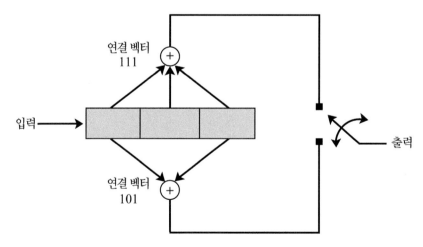

| 그림 6.14 | 부호율 $= 1/2$, $K = 3$인 convolutional 인코더

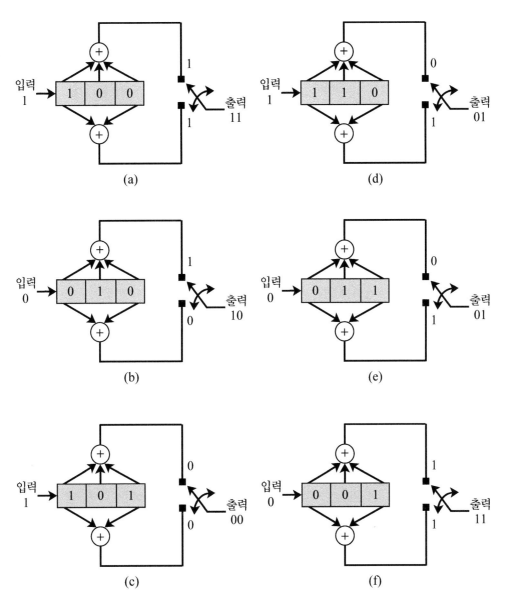

| 그림 6.15 | convolutional 인코더의 출력 생성 과정

입력	레지스터의 내용	현 상태	차기 상태	출력
–	000	00	00	–
1	100	00	10	11
0	010	10	01	10
1	101	01	10	00
1	110	10	11	01
0	011	11	01	01
0	001	01	00	11
1	100	00	10	11
1	110	10	11	01
1	111	11	11	10
0	011	11	01	01
0	001	01	00	11

현 상태

차기 상태

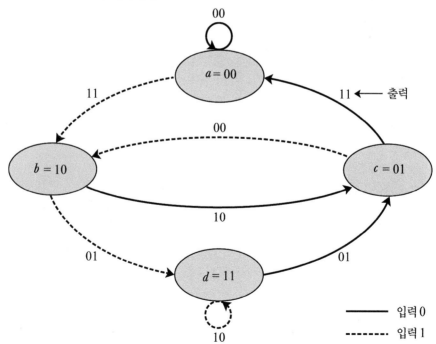

| 그림 6.16 | convolutional 인코더의 상태도

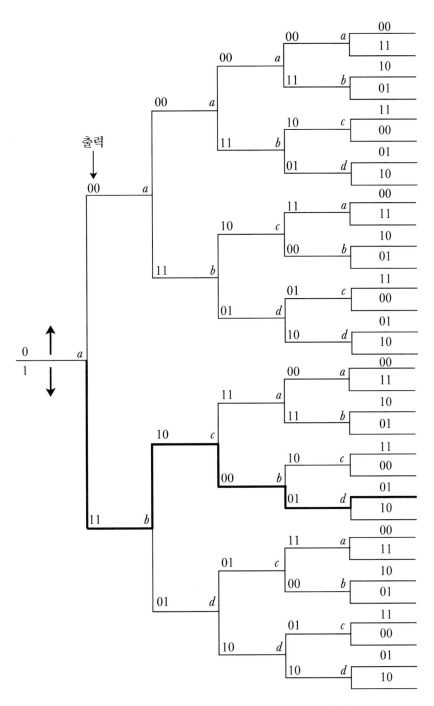

| 그림 6.17 | convolutional 인코더의 트리 다이어그램

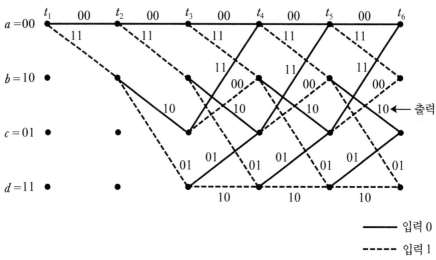

| 그림 6.18 | convolutional 인코더의 trellis 다이어그램

convolutional 인코더의 trellis 다이어그램을 작성하는 과정은 그림 6.18에서 보는 바와 같다.

convolutional 인코더가 t_1 시간에 a 상태라고 가정한다. t_2 시간에 입력이 0이면 00이 출력되고 a 상태로 유지되며, 입력이 1이면 11이 출력되고 b 상태로 분기한다. 마찬가지 방법으로 t_3, t_4, …의 시간에서도 이전 시간의 상태와 입력에 따라 분기시키면서 확장해 나가면 convolutional 인코더의 trellis 다이어그램을 작성할 수 있다.

trellis 다이어그램에서 분기선은 입력이 0인 경우에는 실선으로, 입력이 1인 경우에는 점선으로 표현하며, 해당 출력은 분기선 위에 표시한다.

● Convolutional 디코더

수신 측에서는 Viterbi 디코딩 알고리즘을 이용하여 오류를 정정한다. Viterbi 디코딩 알고리즘은 수신된 신호와 모든 trellis 경로와의 Hamming 거리를 계산하여 그중 가장 유사한 경로를 선택하는 방식이다.

convolutional 디코더의 경우에는 수신한 신호와 convolutional 인코더의 trellis 다이어그램의 해당 출력 간의 Hamming 거리를 시간 t_1에서의 각 분기선 위에 표현한다.

convolutional 인코더의 입력이 "1011", 출력이 "11 10 00 01"이고, 수신 측에 수신된 비트 시퀀스가 "11 10 01 01"인 경우, convolutional 디코더의 trellis 다이어그램을 작성해 보자.

convolutional 디코더가 t_1 시간에 a 상태라고 가정하였을 때 trellis 다이어그램을 작성하는 과정은 다음과 같다.

부호율 $= 1/2$이므로 수신된 비트 시퀀스 중 처음 두 비트 11과 convolutional 인코더의 trellis 다이어그램에서 t_1 시간의 2가지 출력인 00 및 11과의 Hamming 거리 H_d를 구한다.

수신된 신호 11과 convolutional 인코더의 출력 00, 11과의 Hamming 거리 H_d는 각각 2, 0이므로 그림 6.19에서 보는 바와 같이 이들 H_d 값을 해당 분기선 위에 표시한다.

그림 6.20은 t_2 시간에서의 convolutional 디코더의 trellis 다이어그램을 작성하는 과정을 나타낸 것이다.

t_3, t_4의 시간에서도 수신된 신호 01, 01과 해당 convolutional 인코더 출력과의 Hamming 거리를 구하여 해당 분기선 위에 표시함으로써 그림 6.21과 같은 convolutional 디코더의 trellis 다이어그램을 작성할 수 있다.

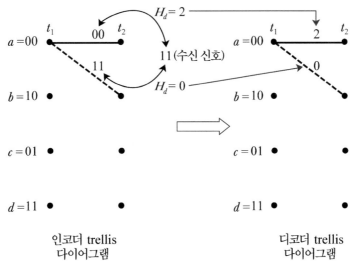

| 그림 6.19 | convolutional 디코더의 trellis 다이어그램 작성 과정(시간 t_1)

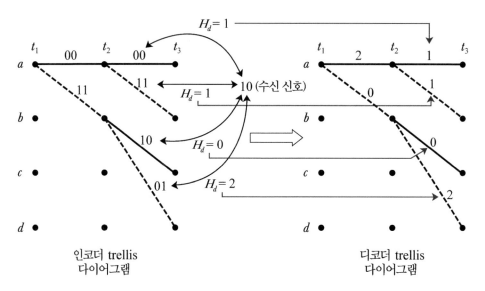

| 그림 6.20 | convolutional 디코더의 trellis 다이어그램 작성 과정(시간 t_2)

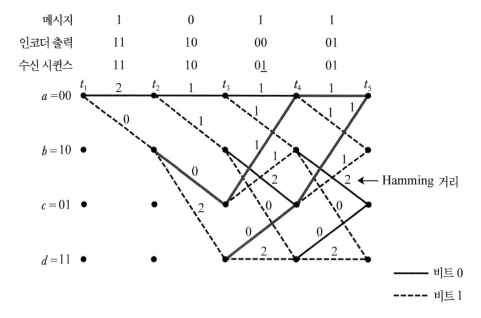

| 그림 6.21 | convolutional 디코더의 trellis 다이어그램

Viterbi 디코딩의 원리를 살펴보자.

convolutional 디코더의 trellis 다이어그램에서 진하게 표시한 부분만을 선택하여 그림 6.22에 간결하게 나타내었다.

경로 1과 경로 2는 모두 시간 t_5에서 상태 a로 분기하여 서로 합병됨을 알 수 있다. 합병된 두 경로는 t_5 시간 이후에는 동일한 상태로 분기가 진행된다.

convolutional 디코더의 trellis 다이어그램에서 최적의 경로를 찾기 위해 합병되는 두 경로 중 하나를 제거할 수 있다.

경로를 제거하는 기준으로는 두 경로가 합병되는 시간 t_i까지의 누적 Hamming 거리가 사용되며, 이를 경로 메트릭(path metric)이라고 한다.

경로 메트릭이 작은 경로가 수신 신호와 convolutional 인코더 출력이 더 유사하다고 판단할 수 있으므로 경로 메트릭이 큰 경로는 제거되고 작은 경로는 그대로 유지된다.

특정 시간 t_i까지 유지되는 경로를 생존 경로(survivor path)라고 한다.

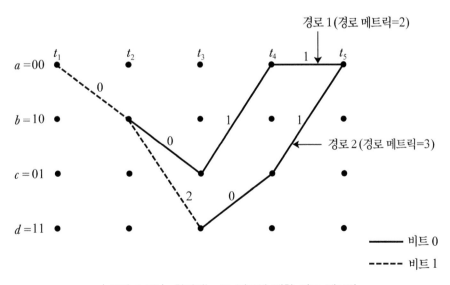

| 그림 6.22 | 합병되는 두 경로에 대한 경로 메트릭

그림 6.22의 경우에는 경로 1과 경로 2가 t_5 시간에 합병되고 경로 메트릭은 각각 2와 3이므로 경로 1이 생존 경로가 되고 경로 2는 제거된다.

Viterbi 디코딩 알고리즘에서는 이러한 개념을 이용하여 시간 t_i까지의 생존 경로들 중에서 경로 메트릭이 최소인 경로를 최종적으로 선택함으로써 오류를 정정할 수 있다.

송신 측에서 메시지 "1011"을 convolutional 인코더에 의해 "11 10 00 01"로 부호화하고 이를 전송하였는데 오류가 발생하여 수신 측에 "11 10 01 01"이 수신되었다고 가정하고 convolutional 디코더의 trellis 다이어그램을 참조하여 어떻게 오류가 정정되는 지를 살펴보자.

convolutional 디코더의 초기 상태가 $a = 00$이라면 t_1 시간에 수신되는 신호는 11이므로 t_2 시간에 생존하게 되는 경로와 경로 메트릭은 그림 6.23(a)와 같다.

이 상황에서 t_2 시간에 수신되는 신호는 10이므로 t_3 시간에 생존하게 되는 경로와 경로 메트릭은 그림 6.23(b)와 같다.

이때 수신되는 신호는 01이므로 t_4 시간에는 그림 6.23(c)와 같이 합병되는 경로가 형성된다. 합병되는 경로들은 경로 메트릭을 기준으로 불필요한 경로를 제거함으로써 그림 6.23(d)와 같은 t_4 시간에서의 생존 경로를 얻을 수 있다.

t_4 시간에 수신되는 신호는 01이므로 t_5 시간에는 그림 6.23(e)와 같이 합병되는 경로가 다시 형성된다.

마찬가지 방법으로 불필요한 경로를 제거하면 그림 6,23(f)와 같이 t_5 시간에는 4개의 생존 경로가 남게 된다.

이들 경로 중 경로 메트릭이 가장 작은 경로를 선택하면 convolutional 디코더는 최종적으로 상태 $d = 11$이 된다.

시간 t_5에서 상태 d가 되는 경로를 보면 t_1에서 t_2는 점선이므로 '1', t_2에서 t_3는 실선이므로 '0', t_3에서 t_4는 점선이므로 '1', t_4에서 t_5는 점선이므로 '1'임을 알 수 있다.

따라서, 수신 측에서는 송신 측이 원래 "1011"을 송신하였을 것이라고 판단함으로써 전송 도중에 발생한 오류를 정정할 수 있다.

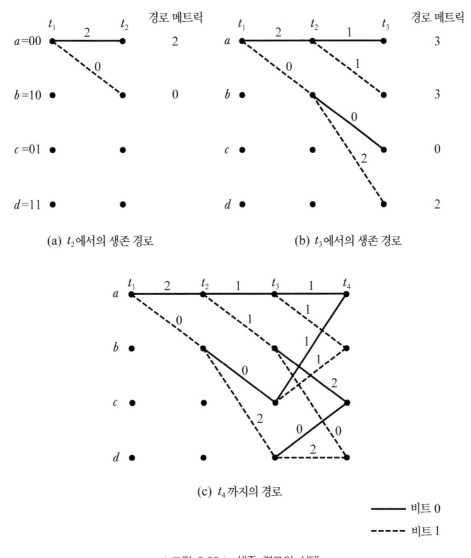

(a) t_2에서의 생존 경로　　　　　(b) t_3에서의 생존 경로

(c) t_4까지의 경로

|그림 6.23| 생존 경로의 선택

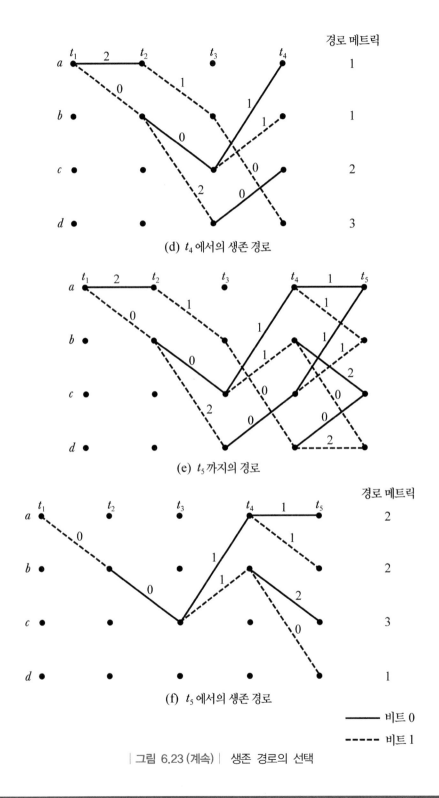

(d) t_4 에서의 생존 경로

(e) t_5 까지의 경로

(f) t_5 에서의 생존 경로

——— 비트 0

- - - - 비트 1

| 그림 6.23 (계속) | 생존 경로의 선택

부호화

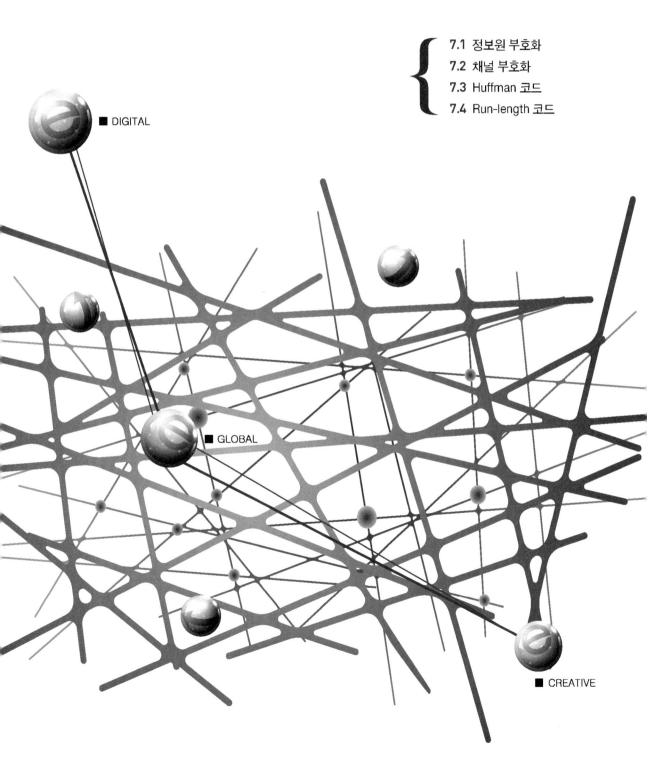

■ DIGITAL

■ GLOBAL

■ CREATIVE

7.1 정보원 부호화

정보원 부호화는 음성이나 영상과 같은 아날로그 정보를 컴퓨터에 입력하기 위해 디지털로 변환하는 기능이다.

● PCM

PCM(Pulse Code Modulation)은 음성을 디지털로 변환하는 대표적인 방식이며, PCM의 절차(그림 7.1)는 다음과 같다.

- 표본화
- 양자화
- 부호화

표본화(sampling)란 연속적인 아날로그 신호로부터 일정한 간격으로 표본을 추출하는 과정을 말하며, 표본화 결과로 이산 신호가 생성된다. 표본이 많을수록 원래의 신호에 가깝지만 정보량이 많아지게 된다. 그렇다고 표본을 너무 적게 하면 정보량은 감소되지만 원래의 신호와는 상당한 차이가 발생하게 되므로 적절한 수의 표본을 추출하여야 한다.

신호의 최대 주파수를 f_m이라고 하면 $2f_m$ 정도의 표본을 추출하면 원래의 신호를 재생할 수 있으며, 이를 Nyquist 정리라고 한다.

음성의 경우, 최대 주파수를 $4kHz$라고 간주하면 Nyquist 정리에 의해 1초에 8,000개의 표본, 즉 $125\mu s$마다 표본을 추출하여야 한다.

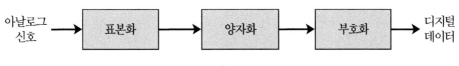

| 그림 7.1 | PCM의 절차

표본화 결과, 다양한 크기의 이산 신호들이 생성되며, 이들을 정확히 표현하는 데에는 매우 많은 비트가 필요하기 때문에 정보량이 많아진다. 따라서 정보량을 줄이기 위해 이산 신호들을 특정 레벨로 근사화 할 필요가 있다.

양자화(quantization)란 이산 신호들을 특정 레벨로 근사화 하는 과정을 말한다.

양자화 과정에서 발생되는 오차를 양자화 잡음(quantization noise) 또는 양자화 오차(quantization error)라고 하며, 양자화 레벨이 많을수록 레벨 간격이 좁아지므로 양자화 잡음은 감소되지만 정보량은 많아진다.

음성의 경우에는 2^8=256 레벨로 양자화 하여도 품질이 양호하지만 오디오 CD의 경우에는 세밀한 음향 효과가 요구되기 때문에 2^{16}=65,536 레벨로 양자화 한다.

음성 통화의 경우, 50% 정도의 시간 동안은 상당히 작은 목소리로 통화하고 대략 15% 정도의 시간 동안만 비교적 큰 소리로 통화하고 있다. 이러한 경향이 있는 음성에 균일 양자화 방법(uniform quantization)을 채택한다면 대부분의 시간 동안 음성 품질이 매우 열악해질 것이므로 음성은 비균일 양자화(nonuniform quantization) 방법으로 양자화 한다.

부호화(encoding)란 양자화 한 결과의 펄스들을 특정 길이의 이진 코드로 변환하여 원하는 PCM 출력을 얻는 과정을 말한다.

아날로그 신호로부터 PCM 출력을 얻는 과정을 그림 7.2에 예시하였다.

예제 7.1

:: 음성과 오디오 CD를 PCM으로 부호화 할 경우의 정보량은 얼마인가?

풀이 ▶ 음성은 Nyquist 정리에 의해 8,000개의 표본을 추출하고 각 표본을 8비트로 부호화 한다. 따라서 음성의 정보량은 $64 kbps$(8,000×8비트)이다.

오디오 CD의 경우에는 고품질의 스테레오 음악을 제공하기 위해 2개의 채널을 사용하며, 44,100개의 표본을 추출하고 각 표본을 16비트로 부호화 한다. 따라서 오디오 CD의 정보량은 $1.411 Mbps$(2×44,100×16비트)이다.

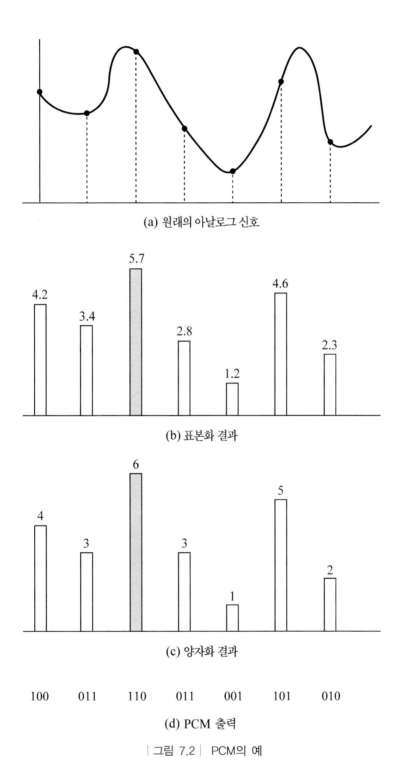

(a) 원래의 아날로그 신호

(b) 표본화 결과

(c) 양자화 결과

100   011   110   011   001   101   010

(d) PCM 출력

| 그림 7.2 | PCM의 예

7.2 채널 부호화

채널 부호화는 오류 검출이나 동기 맞춤 등을 위해 컴퓨터의 디지털 데이터를 다른 형태의 디지털 신호로 변환하는 기능이다.

채널 부호화 방식에는 NRZ 방식, 양극성 AMI 방식, biphase 방식, 다중 레벨 방식 등이 있다.

채널 부호화 방법을 선택할 때에는 다음 사항을 고려하여야 한다.

- 대역폭이 좁은가?
- DC 성분이 적은가?
- 비트 동기가 용이한가?
- 오류 검출 능력이 좋은가?
- 단순하여 비용이 적게 드는가?

데이터 통신의 성능에 영향을 미치는 전송 속도, 대역폭, SNR 등은 다음과 같은 상관관계가 있음도 고려하여야 한다.

- 전송 속도를 높이려면 펄스폭을 좁게 해야 한다.
- 펄스폭이 좁아지면 오류율, 즉 BER(Bit Error Rate)이 커진다.
- SNR을 증가시키면 BER은 감소된다.
- 대역폭을 넓게 하면 전송 속도가 높아진다.

O TTL

컴퓨터 내부에서는 1은 5 V, 0은 0 V인 TTL(Transistor-Transistor Logic) 방식을 사용하지만 TTL 방식은 0이나 1이 연속적으로 나타나는 경우에는 DC 성분이 많아지고 비트 동기가 어렵기 때문에 데이터 통신에는 부적합하다.

- 이진 1 : 5 V
- 이진 0 : 0 V

○ NRZ

NRZ(Non Return-to-Zero) 방식은 $\pm V$의 양극성 전압으로 1과 0을 표현하며, 한 비트 시간 동안 전압 레벨이 유지된다. NRZ 방식은 NRZ-L(NRZ-Level)과 NRZI(NRZ Inverted)로 구분된다.

○ NRZ-L
- 이진 1 : − 전압(낮은 전압)
- 이진 0 : + 전압(높은 전압)

○ NRZI
- 이진 1 : 비트 시작 시 극성 변화
- 이진 0 : 이전 비트의 전압 레벨 유지

그림 7.3에 TTL과 NRZ의 파형을 비교하였다.

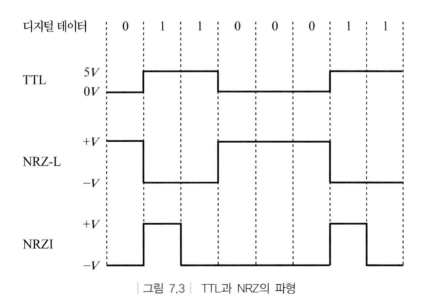

| 그림 7.3 | TTL과 NRZ의 파형

NRZ-L 방식에서 0이나 1이 연속적으로 나타나거나 NRZI 방식에서 0이 연속적으로 나타나는 경우에는 상당한 시간 동안 동일한 전압 레벨이 유지되므로 수신 측에서 비트의 시작과 끝을 식별하기 어렵다.

NRZ 방식은 대역폭이 적게 요구되고 단순하지만 DC 성분이 많고 비트 동기가 어렵기 때문에 RS-232 직렬 포트를 이용한 저속 통신 등에 사용되고 있다.

○ 양극성 AMI

양극성 AMI(Alternate Mark Inversion) 방식은 0은 0 V, 즉 선로 신호가 없고, 1은 전압의 극성이 교대로 나타나며, 한 비트 시간 동안 전압 레벨이 유지된다.

- 이진 1 : + 전압과 − 전압이 교대됨
- 이진 0 : 선로 신호 없음

그림 7.4에 양극성 AMI의 파형을 나타내었다.

양극성 AMI 방식은 1이 나타날 때마다 + 전압과 − 전압이 교대되므로 1이 자주 나타난다면 수신 측은 전압 극성이 변하는 시점에서 재동기도 할 수 있는 장점이 있다.

양극성 AMI 방식은 NRZ 방식에 비해 대역폭이 적게 요구되며, 전압 극성이 교대되는 특성을 이용하여 오류 검출도 가능하므로 장거리 통신에 사용된다.

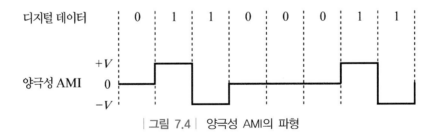

| 그림 7.4 | 양극성 AMI의 파형

○ biphase 방식

한 비트 시간 동안에 최소한 한 번 이상의 전압 변동, 즉 천이(transition)가 일어나는 부호화 방식을 biphase 방식이라고 한다.

Manchester 코드와 차동 Manchester 코드는 각 비트의 중간 지점에서 반드시 천이가 일어나는 형태의 대표적인 biphase 방식이다.

Manchester 코드의 경우, 0은 높은 전압에서 낮은 전압으로의 천이, 1은 낮은 전압에서 높은 전압으로의 천이가 일어난다.

- 이진 1 : 낮은 전압 → 높은 전압
- 이진 0 : 높은 전압 → 낮은 전압

차동 Manchester 코드의 경우, 0은 비트가 시작될 때 천이가 일어나지만 1은 비트가 시작될 때 천이가 일어나지 않는다.

- 이진 1 : 천이가 일어나지 않음
- 이진 0 : 천이가 일어남

그림 7.5에 Manchester 코드와 차동 Manchester 코드의 파형을 나타내었다.

biphase 방식은 NRZ 방식에 비해 대역폭이 2배 정도 요구되는 단점은 있지만 각 비트마다 최소 한 번의 천이가 일어나므로 수신 측에서의 동기 맞춤이 용이하다. 또한 biphase 방식은 각 비트 시간 동안에 천이가 일어나지 않는다면 오류가 발생되었음을 알 수 있기 때문에 오류 검출 능력도 우수하다.

Manchester 코드는 Ethernet LAN에 사용되고 있으며, 차동 Manchester 코드는 토큰 링 LAN에 사용되고 있다.

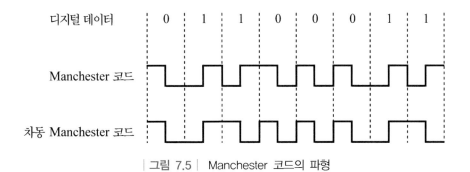

| 그림 7.5 | Manchester 코드의 파형

◐ 다중 레벨 방식

다중 레벨(multilevel) 방식은 $mBnL$ 코드라고 하며, m개의 비트를 입력 받아 $n(<m)$ 개의 $L(>2)$ 레벨의 신호로 부호화 한다. 다중 레벨 방식에는 8B6T 코드, 2B1Q 코드 등이 있다.

8B6T 코드는 표 7.1의 부호화 패턴을 이용하여 8비트의 입력 시퀀스를 6개의 3진(ternary) 신호로 부호화 한다.

그림 7.6에 8B6T 코드의 파형을 나타내었다.

8B6T 코드는 100BASE-T4 케이블의 Fast Ethernet에 사용되고 있다.

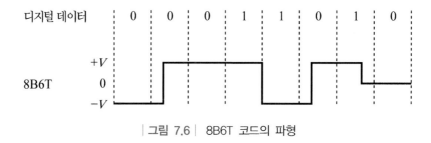

| 그림 7.6 | 8B6T 코드의 파형

| 표 7.1 | 8B6T 코드의 부호화 패턴

입력 옥텟	코드 패턴	입력 옥텟	코드 패턴	입력 옥텟	코드 패턴
00	− + 0 0 − +	0A	0 − + 0 + −	14	0 − − + + 0
01	0 − + − + 0	0B	0 − + − 0 +	15	− − 0 0 + +
02	0 − + 0 − +	0C	− + 0 − 0 +	16	− − 0 + 0 +
03	0 − + + 0 −	0D	+ 0 − + − 0	17	− − 0 + + 0
04	− + 0 + 0 −	0E	+ 0 − 0 + −	18	− + 0 − + 0
05	+ 0 − − + 0	0F	+ 0 − − 0 +	19	+ − 0 − + 0
06	+ 0 − 0 − +	10	0 − − + 0 +	1A	− + + − + 0
07	+ 0 − + 0 −	11	− 0 − 0 + +	1B	+ 0 0 − + 0
08	− + 0 0 + −	12	− 0 − + 0 +	1C	+ 0 0 + − 0
09	0 − + + − 0	13	− 0 − + + 0	1D	− + + + − 0

2B1Q 코드는 4가지 레벨($+V_1$, $-V_1$, $+V_2$, $-V_2$)의 신호를 사용하며, 2비트의 입력 시퀀스를 하나의 4진(quaternary) 신호로 부호화 한다.

입력되는 두 비트 중 첫 번째 비트는 전압의 극성을 결정하며, 두 번째 비트는 전압의 크기를 결정한다.

첫 번째 비트가 1이면 + 전압, 0이면 − 전압을 의미하며, 두 번째 비트가 1이면 V_1, 0이면 V_2를 의미한다.

◉ 첫 번째 비트
- 이진 1 : + 전압
- 이진 0 : − 전압

◉ 두 번째 비트
- 이진 1 : V_1 레벨
- 이진 0 : V_2 레벨

예를 들어, 입력 시퀀스가 10이면 $+V_2$ 레벨로 부호화 되고, 입력 시퀀스가 01이면 $-V_1$ 레벨로 부호화 된다.

2B1Q 코드의 파형을 그림 7.7에 예시하였다.

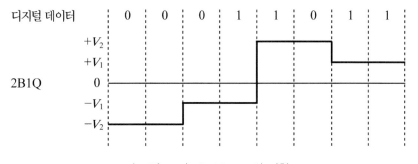

| 그림 7.7 | 2B1Q 코드의 파형

7.3 Huffman 코드

Huffman 코드는 발생 확률이 높은 심벌은 짧게, 발생 확률이 낮은 심벌은 길게 부호화 하는 가변 길이 코드이며, 영상 압축에 활용되고 있다.

가변 길이 코드가 갖추어야 할 요건은 다음과 같다.

- 유일하게 복호가 가능(unique decodable)하여야 한다.
- 어떤 심벌의 코드가 다른 심벌의 접두(prefix)가 되어서는 안 된다.
- 동시 코드(instantaneous code)이어야 한다.

정보원 심벌 s_1, s_2, s_3, s_4를 다음과 같이 부호화 하였다고 가정해 보자.

$$s_1 = 0$$
$$s_2 = 01$$
$$s_3 = 11$$
$$s_4 = 00$$

수신한 메시지가 "0011"이라면 수신 측은 다음과 같이 판단할 수 있다.

$$0011 \rightarrow 0 \mid 0 \mid 11$$
$$0011 \rightarrow 00 \mid 11$$

이와 같이 수신 측은 s_1, s_1, s_3인지 혹은 s_4, s_3인지를 정확히 판별할 수 없을 것이므로 심벌의 코드들은 유일하게 복호화가 가능해야 한다.

정보원 심벌 s_1, s_2, s_3, s_4를 다음과 같이 부호화 하였다고 가정해 보자.

$$s_1 = 0$$
$$s_2 = 01$$
$$s_3 = 011$$
$$s_4 = 111$$

수신한 메시지가 "0111111"이고 수신 측이 메시지를 처음부터 복호화 한다면 수신한 첫 번째 심벌이 s_1, s_2, s_3 중 어느 것인지를 판별할 수 없다.

어떤 심벌 코드도 다른 심벌 코드의 접두로 사용되지 않게 함으로써 한 심벌을 수신함과 동시에 복호화가 가능한 코드를 동시 코드라고 한다.

정보원 심벌 s_1, s_2, s_3, s_4를 다음과 같이 부호화 하였다고 가정해 보자.

$$s_1 = 0$$
$$s_2 = 10$$
$$s_3 = 110$$
$$s_4 = 111$$

이 경우에는 수신한 메시지가 "0111111..."이라고 하더라도 수신 측은 메시지를 수신함과 동시에 s_1, s_4, s_4...라고 복호화 할 수 있다.

Huffman 코드를 생성하는 과정은 축소 과정과 생성 과정으로 구분된다.

축소 과정에서는 그림 7.8(a)에서 보는 바와 같이 심벌들을 발생 확률의 내림차순으로 배치한 다음, 확률이 가장 낮은 두 심벌을 결합하여 하나의 심벌로 간주하는 방식으로 심벌의 개수를 줄여 나간다.

이 심벌의 확률은 결합되는 두 심벌의 확률을 더한 것이며, 이 확률을 기준으로 다시 심벌들을 확률의 내림차순으로 배치한 다음, 최종적으로 두 심벌이 남을 때까지 이러한 과정을 반복한다.

생성 과정에서는 그림 7.8(b)에서 보는 바와 같이 축소 과정에서 최종적으로 남은 두 심벌 중 확률이 높은 심벌에 0, 낮은 심벌에 1을 할당하고, 축소 과정에서 결합된 심벌들을 분해하여 3개의 심벌이 되게 한다. 분해된 심벌 중 확률이 높은 심벌에는 0, 낮은 심벌에는 1을 이미 할당된 비트 0 또는 1에 추가하여 2비트의 코드를 생성한다. 원래의 모든 정보원 심벌에 해당 코드가 생성될 때까지 이런 과정을 반복하여 Huffman 코드를 생성한다.

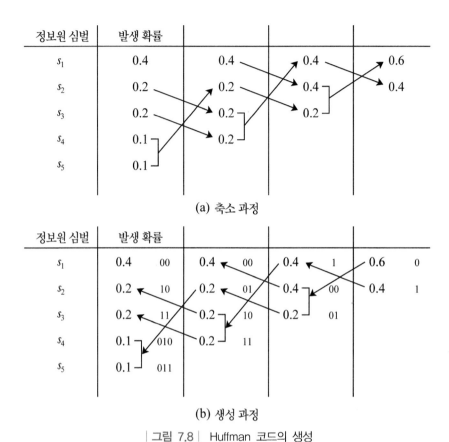

(a) 축소 과정

(b) 생성 과정

| 그림 7.8 | Huffman 코드의 생성

심벌 i의 발생 확률과 코드 길이가 각각 p_i, l_i라면 Huffman 코드의 평균 길이 L은 다음과 같이 구할 수 있다.

$$
\begin{aligned}
L &= \sum_i p_i l_i \\
&= 0.4 \times 2 + 2 \times 0.2 \times 2 + 2 \times 0.1 \times 3 \\
&= 2.2 \text{ 비트}
\end{aligned}
\tag{7-1}
$$

심벌의 발생 확률을 고려하지 않는다면 5개의 심벌을 부호화 하는 데에는 3비트가 필요하지만 Huffman 코드의 평균 길이는 2.2비트이므로 한 심벌 당 0.8비트씩 정보를 줄일 수 있다.

7.4 Run-length 코드

Run-length 코드는 연속되는 특정 심벌을 효과적으로 부호화 하여 정보량을 줄일 수 있는 가변 길이 코드로서 팩시밀리 전송에 주로 사용되고 있으며, PCX(Personal Computer eXchange), BMP(Bit Map Picture), TIFF(Tagged Image File Format) 등과 같은 이미지 파일뿐만 아니라 동영상 압축에도 활용되고 있다.

Run-length 코드는 연속되는 0이나 1의 개수의 발생 빈도에 따라 가변 길이로 부호화 하므로 0이나 1이 오래 지속되거나 동일한 밝기의 화소가 연속될수록 압축률이 높아진다.

Run-length 코드는 다음과 같이 연속되는 심벌을 구분 문자(!)와 (심벌, 반복 횟수)로 부호화 하여 압축한다.

$$1 \ 0 \ \underline{1 \ 1 \ 1 \ 1 \ 1} \ \underline{0 \ 0 \ 0 \ 0 \ 0 \ 0 \ 0} \ 1 \ 0 \ ..,$$

$$\downarrow$$

$$1 \ 0 \ ! \ 1 \ 5 \ ! \ 0 \ 7 \ 1 \ 0 \ ...$$

팩시밀리의 경우, 0부터 63까지의 연속되는 0이나 1은 표 7.2의 termination 코드표를 이용하여 부호화 하고 64의 배수들은 표 7.3의 make-up 코드표를 이용하여 부호화 한다.

예제 7.2 --

:: 다음과 같은 1188개의 화소로 구성된 라인을 run-length 코드로 부호화 하라.

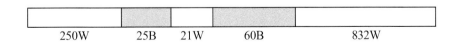

| 250W | 25B | 21W | 60B | 832W |

풀이 ▶ 250(192+58)개의 흰색 화소, 25개의 검은색 화소, 21개의 흰색 화소, 60개의 검은색 화소, EOL(End Of Line)은 다음과 같이 부호화 된다.

$$250W \rightarrow 010111(192W) + 01011011(58W) \qquad : 14비트$$

$$25B \rightarrow 00000011000 \qquad\qquad\qquad\qquad : 11비트$$

$$21W \rightarrow 0010111 \qquad\qquad\qquad\qquad\quad : \;7비트$$

$$60B \rightarrow 000000101100 \qquad\qquad\qquad\quad : 12비트$$

$$EOL \rightarrow 000000000001 \qquad\qquad\qquad\quad : 12비트$$

run-length 코드를 이용함으로써 1188개의 화소가 단지 56비트로 압축됨을 알 수 있다.

| 표 7.2 | termination 코드표의 일부

run-length	흰색	검은색	run-length	흰색	검은색	run-length	흰색	검은색
0	00110101	0000110111	1	000111	010	2	0111	11
3	1000	10	4	1011	011	5	1100	0011
⋮			⋮			⋮		
21	0010111	00001101100	22	0000011	00000110111	23	0000100	00000101000
24	0101000	00000010111	25	0101011	00000011000	26	0010011	000011001010
⋮			⋮			⋮		
57	01011010	000001011000	58	01011011	000001011001	59	01001010	000000101011
60	01001011	000000101100	61	00110010	000001011010	62	00110011	000001100110
63	00110100	000001100111						

| 표 7.3 | make-up 코드표의 일부

run-length	흰색	검은색	run-length	흰색	검은색
64	11011	0000001111	128	10010	000011001000
192	010111	000011001001	256	0110111	000001011011
320	00110110	000000110011	384	00110111	000000110100
⋮			⋮		
2560	00000011111	000000011111	EOL	000000000001	000000000001

정보 압축

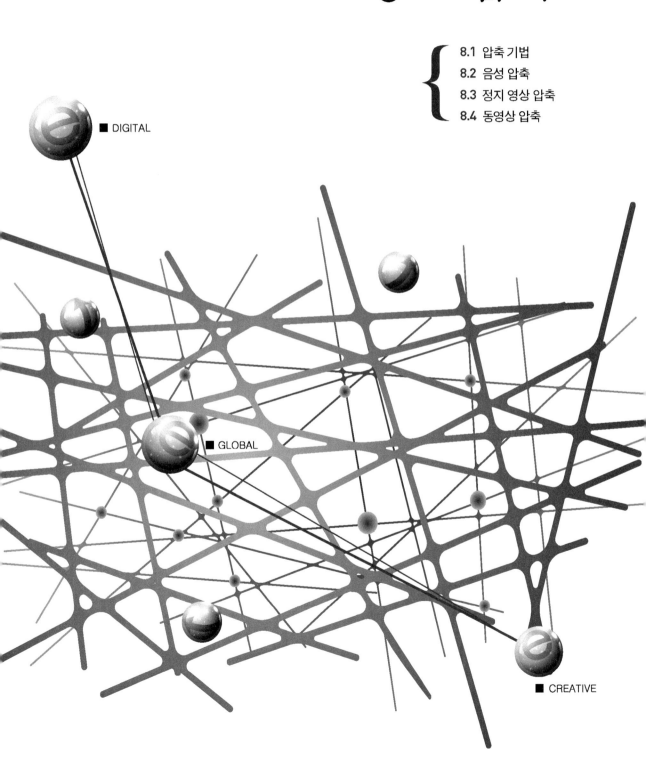

■ DIGITAL

■ GLOBAL

■ CREATIVE

8.1 압축 기법

○ 무손실 압축과 손실 압축

정보를 압축하는 방법은 그림 8.1과 같이 크게 2가지 형태로 분류할 수 있다.

- 무손실 압축
- 손실 압축

무손실 압축(lossless compression)은 압축된 정보로부터 원래의 정보를 완벽하게 복원할 수 있는 압축 기법이며, 손실 압축(lossy compression)은 복원된 정보가 원래의 정보와 차이가 있는 압축 기법이다.

무손실 압축에는 run-length 코드를 이용하여 반복 시퀀스를 제거하는 방법과 Huffman 코드를 이용하는 통계적 부호화 방법이 있다.

손실 압축에는 DPCM(Differential PCM), ADPCM(Adaptive DPCM) 등을 이용하는 차동 부호화 방법과 FFT(Fast Fourier Transform), DCT(Discrete Cosine Transform), wavelet 변환 등을 이용하는 변환 부호화 방법이 있다.

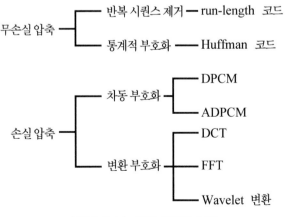

| 그림 8.1 | 압축 기법의 분류

◎ 압축 원리

정보의 압축에는 다음과 같은 3가지 사항이 활용된다.

- 공간적 상관관계
- 시간적 상관관계
- 정보원 심벌의 발생 확률

공간적 상관관계(spatial correlation)는 영상의 압축에 중요한 역할을 한다. 한 장의 그림에서 인접한 화소들의 색상이 동일하다면 공간적 상관관계가 높지만 인접한 화소들의 색상이 다르다면 공간적 상관관계가 낮다고 할 수 있다.

공간적 상관관계를 이용한 압축은 영상을 공간 주파수 성분으로 분해한 다음 고주파 성분을 제거하는 방법으로 영상을 압축한다.

시간적 상관관계(temporal correlation)는 음성 및 동영상의 압축에 중요한 역할을 한다. 음성의 압축에 있어서는 인접 표본들이 매우 유사하다면 시간적 상관관계가 높다고 할 수 있다.

음성 표본 자체를 8비트 부호화 하지 않고 이전 표본과의 차이만을 4비트, 2비트, 혹은 1비트 부호화 함으로써 음성 정보를 효과적으로 압축할 수 있다.

TV의 경우에는 1초에 30개의 프레임(정지 화면)을 연속적으로 디스플레이 함으로써 사람 눈에는 마치 움직이는 것처럼 보이게 한다. 프레임 간의 시간 간격이 짧기 때문에 화면이 갑자기 전혀 다른 장면으로 바뀌는 경우가 아니라면 인접한 프레임들은 큰 차이가 없이 매우 유사할 것이므로 시간적 상관관계가 높다.

현재의 프레임 중 어떤 객체가 이전 프레임과 동일한 모양이지만 움직임으로 인해 화면에서의 위치가 다르다면 움직임 벡터를 이용하여 움직임을 보상해주는 개념을 도입함으로써 동영상을 효과적으로 압축하고 재생할 수 있다.

정보원 심벌의 발생 확률도 역시 영상 압축에 있어서 중요한 역할을 한다. 엔트로피 개념을 도입하여 가변 길이 코드를 사용함으로써 손실이 없이 정보를 압축할 수 있다.

8.2 음성 압축

Data Communication & Computer Network

음성과 오디오 압축에는 다음과 같은 표준이 사용되고 있다.

- ADPCM
- SB-ADPCM
- LD-CELP
- MPEG-오디오

◉ ADPCM

ADPCM(Adaptive Differential PCM)은 인접한 표본들의 상관관계가 높다는 점을 이용하여 입력 신호와 예측치의 차이를 양자화 한다.

ADPCM의 부호기는 그림 8.2에서 보는 바와 같이 $64kbps$ PCM 음성을 입력하여 균일 PCM 음성 신호로 변환하고, 이 신호와 예측치 간의 차이를 4비트로 양자화 함으로써 음성을 $32kbps$로 압축한다.

ADPCM은 압축 알고리즘이 단순하지만 음성 품질이 PCM과 거의 비슷하고 음성 정보를 2 : 1로 압축할 수 있는 장점이 있다.

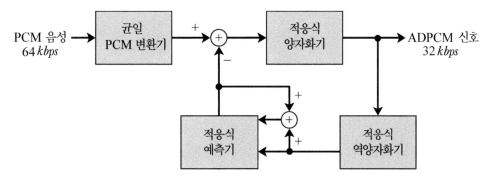

| 그림 8.2 | ADPCM의 부호기

◎ SB-ADPCM

SB-ADPCM(SubBand-ADPCM)은 $50Hz \sim 7kHz$ 대역의 음성 신호를 입력하여 $4kHz$ 를 경계로 저역과 고역의 두 대역으로 분할하고, 각 대역을 ADPCM으로 부호화 하는 방법이다. 음성 신호는 $16kHz$ 표본화 하고 14비트 양자화 하여 SB-ADPCM의 부호기에 입력된다.

SB-ADPCM에는 $64kbps$, $56kbps$, $48kbps$ 의 3가지 모드가 있으며, $7kHz$ 의 음성을 부호화하기 때문에 훨씬 현장감 있는 음질을 전송할 수 있어서 화상 회의 등에 사용되고 있다.

SB-ADPCM의 부호기를 그림 8.3에 나타내었다.

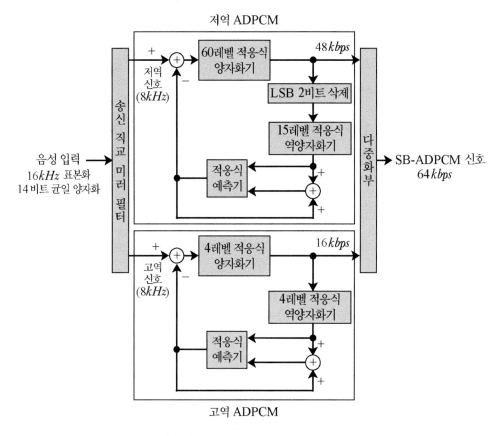

| 그림 8.3 | SB-ADPCM의 부호기

○ LD-CELP

LD-CELP(Low Delay-Code Excited Linear Prediction)는 부호화 및 복호화 지연이 매우 적을 뿐만 아니라 음성 품질이 우수하여 이동 통신 등의 분야에 사용되고 있다.

LD-CELP는 청각적으로 중요한 음성 파형의 왜곡을 가능한 한 적게 함으로써 고품질을 얻기 위해 그림 8.4에서 보는 바와 같이 청각 특성을 반영한 필터를 부호기에 사용하고 있다.

LD-CELP는 5개의 입력 음성 표본을 하나의 프레임으로 처리하며, 한 프레임마다 여진 신호를 나타내는 부호 10비트만을 전송하는 방법으로 음성을 $16\,kbps$로 압축한다.

LD-CELP의 부호기는 코드북(codebook)의 여진 벡터를 조합하여 음성을 합성하고, 이 결과를 부호화 하려는 입력 음성 프레임과 비교하여 청각적으로 가장 가까운 여진 벡터를 선택한다.

LD-CELP의 부호기를 그림 8.4에 나타내었다.

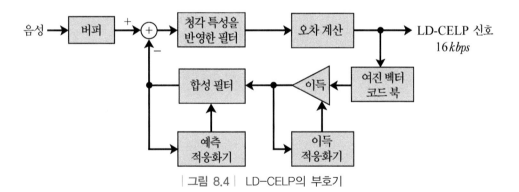

| 그림 8.4 | LD-CELP의 부호기

○ MPEG-오디오

MPEG-오디오는 고품질 오디오 압축 기법이며, 다음과 같은 청각 심리적 특성을 이용하여 높은 압축률을 제공한다.

- 최소 가청 한계
- 마스킹 효과

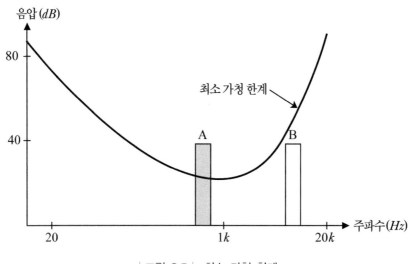

| 그림 8.5 | 최소 가청 한계

최소 가청 한계란 청각이 감지할 수 있는 음의 최소 레벨을 말하며, 그림 8.5에서 보는 바와 같이 주파수에 따라 다르다.

A음은 최소 가청 한계보다 크기 때문에 들을 수 있지만 B음은 최소 가청 한계보다 작기 때문에 들을 수 없으므로 B음을 생략하더라도 사람의 귀에는 전혀 영향을 미치지 않을 것이다.

마스킹 효과(masking effect)란 특정 음을 감지하는 데 배경 잡음이 영향을 미치는 현상을 말한다.

그림 8.6에서 보는 바와 같이 마스킹 하는 큰 음을 마스커(masker), 마스킹 효과에 의해 들리지 않는 음을 마스키(maskee)라고 하며, 마스킹 효과가 일어나는 주파수 대역을 임계 대역(critical band)이라고 한다.

MPEG-오디오의 부호기를 그림 8.7에 나타내었다.

PCM 오디오 스트림이 필터 뱅크와 청각 심리 모델에 입력되면 필터 뱅크는 32개의 부대역으로 분할하고, 청각 심리 모델은 각 부대역의 신호대 마스크비를 결정한다.

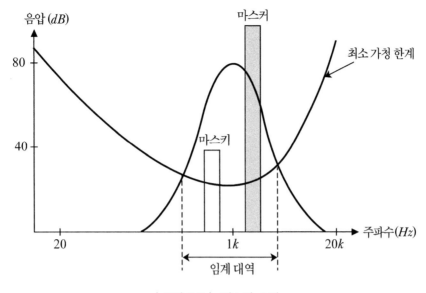

| 그림 8.6 | 마스킹 효과

　적응식 비트 할당 양자화기는 양자화 비트의 수를 결정하고 각 부대역의 신호를 양자화 한다. 이 결과를 Huffman 부호화 하고 최종적으로 한 프레임의 비트 스트림을 AAU (Audio Access Unit)로 포맷팅 한다.

　AAU란 단독으로 복호할 수 있는 최소 단위를 말하며, 일정한 개수의 표본 데이터를 압축한 것이다. MPEG-오디오 계층1의 경우에는 AAU에 384개의 표본이 포함되며, 계층 2 와 계층 3의 경우에는 1,152개의 표본이 포함된다.

　MPEG-오디오는 압축 알고리즘이 복잡하지만 압축률이 높고 오디오 품질이 양호한 장점이 있으므로 멀티미디어 응용의 오디오 압축에 널리 사용되고 있다.

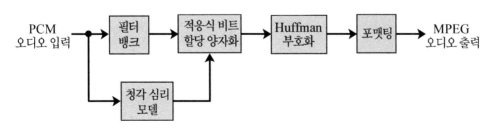

| 그림 8.7 | MPEG-오디오의 부호기

8.3 정지 영상 압축

○ JPEG

JPEG(Joint Photographic Expert Group)은 대표적인 정지 영상 압축 기법이며, 다음과 같은 4가지 방식이 있다.

- 순차적 부호화
- 점진적 부호화
- 가역 부호화
- 계층적 부호화

순차적 부호화(sequential encoding) 방식은 영상을 좌측 상단에서부터 우측 하단까지 차례로 스캔하여 부호화 하며, 영상을 재생할 때에는 그림 8.8(a)에서 보는 바와 같이 영상의 상단부터 순차적으로 복원된다.

순차적 부호화는 가장 단순하면서도 일반적으로 널리 활용되고 있으며, DCT(Discrete Cosine Transform) 기반의 부호화 방식이다. DCT 기반의 부호화란 입력 영상을 8×8 화소의 블록으로 분할한 다음, 블록 단위로 DCT 연산을 하여 DC 성분과 AC 성분을 독립적으로 양자화 하여 부호화 하는 방법을 말한다.

점진적 부호화(progressive encoding) 방식은 다중 스캔에 의해 영상을 점진적으로 부호화 한다. 영상을 재생할 때에는 그림 8.8(b)에서 보는 바와 같이 처음에는 해상도가 낮은 엉성한 영상이 나타나고 시간이 경과하면서 점진적으로 해상도가 향상되어 고해상도의 영상이 복원된다.

점진적 부호화도 DCT 기반의 부호화 방식이다. 전송 속도가 느려서 전송 지연이 큰 경우에 점진적 부호화 방식을 사용한다면 수신자가 지루함을 느끼지 않게 효과적으로 영상을 전송할 수 있다.

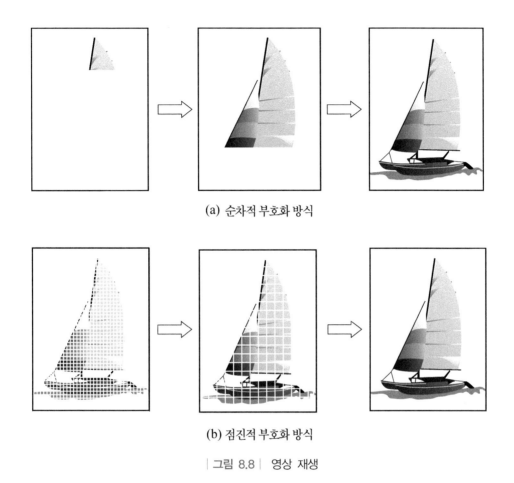

(a) 순차적 부호화 방식

(b) 점진적 부호화 방식

| 그림 8.8 | 영상 재생

가역 부호화(lossless encoding) 방식은 영상의 공간적 상관관계가 높다는 점을 이용하여 인접한 세 화소로부터 예측한 값과 부호화 대상 화소의 차이를 엔트로피 부호화 하는 방법이다. 가역 부호화 방식은 압축률이 낮지만 영상 품질이 우수하다.

계층적 부호화(hierarchical encoding) 방식은 따로따로 압축을 해제할 수 있도록 다중 해상도로써 영상을 부호화 하는 방법이다.

예를 들어, 1024×1024 원래의 영상을 512×512 영상, 256×256 영상으로 축소하는 형태로 해상도가 낮은 영상을 연속적으로 생성한 다음 해상도가 가장 낮은 영상을 부호화 한다. 그리고 나서 축소 영상을 점차 확대하기 위한 차분 정보를 부호화 한다.

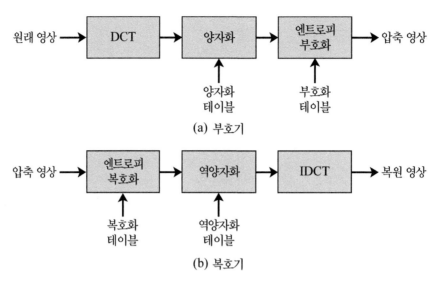

(a) 부호기

(b) 복호기

| 그림 8.9 | JPEG의 부호기 및 복호기

JPEG의 부호기와 복호기를 그림 8.9에 나타내었다.

JPEG의 부호기는 다음과 같은 3가지 주된 기능을 한다.

- DCT 변환
- 양자화
- 엔트로피 부호화

원래의 영상을 먼저 8×8 화소의 블록으로 분할하고, 각 블록을 2차원 DCT에 의해 주파수 영역으로 변환한다. $N \times N$ 블록의 2차원 DCT는 식 (8-1)과 같다.

$$P(u,v) = \frac{2}{N} C(u) C(v) \sum_{x=0}^{N-1} \sum_{y=0}^{N-1} p(x,y) \cos\left[\frac{(2x+1)u\pi}{2N}\right] \cos\left[\frac{(2y+1)v\pi}{2N}\right]$$

$$C(u) = \begin{cases} \dfrac{1}{\sqrt{2}} & : u = 0 \\ 1 & : u > 0 \end{cases} \qquad C(v) = \begin{cases} \dfrac{1}{\sqrt{2}} & : v = 0 \\ 1 & : v > 0 \end{cases} \tag{8-1}$$

여기서, $p(x,y)$는 공간 좌표 (x,y)상에 있는 화소의 그레이 레벨(gray level)이며, DCT 계수 $P(u,v)$는 공간 주파수 성분이다.

8×8 블록을 2차원 DCT 변환을 하면 64개의 DCT 계수를 얻을 수 있는데 $P(0,0)$ 계수를 DC 계수라고 하며, 나머지 63개의 계수를 AC 계수라고 한다. 그림 8.10에서 보는 바와 같이 DCT 계수들은 주파수가 높을수록 크기가 작아진다.

DCT 변환을 한 다음에는 모든 64개의 DCT 계수들을 양자화 테이블을 이용하여 양자화 한다.

양자화 테이블은 응용에 따라 다르게 정의될 수 있으며, 그림 8.11(a)에 일반적인 양자화 테이블을 예시하였다.

양자화는 DCT 계수들을 해당하는 양자화 테이블의 값으로 나누어 반올림하는 것이며, 양자화 결과 $q(u,v)$를 수학적으로 표현하면 식 (8-2)와 같다.

$$q(u,v) \;=\; round\left(\frac{P(u,v)}{Q(u,v)}\right) \qquad\qquad (8\text{-}2)$$

여기서, $round(x)$는 x를 반올림한 값이며, $Q(u,v)$는 양자화 테이블에서 (u,v) 요소의 값, $P(u,v)$는 DCT 계수이다.

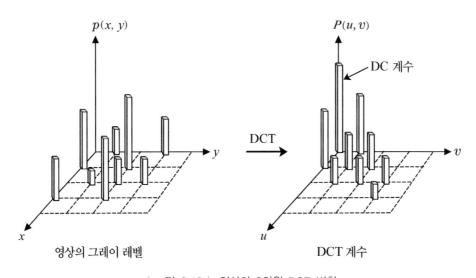

| 그림 8.10 | 영상의 2차원 DCT 변환

16	11	10	16	24	40	51	61
12	12	14	19	26	58	60	55
14	13	16	24	40	57	69	56
14	17	22	29	51	87	80	62
18	22	37	56	68	109	103	77
24	35	55	64	81	104	113	92
49	64	78	87	103	121	120	101
72	92	95	98	112	100	103	99

(a) 양자화 테이블

150	48	25	12	12	4	0	0
65	37	10	6	3	0	0	0
20	17	7	7	5	1	0	0
15	18	8	5	2	2	0	0
8	5	3	2	1	1	0	0
3	1	2	1	1	0	0	0
2	1	1	1	0	0	0	0
1	0	0	0	0	0	0	0

양자화 →

9	4	3	1	1	0	0	0
5	3	1	0	0	0	0	0
1	1	0	0	0	0	0	0
1	0	0	0	0	0	0	0
0	0	0	0	0	0	0	0
0	0	0	0	0	0	0	0
0	0	0	0	0	0	0	0
0	0	0	0	0	0	0	0

(b) DCT 계수   (c) 양자화 결과

| 그림 8.11 | 양자화의 예

양자화 한 결과는 그림 8.11(c)에서 보는 바와 같이 대부분의 고주파 성분이 0이 되어 제거됨을 알 수 있다. 이와 같이 8×8 블록의 영상을 DCT 변환하고 이 결과를 양자화 함으로써 불필요한 정보를 제거할 수 있다.

최종적으로 양자화 한 DCT 계수들을 엔트로피 부호화 한다.

AC 계수들은 그림 8.12와 같이 지그재그 순서로 부호화 하며, 인접 블록의 DC 계수들은 예측 부호화를 이용하여 부호화 한다.

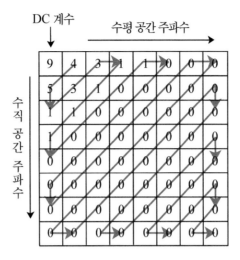

| 그림 8.12 | AC 계수의 지그재그 스캔

Huffman 부호화는 중간 심벌 시퀀스를 생성하고, 이를 Huffman 테이블을 이용하여 이진 시퀀스로 변환하는 2단계로 수행된다.

AC 계수들은 다음과 같은 2개의 심벌로 표현한다.

- 심벌1(run-length, size)
- 심벌2(amplitude)

run-length는 0이 아닌 AC 계수 앞에 있는 연속적으로 0인 AC 계수들의 수이며, 4비트로써 0 ~ 15 범위를 나타낸다.

size는 AC 계수의 크기(0 ~ 10비트)를 부호화 하는 데 필요한 비트 수로서 4비트가 요구된다.

amplitude는 AC 계수의 크기(−1023 ~ +1024)이며, 10비트가 요구된다.

심벌(0,0)은 EOB(End of Block)로서 8×8 블록의 끝을 의미한다.

DC 계수는 다음과 같은 중간 심벌로 표현한다.

- 심벌1(size)
- 심벌2(amplitude)

DC 계수는 이전 블록의 DC 계수와의 차이를 부호화 하므로 size는 10비트이지만 실제의 크기는 −2048 ~ +2047 범위를 나타낸다.

생성된 중간 심벌 시퀀스는 이진 시퀀스로 변환한다.

심벌1은 Huffman 테이블(그림 8.13)을 이용하여 VLC(Variable Length Code)로 부호화 하고, 심벌2는 VLI(Variable Length Integer)로 부호화 한다.

지그재그 스캔한 AC 계수(그림 8.12) 중 몇 개의 부호화 과정은 다음과 같다.

AC 계수   : 9, 4, <u>5</u>, 1, 3, 3, 1, 1, 1, 1, <u>0, 0, 0, 0, 1</u>, 0, ..., 0

↓   ↓

심벌1(0,3)   심벌1(4,1)
심벌2(5)   심벌2(1)

↓   ↓

중간 심벌   :   (0,3)(5)   (4,1)(1)

↓   ↓

이진 시퀀스 :   <u>100101</u>   <u>1110111</u>

(run-length , size)	코드 패턴
(0 , 0)	1010
(0 , 1)	00
(0 , 2)	01
(0 , 3)	100
⋮	⋮
(4 , 1)	111011
⋮	⋮

| 그림 8.13 | Huffman 테이블의 예

8.4 동영상 압축

Data Communication & Computer Network

○ MPEG

MPEG(Moving Picture Experts Group)은 대표적인 동영상 압축 기법이며, 다양한 대용량 멀티미디어 서비스를 효과적으로 압축하고 전송하기 위한 표준들이 개발되고 있다.

- MPEG-1
- MPEG-2
- MPEG-4
- MPEG-V
- AVC(Advanced Video Coding), HEVC(High Efficiency Video Coding)
- MPEG-DASH(Dynamic Adaptive Streaming over HTTP)
- MMT(MPEG Media Transport)

MPEG-1은 오디오 및 비디오의 압축 표준으로서 MP3와 비디오 CD에 활용되며, MPEG-2는 디지털 TV용 압축 표준으로서 디지털 TV와 DVD에 활용된다. MPEG-4는 휴대폰 동영상의 압축 표준으로서 IMT-2000과 인터넷 영상에 활용되며, MPEG-V는 가상현실의 미디어 표현 및 제어를 위한 압축 표준으로서 가상 현실과 4D 영화 등의 분야에 활용된다.

AVC는 HDTV, HEVC는 UHDTV, MPEG-DASH는 인터넷 영상 스트리밍에 활용되고 있으며, MMT는 UHDTV와 스마트 TV의 전송을 위한 표준이다.

MPEG에서는 다음과 같은 3가지 프레임을 정의하고 있다.

- I 프레임
- P 프레임
- B 프레임

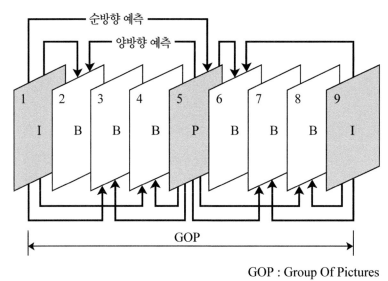

GOP : Group Of Pictures

| 그림 8.14 | MPEG의 프레임 시퀀스

I 프레임(프레임 내 영상 : intra pictures)은 각 GOP(Group Of Pictures)의 첫 번째 프레임이며, MPEG 스트림의 랜덤 액세스점으로 사용된다.

P 프레임(예측 영상 : predicted pictures)은 I 프레임이나 P 프레임을 기준으로 순방향 예측 기법을 이용하여 부호화 한다. P 프레임의 압축률은 I 프레임의 압축률보다 상당히 높다.

B 프레임(양방향 예측 영상 : bidirectional pictures)은 I 프레임과 P 프레임을 기준으로 양방향 예측 기법을 이용하여 부호화 하며, B 프레임의 압축률이 가장 높다.

MPEG에서의 프레임 시퀀스는 그림 8.14에서 보는 바와 같이 IBBBPBBBI가 보편적으로 사용된다. 5번 P 프레임은 1번 I 프레임으로부터 순방향 예측에 의해 부호화 되고, 2, 3, 4번 B 프레임들은 과거 프레임인 1번 I 프레임과 미래 프레임인 5번 P 프레임을 이용하여 양방향 부호화 되었으므로 수신 측에서 원래 영상의 재생이 가능하도록 1, 5, 2, 3, 4, 9, 6, 7, 8번 프레임의 순서로 전송한다.

그림 8.15는 양방향 예측에 의한 영상 재생 방법을 예시한 것이다.

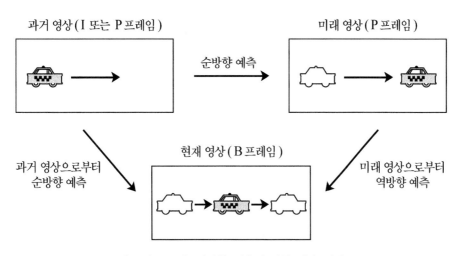

| 그림 8.15 | 양방향 예측에 의한 영상 재생

칼러 영상 신호는 원래 R(Red), G(Green), B(Blue)의 조합이만 압축하기 전에 YC_bC_r 형태로 변환한다. Y는 휘도(luminance) 신호이며, C_b와 C_r은 색차(chrominance) 신호이다.

$$Y = 0.30R + 0.59G + 0.14B$$
$$C_b = B - Y \qquad C_r = R - Y$$

(8-3)

그림 8.16에 I 프레임의 부호기를 나타내었다. I 프레임의 부호화는 JPEG과 매우 유사하게 다음과 같은 방법으로 수행된다.

- 휘도 평면과 색차 평면 각각을 8×8 블록으로 분할한다.
- 각 블록을 DCT 변환한 다음 DCT 계수를 양자화 한다.
- DC 계수는 인접 블록의 DC 계수와의 차이를 DPCM 부호화 한다.

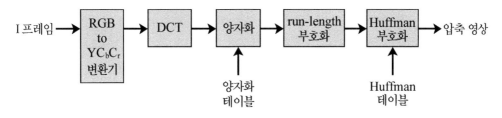

| 그림 8.16 | I 프레임의 부호기

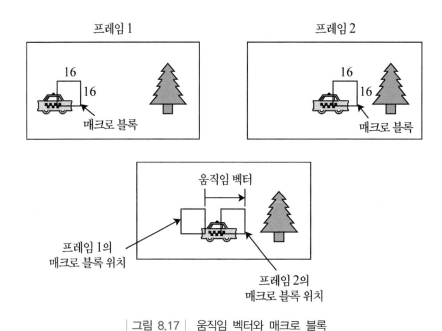

| 그림 8.17 | 움직임 벡터와 매크로 블록

- AC 계수는 지그재그 순서로 run-length 부호화 한다.
- Huffman 부호화를 수행하여 VLC(Variable Length Code)를 생성한다.

P 프레임과 B 프레임은 16×16 화소의 매크로 블록(macroblock) 단위로 부호화 하며, 그림 8.17에서 보는 바와 같이 두 프레임에서 매크로 블록의 공간적 변위를 움직임 벡터 (motion vector)라고 한다. 매크로 블록 중 기준 프레임의 매크로 블록과 가장 유사한 것을 베스트 매칭 매크로 블록(best matching macroblock)이라고 한다.

그림 8.18에 P/B 프레임의 부호기를 나타내었다. P 프레임과 B 프레임의 부호화는 다음 과 같은 방법으로 수행된다.

- 각 매크로 블록에 대하여 기준 프레임에서 베스트 매칭 매크로 블록을 탐색한다.
- 실제의 매크로 블록과 베스트 매칭 매크로 블록 간의 차이를 계산하여 오차와 움직임 벡터를 산출한다.
- 오차는 DCT 변환한 다음 양자화 한다. 양자화 한 DC 계수와 AC 계수들을 동일한 방법으로 지그재그 순서로 run-length 부호화 하고 Huffman 부호화 한다.

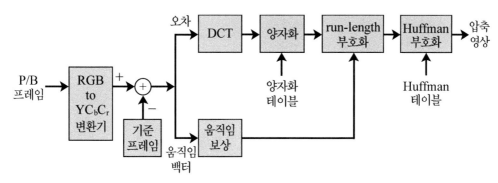

| 그림 8.18 | P/B 프레임의 부호기

- 움직임을 보상하기 위해 각 블록의 움직임 벡터는 DPCM 부호화 한 다음 Huffman 부호화 한다.

MPEG 시스템은 그림 8.19에서 보는 바와 같이 비디오와 오디오의 스트림과 클록을 하나의 비트 스트림으로 통합하여 저장하거나 통신하는 역할을 한다.

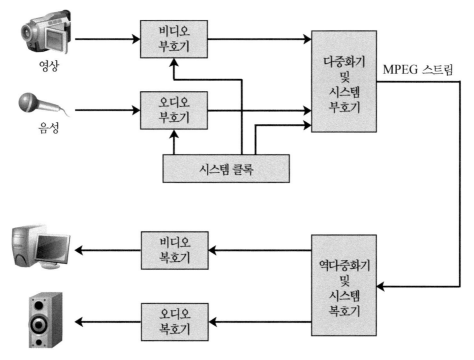

| 그림 8.19 | MPEG 시스템의 구성도

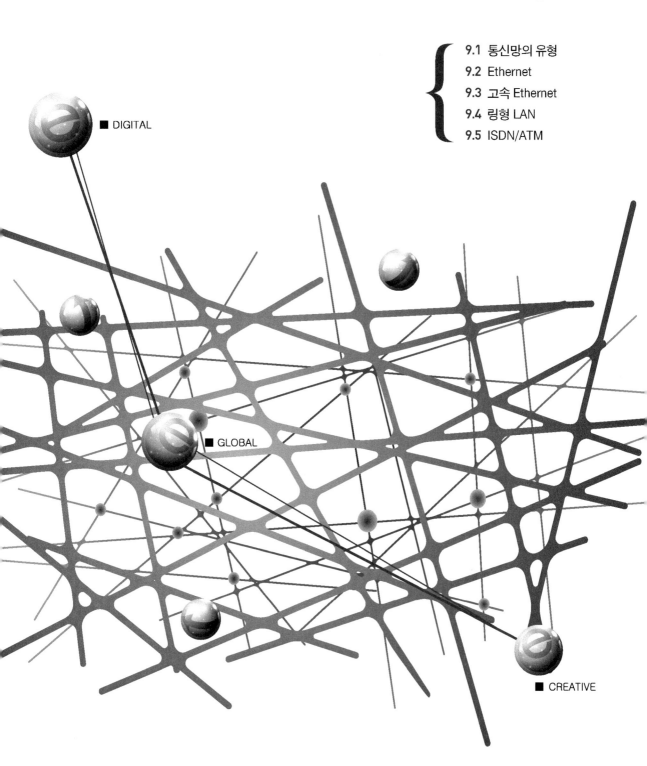

Chapter

09

통신망

■ DIGITAL

■ GLOBAL

■ CREATIVE

9.1 통신망의 유형

정보를 처리하는 컴퓨터나 각종 단말기들을 스테이션(station)이라고 하며, 라우터나 교환기들을 노드(node)라고 한다. 통신망이란 그림 9.1에서 보는 바와 같이 노드들이 상호 연결된 형태를 말한다.

통신망은 전송 범위에 따라 다음과 같이 분류할 수 있다.

- LAN
- MAN
- WAN
- WPAN/WBAN

LAN(Local Area Network)은 학교, 기관, 기업 등에서 구축한 수 km 정도의 근거리 통신망이다.

MAN(Metropolitan Area Network)은 대도시 혹은 수십 km 정도로 비교적 넓은 범위의 통신망이며, WAN(Wide Area Network)은 수백 혹은 수천 km에 이르는 광대한 영역의 장거리통신망이다.

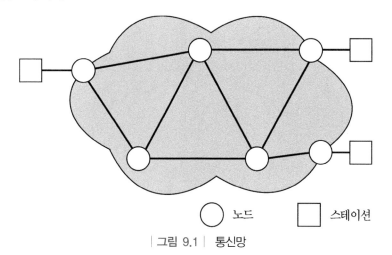

○ 노드   □ 스테이션

| 그림 9.1 | 통신망

무선 개인 영역 네트워크 WPAN(Wireless Personal Area Network)은 약 $10m$ 정도의 범위에 있는 개인 휴대 기기 간에 구축한 무선 네트워크를 말한다.

WPAN은 그림 9.2에서 보는 바와 같이 캠코더와 TV, PC나 노트북과 프로젝터 간의 고화질/고음질 AV(Audio Video) 데이터 분배 등 고속 데이터 통신을 지원한다.

무선 인체 영역 통신 WBAN(Wireless Body Area Network)은 인체나 의류에 장착된 센서나 기기 간에 무선 통신을 지원하는 기술이다. WBAN은 인체에 부착된 센서에서 심전도나 근전도와 같은 생체 신호를 측정하여 인터넷을 통해 의료진에게 데이터를 전송하는 헬스 케어 분야에 활용될 수 있다.

WPAN이나 WBAN과 같은 근거리 무선 통신에는 일반적으로 블루투스(Bluetooth)와 지그비(Zigbee) 등의 기술이 사용된다. BLE(Bluetooth Low Energy)라고도 하는 저전력 블루투스 스마트는 마우스나 키보드 등의 컴퓨터 주변장치와 같이 대용량 데이터 처리를 하지 않는 경우에 주로 사용된다. 지그비는 블루투스와 마찬가지로 2.4GHz 대역을 사용하지만 주로 WSN(Wireless Sensor Network)과 같이 주로 저속, 저전력 센서 간의 통신에 사용된다.

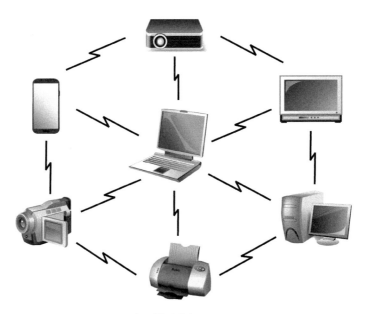

| 그림 9.2 | WPAN

통신망은 그림 9.3과 같이 구성 형태에 따라 다음과 같이 분류할 수 있다.

- 버스형
- 링형
- 성형
- 무선

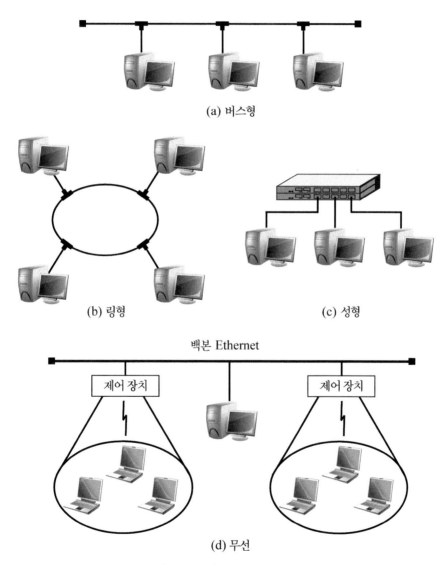

(a) 버스형

(b) 링형

(c) 성형

(d) 무선

| 그림 9.3 | 통신망의 유형

버스형(bus) 통신망은 그림 9.3(a)와 같이 케이블을 포설하고 T자형 커넥터나 트랜시버를 이용하여 컴퓨터들을 연결하는 방식이며, Ethernet은 대표적인 버스형 통신망이다.

링형(ring) 통신망은 그림 9.3(b)와 같이 케이블을 링 형태로 구축하는 방식이며, 토큰링과 FDDI가 대표적인 링형 통신망이다.

성형(star) 통신망은 그림 9.3(c)와 같이 허브에 컴퓨터들을 연결하는 방식으로 포트에 직접 컴퓨터를 연결하여 구축한 통신망이다.

무선 통신망은 그림 9.3(d)와 같이 백본 망인 Ethernet을 구축하고, 제어 장치인 AP(Access Point) 등을 통해 컴퓨터들이 통신할 수 있도록 구축한 통신망으로 무선 LAN에 사용되고 있다.

무선 LAN은 $2.4\,GHz$ 대역을 사용하는 802.11($2\,Mbps$), 802.11b($11\,Mbps$), 802.11g($54\,Mbps$), $5\,GHz$ 대역을 사용하는 802.11a($54\,Mbps$), $2.4/5\,GHz$ 듀얼 대역을 사용하는 802.11n($300\,Mbps$), 802.11ac(Giga WiFi, $6.93\,Gbps$) 등 전송 속도가 매우 빨라져서 사용자들이 매우 유용하게 사용하고 있다.

모바일 애드 혹 네트워크(Mobile Ad-hoc Network)은 그림 9.4에서 보는 바와 같이 AP를 통하지 않고 단말기들이 서로 직접 통신하는 무선 통신망이다.

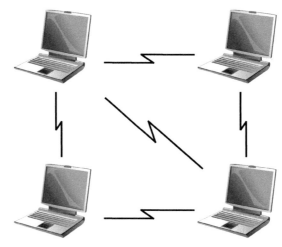

| 그림 9.4 | 모바일 애드 혹 네트워크

9.2 Ethernet

○ LAN 프로토콜

LAN 프로토콜은 그림 9.5와 같이 물리 계층, MAC 계층, LLC 계층만을 정의하고 있다.

MAC(Medium Access Control) 계층은 전송 프레임을 조립하고 분해하며, 오류를 검출하는 기능과 전송 매체에의 액세스를 제어하는 기능을 수행한다.

LLC(Logical Link Control) 계층은 상위 계층에의 인터페이스를 제공하며, 오류 제어와 흐름 제어 등의 링크 제어 기능을 수행한다.

IEEE 802의 LAN 표준은 다음과 같다.

OSI 참조 모델	LAN 프로토콜
응용 계층	상위 계층
표현 계층	
세션 계층	
전송 계층	
네트워크 계층	
데이터 링크 계층	LLC 계층
	MAC 계층
물리 계층	물리 계층

LLC : Logical Link Control
MAC : Medium Access Control

| 그림 9.5 | LAN 프로토콜

- 802.2 : LLC 계층의 서비스 정의
- 802.3 : CSMA/CD(Ethernet)
- 802.5 : 토큰 링
- 802.11 : 무선 LAN
- 802.15 : 블루투스

● Ethernet

Ethernet은 케이블을 설치한 다음 컴퓨터들을 케이블에 연결하는 대표적인 버스형 LAN 이다.

그림 9.6에서 보는 바와 같이 세그먼트의 길이를 초과하는 범위에 걸쳐 Ethernet을 설치 하려는 경우에는 리피터를 사용하여야 하며, 리피터는 최대 4개까지 사용할 수 있다. 세그 먼트의 길이가 $500m$인 10BASE5 케이블의 경우, 4개의 리피터를 사용하여 최대 $2.5km$ 의 범위까지 Ethernet을 설치할 수 있다.

Ethernet의 특징은 다음과 같다.

- 전송 속도는 $10Mbps$이다.
- 전송 매체로는 10BASE5 동축 케이블을 사용한다.
- CSMA/CD 방식으로 매체 액세스 제어를 한다.

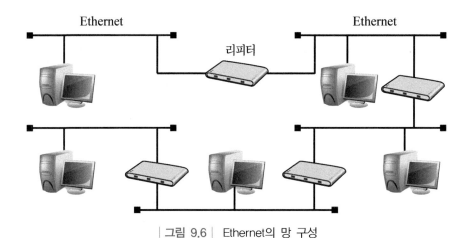

| 그림 9.6 | Ethernet의 망 구성

- Manchester 방식으로 부호화 한다.
- 트래픽이 많아지면 충돌로 인해 전송 효율이 낮아진다.

CSMA/CD(Carrier Sense Multiple Access/ Collision Detection) 방식의 동작 과정은 다음과 같다.

- 단계 1 : 송신할 데이터가 있는 컴퓨터는 전송 매체가 유휴 상태이면 데이터를 전송하고, 사용 중이면 유휴 상태가 될 때까지 대기한다.
- 단계 2 : 데이터를 전송하는 도중에도 충돌이 발생하는 지를 검사한다. 정상적인 신호 전압보다 큰 전압이 검출되면 충돌이 발생하였다고 판단한다.
- 단계 3 : 충돌이 감지되면 전송을 즉시 중단하고 재밍(jamming) 신호를 전송한다.
- 단계 4 : 재밍 신호를 전송한 후에는 임의 시간을 대기하고 있다가 단계 1의 과정부터 반복하여 재전송을 시도한다. 재전송 시도는 최대 16회까지 반복되며, 재전송을 시도할 때마다 대기 시간은 2배씩 증가한다.

CSMA/CD 방식의 동작을 그림 9.7에 예시하였다.

t_0 시간에 컴퓨터 A가 데이터를 전송하기 시작한다. 컴퓨터 A에서 보낸 데이터가 컴퓨터 C에 도달하는 전파 지연보다 이른 t_1 시간에 컴퓨터 C가 전송 매체를 확인하면 유휴 상태이므로 컴퓨터 C도 데이터를 전송한다.

전송 매체 상에는 충돌이 발생하였지만 컴퓨터 A와 C는 계속 데이터를 전송하게 되고, t_2 시간에 충돌을 먼저 검출한 컴퓨터 C는 전송을 중단하고 재밍 신호를 전송한다. t_3 시간에는 컴퓨터 A도 충돌을 감지하고 전송을 중단한다.

그림 9.8은 Ethernet의 프레임 포맷이며, 각 필드의 기능은 다음과 같다.

- 두문(preamble) : 0과 1이 교대되는 7바이트 비트 패턴이며, 수신 측에서 비트 동기를 맞추는 데 사용된다.
- SD(Starting Delimiter) : 10101011 비트 패턴이며, 실제의 프레임 시작을 나타낸다.
- DA(Destination Address) : 48비트의 목적지 Ethernet 주소이다.

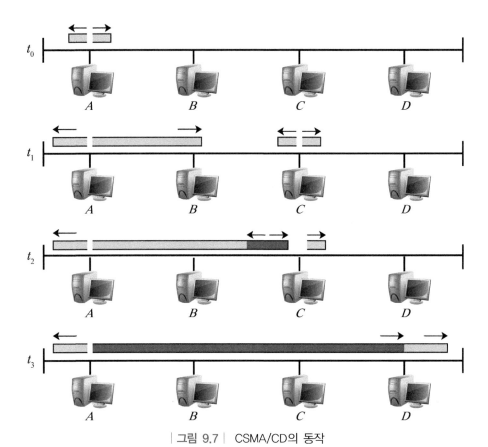

| 그림 9.7 | CSMA/CD의 동작

- SA(Source Address) : 48비트의 근원지 Ethernet 주소이다.
- 길이(length) : 바이트 단위로 나타낸 데이터 필드의 길이이다.
- 데이터(data) : LLC 계층으로부터의 데이터이다.
- 패드(pad) : 프레임이 충돌 검출에 필요한 최소한의 길이가 되도록 삽입한 바이트이다.
- FCS(Frame Check Sequence) : 오류 검출을 위한 CRC-32이다.

바이트	7	1	6	6	2	< 1500		4
	두문	SD	DA	SA	길이	데이터	패드	FCS

DA : Destination Address   SA : Source Address
FCS : Frame Check Sequence SD : Starting Delimiter

| 그림 9.8 | Ethernet의 프레임 포맷

9.3 고속 Ethernet

Data Communication & Computer Network

Fast Ethernet

Fast Ethernet은 UTP 케이블을 이용하여 단거리에서 $100\,Mbps$의 전송 속도를 제공하는 LAN이지만 다음과 같이 다양한 케이블이 사용되고 있다. 표 9.1에 Fast Ethernet의 특성을 비교하였다.

- 100BASE-T2 : 2쌍의 3종 UTP
- 100BASE-T4 : 4쌍의 3종 UTP 또는 5종 UTP
- 100BASE-TX : 2쌍의 5종 UTP 또는 STP
- 100BASE-SX : 광원이 $850\,nm$인 멀티 모드 광섬유
- 100BASE-FX : 광원이 $1,300\,nm$인 멀티 모드 또는 단일 모드 광섬유

| 표 9.1 | Fast Ethernet의 특성 비교

	100BASE-TX		100BASE-T4	100BASE-FX
전송 매체	2쌍의 5종 UTP	2쌍의 STP	4쌍의 3종/5종 UTP	2가닥 광섬유
전송 속도	$100\,Mbps$	$100\,Mbps$	$100\,Mbps$	$100\,Mbps$
신호 부호화	4B/5B, NRZI	4B/5B, NRZI	8B6T, NRZ	4B/5B, NRZI
세그먼트 길이	$100\,m$	$100\,m$	$100\,m$	$100\,m$
최대 거리	$200\,m$	$200\,m$	$200\,m$	$400\,m$

Gigabit Ethernet

Gigabit Ethernet은 전송 속도가 $1\,Gbps$이며, 다음과 같은 케이블이 사용된다.

- 1000BASE-T : 5종 UTP
- 1000BASE-SX : 광원이 $850\,nm$인 멀티 모드 광섬유
- 1000BASE-LX : 광원이 $1,300\,nm$인 단일 모드 광섬유
- 1000BASE-ZX : 광원이 $1,550\,nm$인 단일 모드 광섬유

9.4 링형 LAN

Data Communication & Computer Network

● 토큰 링

토큰 링(token ring)은 그림 9.9에서 보는 바와 같이 UTP 케이블을 링 형태로 설치한 다음 TCU(Trunk Coupling Unit)를 이용하여 컴퓨터들을 링에 연결하는 링형 LAN이다.

컴퓨터가 정상적으로 동작하고 있는 경우에는 TCU가 삽입 모드로 동작하여 컴퓨터를 링에 접속되게 한다. 컴퓨터에 장애가 발생한 경우에는 TCU가 바이패스 모드로 동작하여 컴퓨터를 링에서 제외시킴으로써 전체 시스템에 영향을 주지 않게 한다.

토큰 링의 특징은 다음과 같다.

- 토큰(token)을 이용하여 액세스 제어를 한다.
- 프레임은 링을 따라 한쪽 방향으로만 전달된다.
- 프레임이 각각의 컴퓨터를 지날 때마다 지연이 발생한다.
- 모니터(monitor)가 전체 링을 관리한다.

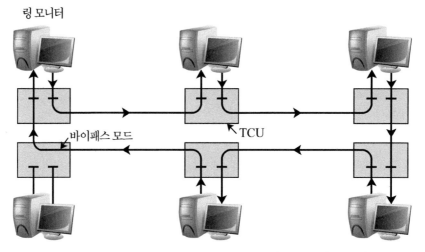

TCU : Trunk Coupling Unit

| 그림 9.9 | 토큰 링의 망 구성

- 8 레벨의 우선순위 전송이 가능하다.
- 차동 Manchester 방식으로 부호화 한다.

토큰 링의 동작을 그림 9.10에 예시하였다.

- 프레임을 전송하고자 하는 컴퓨터 *A*가 토큰이 도착할 때까지 기다린다.
- 토큰이 오면 컴퓨터 *A*는 프레임을 컴퓨터 *C*로 보낸다.
- 컴퓨터 *C*는 프레임을 수신하고, 수신한 프레임을 링으로 내보낸다.
- 컴퓨터 *A*는 자신이 보낸 프레임이 되돌아오면 프레임을 링에서 제거하고, 다른 컴퓨터가 프레임을 전송할 수 있도록 토큰을 내보낸다.

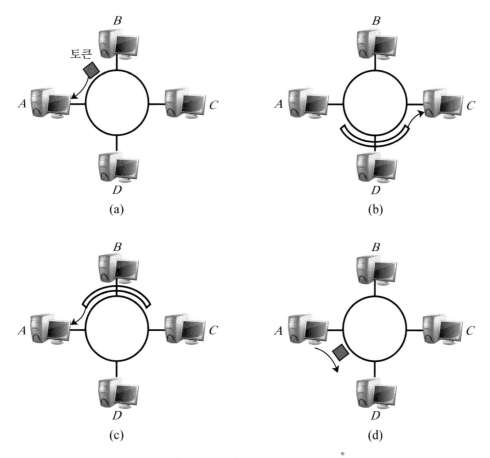

| 그림 9.10 | 토큰 링의 동작

⊙ FDDI

FDDI(Fiber Distributed Data Interface)는 그림 9.11에서 보는 바와 같이 건물과 건물을 광 케이블로 연결한 $100Mbps$의 링형 LAN이다.

FDDI는 그림 9.12에서 보는 바와 같이 광섬유 케이블을 주 링과 보조 링의 이중 링 형태로 설치한 다음, 광결합 장치를 이용하여 컴퓨터들을 링에 연결한다. FDDI는 이중 링 구조이므로 신뢰성이 높으며, 링에 여러 프레임들이 동시에 전송되므로 전송 매체의 이용률이 높다.

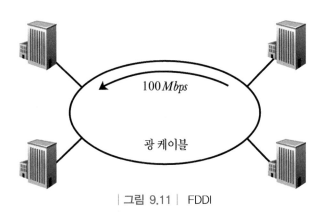

| 그림 9.11 | FDDI

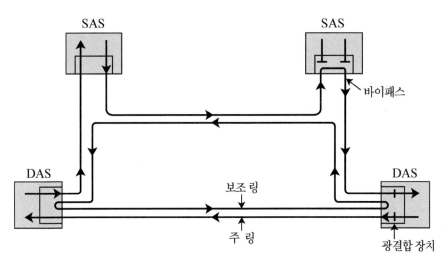

DAS : Dual Attach Station
SAS : Single Attach Station

| 그림 9.12 | FDDI의 망 구성

9.5 ISDN/ATM

Data Communication & Computer Network

○ ISDN

ISDN(Integrated Services Digital Network)이란 다양한 음성 및 비음성 서비스들을 통합하여 제공하는 종합정보통신망이며, 그림 9.13에 ISDN의 개념도를 예시하였다.

ISDN에는 다음과 같은 통신 채널과 채널 구조가 있다.

- B 채널(데이터 전달) : $64kbps$
- D 채널(제어 신호 전달) : $16kbps$
- 기본 액세스(basic access) : $192kbps$(2B+D)
- 1차군 액세스(primary access) : $1.544Mbps$(23B+D), $2.048Mbps$(30B+D)

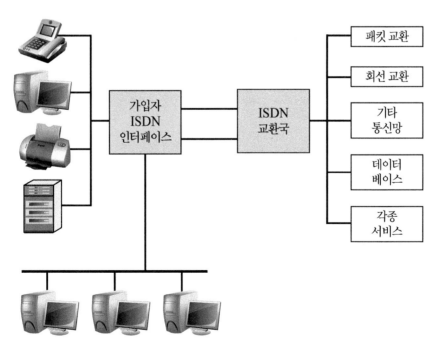

| 그림 9.13 | ISDN의 개념도

● ATM

ATM(Asynchronous Transfer Mode)은 기본 속도가 $155.52Mbps$인 광 케이블을 사용하는 초고속 정보통신망이다.

ATM의 특징은 다음과 같다.

- ATM 셀(cell)은 48바이트의 데이터와 5바이트의 헤더로 구성된다.
- VPI/VCI(Virtual Path Identifier/Virtual Circuit Identifier)를 할당하여 통신 종단점 간에 가상 경로를 설정한다.
- 헤더에 대해서만 오류 검출을 수행하며, 오류가 발생하면 셀을 폐기한다.
- 고정 속도(CBR : Constant Bit Rate), 가변 속도(VBR : Variable Bit Rate) 등 다양한 서비스를 지원한다,
- 연결 수락 제어(CAC : Connection Admission Control), 사용 파라미터 제어(UPC : Usage Parameter Control) 등 트래픽 제어를 한다.
- SDH(Synchronous Digital Hierarchy) 기반(그림 9.14)이다.

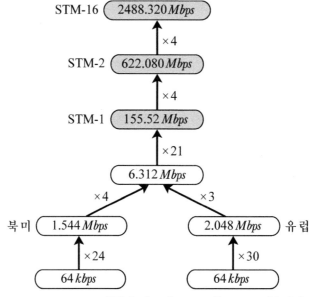

STM : Synchronous Transport Module

| 그림 9.14 | SDH 계위

그림 9.15는 ATM 셀의 헤더 포맷이며, 각 필드의 기능은 다음과 같다.

- 일반 흐름 제어(GFC : Generic Flow Control) : 트래픽 흐름을 제어한다.
- 가상 경로 식별자(VPI : Virtual Path Identifier) : 가상 경로를 식별한다.
- 가상 채널 식별자(VCI : Virtual Channel Identifier) : 가상 채널을 식별한다.
- 페이로드 유형(payload type) : 페이로드의 유형을 나타낸다.
- 셀 손실 우선순위(CLP : Cell Loss Priority) : 폭주가 발생한 경우에 셀을 폐기하기 위한 우선순위를 나타낸다.
- 헤더 오류 제어(HEC : Header Error Control) : 오류를 정정하기 위한 8비트 필드이 며, 생성 다항식이 $x^8 + x^2 + x + 1$인 CRC 코드를 사용한다.
- 페이로드(payload) : 48비트의 정보이다.

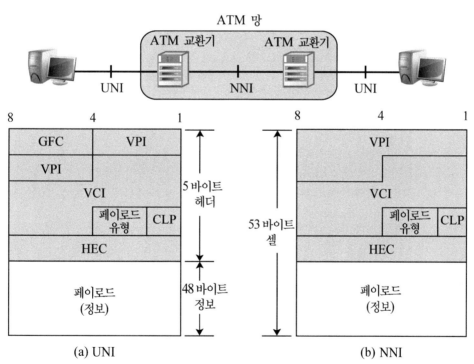

CLP : Cell Loss Priority   UNI : User-Network Interface
GFC : Generic Flow Control   VCI : Virtual Channel Identifier
HEC : Header Error Control   VPI : Virtual Path Identifier
NNI : Network-Network Interface

| 그림 9.15 | ATM 셀의 헤더 포맷

표 9.2에 ATM(B-ISDN 참조 모델)의 계층 기능을 열거하였다.

AAL(ATM Adaptation) 계층의 수렴(CS : Convergence) 부계층은 상위 계층의 사용자 데이터로부터 CS-PDU를 생성하며, 분할/재조립(SAR : Segmentation and Reassembly) 부계층은 CS-PDU를 ATM 셀의 페이로드 필드에 맞도록 분할 및 재조립한다.

ATM 계층은 셀 헤더 생성, VPI/VCI 변환 등의 기능을 수행한다.

물리 계층의 전송 수렴(TC : Transmission Convergence) 부계층은 전송 프레임 생성, 물리 매체(PM : Physical Medium) 부계층은 비트 타이밍 기능을 한다.

│ 표 9.2 │ ATM의 계층 기능

기능			계층
상위 계층의 기능		상위 계층	
수렴	CS		AAL 계층
분할/재조립	SAR		
일반 흐름 제어 셀 헤더 생성/추출 셀 VPI/VCI 변환 셀 다중화/역다중화	ATM 계층		
셀 속도 정합 HEC 생성/확인 셀 경계 식별 전송 프레임 적응 전송 프레임 생성/복원	TC		물리 계층
비트 타이밍 물리 매체	PM		

(좌측 세로: 계층 관리)

AAL : ATM Adaptation Layer PM : Physical Medium
ATM : Asynchronous Transfer Mode SAR : Segmentation and Reassembly
CS : Convergence Sublayer TC : Transmission Convergence

Chapter
10

네트워크 장비

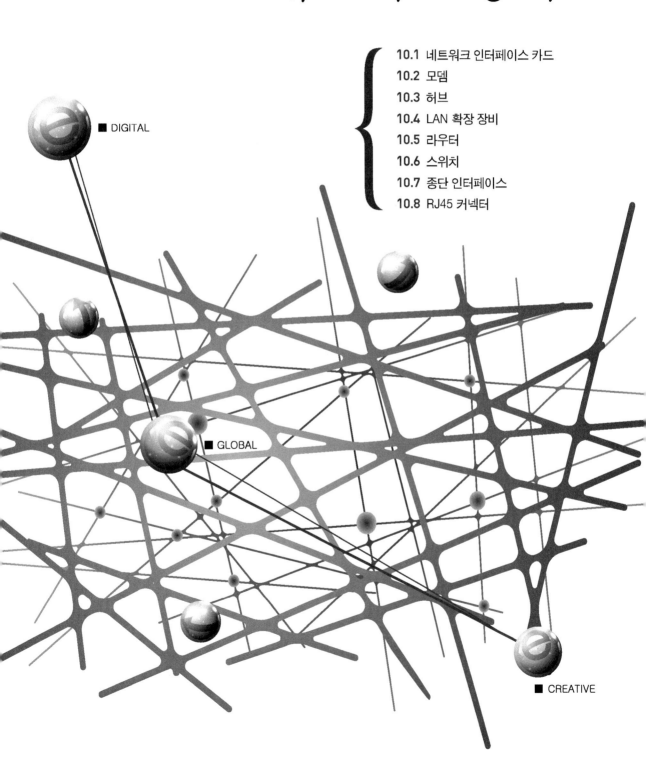

■ DIGITAL

■ GLOBAL

■ CREATIVE

10.1 네트워크 인터페이스 카드

Data Communication & Computer Network

컴퓨터를 통신망에 연결시키기 위해서는 그림 10.1에서 보는 바와 같이 네트워크 인터페이스 카드(NIC : Network Interface Card)가 필요하다.

○ LAN 카드

학교나 기관의 LAN을 통해 인터넷에 접속하는 경우에는 먼저 LAN에 연결되어야 하기 때문에 LAN 카드가 필요하다.

사용자가 LAN에 접속하기 위해서는 다음과 같은 장비가 필요하다.

○ 유선 LAN 사용자
- LAN 카드
- RJ45 커넥터

○ 무선 LAN 사용자
- 무선 LAN 카드
- 제어기(AP : Access Point)

| 그림 10.1 | 네트워크 인터페이스 카드

10.2 모뎀

일반 가정에서 인터넷에 접속하는 경우에는 인터넷 서비스 제공업체(ISP : Internet Service Provider)마다 차이가 있으나 제공하는 전송 속도에 따라 다양한 모뎀(modem)을 제공하고 있다.

전화선을 이용하여 인터넷에 접속하는 경우에는 그림 10.2(a)와 같은 전화용 모뎀이 필요하고, 유선 방송(CATV : Common Antenna TV)용 케이블을 이용하여 인터넷에 접속하는 경우에는 그림 10.2(b)와 같은 케이블 모뎀이 필요하다.

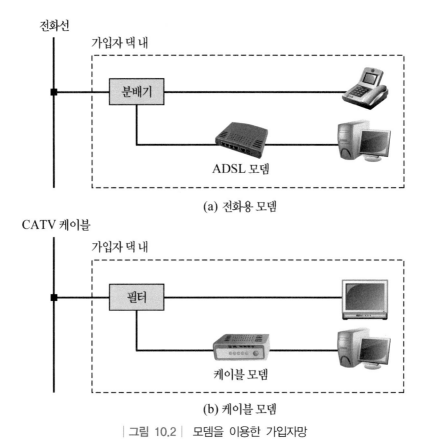

(a) 전화용 모뎀

(b) 케이블 모뎀

| 그림 10.2 | 모뎀을 이용한 가입자망

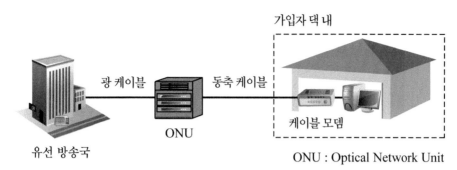

| 그림 10.3 | HFC 가입자망

전화선을 이용한 가입자 망에 사용되는 xDSL(x Digital Subscriber Line) 모뎀은 가입자 방향으로의 하향 속도가 상향 속도보다 더 빠른 비대칭 서비스를 제공한다.

ADSL(Asymmetric Digital Subscriber Line)은 하향 속도 $8Mbps$, 상향 속도 $640kbps$를 제공하며, VDSL(Very high bit rate Digital Subscriber Line)은 하향 속도 $50Mbps$, 상향 속도 $10Mbps$를 제공한다.

CATV는 동축 케이블을 이용하여 가입자망을 제공하거나 그림 10.3에서 보는 바와 같은 HFC(Hybrid Fiber Coaxial) 망을 이용하여 가입자망을 제공하며, 하향 속도가 상향 속도보다 더 빠른 비대칭 서비스를 제공한다.

그림 10.4에서 보는 바와 같은 FTTH(Fiber To The Home), FTTC(Fiber To The Curb), FTTO(Fiber To The Office) 등의 광 가입자망은 $1Gbps$의 초고속 전송 속도를 제공한다.

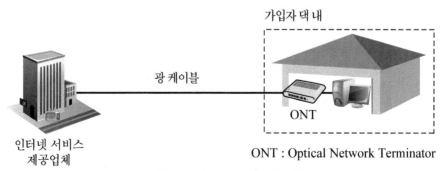

| 그림 10.4 | FTTH 광 가입자망

10.3 허브

허브는 각 포트에 컴퓨터를 연결하는 장비로서 사무실 내부에서 여러 대의 컴퓨터를 LAN에 연결하기 위해 주로 사용되고 있다.

허브에 연결시킬 수 있는 컴퓨터의 수는 포트에 제약을 받게 되므로 컴퓨터가 많은 경우에는 허브를 계층적으로 사용할 수도 있다.

허브는 그림 10.5에서 보는 바와 같이 더미 허브와 스위칭 허브로 구분된다.

○ 더미 허브

■ 입력되는 신호를 모든 출력 포트로 전달한다.

■ 연결된 컴퓨터의 수가 많아지면 속도가 느려진다.

■ 사무실 내부와 같은 소규모 네트워크에 적합하다.

○ 스위칭 허브

■ 스위칭 기능이 있어서 특정 출력 포트로 신호를 전달한다.

■ 전체 대역폭을 사용할 수 있으므로 속도가 빠르다.

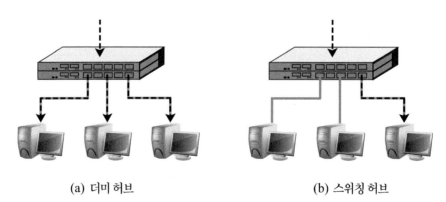

(a) 더미 허브   (b) 스위칭 허브

| 그림 10.5 | 허브의 유형

10.4 LAN 확장 장비

○ 리피터

리피터(repeater)는 전송 도중에 약해진 신호를 재생하는 장비이며, 그림 10.6에서 보는 바와 같이 LAN 세그먼트(segment)들을 연결하기 위해 사용한다.

LAN 세그먼트는 케이블의 유형에 따라 전송 가능한 최대 거리가 한정되어 있기 때문에 LAN을 설치하는 데 제약을 받게 된다. 이런 문제점을 보완하기 위해 리피터를 사용함으로써 LAN을 확장할 수 있다.

최대 길이가 $500m$인 세그먼트 2개를 리피터를 이용하여 서로 연결한다면 $1km$ 범위의 LAN을 설치할 수 있다.

리피터는 단지 한 세그먼트로부터 수신한 신호를 증폭시켜 다른 세그먼트로 보내주는 기능만을 하므로 통합된 LAN으로 동작한다.

리피터의 특징은 다음과 같다.

- 신호를 재생한다.
- 동일한 유형의 LAN을 연결한다.
- 최대 4대의 리피터를 사용할 수 있다.
- 가장 하급의 LAN 확장 장비이다.

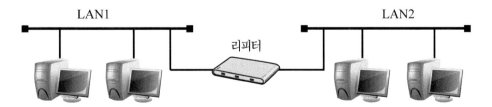

| 그림 10.6 | 리피터에 의한 LAN의 확장

○ 브릿지

브릿지(bridge)는 보다 넓은 범위까지 LAN을 확장하기 위해 사용한다. 브릿지는 그림 10.7에서 보는 바와 같이 서로 독립적으로 동작하는 LAN들을 연결하여 상호 연동시키는 장비이다.

브릿지는 한 LAN으로부터 프레임이 들어오면 목적지 주소를 확인하여 다른 LAN에 있는 스테이션으로 향하는 프레임만을 수신하여 저장한 다음 출력 포트를 통해 다른 LAN으로 내보내는 기능을 한다.

리피터는 단순히 신호를 중계하는 역할만을 하지만 브릿지는 프레임의 주소를 확인하여 프레임의 포워딩(forwarding) 여부를 결정하기 때문에 보다 상급의 LAN 확장 장비이다.

브릿지의 특징은 다음과 같다.

- 상이한 LAN들의 연결이 가능하다.
- 상호 연동되는 LAN들이 서로 독립적으로 동작한다.
- 연결된 LAN들의 보안성이 유지된다.
- 대규모 LAN을 구축할 수 있다.

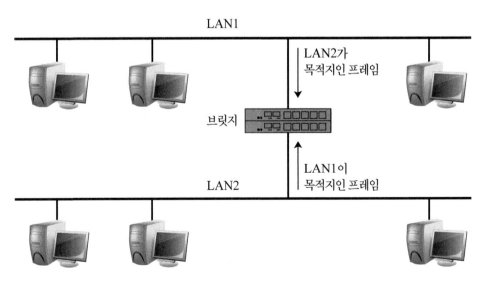

| 그림 10.7 | 브릿지에 의한 LAN의 확장

10.5 라우터

라우터(router)는 라우팅 기능을 담당하는 매우 중요한 장비이며, 인터넷 상에는 그림 10.8에서 보는 바와 같이 매우 많은 라우터들이 존재한다.

라우터는 최단 경로를 가장 우선적으로 선택하며, 이 경로를 사용할 수 없는 경우에는 차선의 경로 순으로 선택한다.

최단 경로를 평가하는 기준은 다음과 같다.

- 최소 홉 수(minimum hop count)
- 최소 지연(minimum delay)
- 최대 처리율(maximum throughput)
- 최소 비용(minimum cost)

모든 라우터들은 라우팅 표를 관리하며, 라우터들이 라우팅 정보를 교환하는 데 사용하는 프로토콜을 라우팅 프로토콜(routing protocol)이라고 한다.

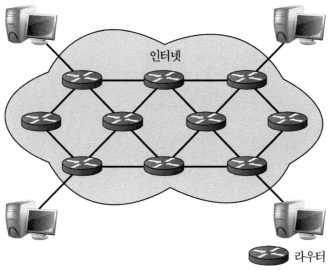

| 그림 10.8 | 라우터

각 라우터들이 라우팅 표를 이용하여 목적지까지 정보를 전달하는 과정을 그림 10.9에 예시하였다.

라우터 1에 연결된 컴퓨터에서 라우터 6에 연결된 컴퓨터로 패킷을 보내는 경우, 라우팅 표의 후속 라우터가 4이므로 라우터 4로 패킷을 보낸다. 패킷을 받은 라우터 4는 후속 라우터 5로 패킷을 보낸다. 마찬가지 방법으로 라우터 5는 최종 목적지 6으로 패킷을 전달한다.

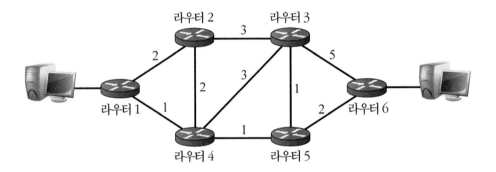

라우터 1

목적지	후속 라우터	홉수
2	2	1
3	4	3
4	4	1
5	4	2
6	4	3

라우터 2

목적지	후속 라우터	홉수
1	1	1
3	3	1
4	4	1
5	4	2
6	4	3

라우터 3

목적지	후속 라우터	홉수
1	5	3
2	2	1
4	5	2
5	5	1
6	5	2

라우터 4

목적지	후속 라우터	홉수
1	1	1
2	2	1
3	5	3
5	5	1
6	5	2

라우터 5

목적지	후속 라우터	홉수
1	4	2
2	4	2
3	3	1
4	4	1
6	6	1

라우터 6

목적지	후속 라우터	홉수
1	5	3
2	5	3
3	5	2
4	5	2
5	5	1

| 그림 10.9 | 라우팅 표에 의한 정보 전달

10.6 스위치

스위치는 소프트웨어적으로 라우팅 하는 라우터에 비해 ASIC(Application Specific Integrated Circuits) 칩을 이용하여 하드웨어적으로 포워딩(forwarding) 함으로써 처리 속도를 높인 장비이다.

스위치는 OSI 7계층의 기능에 따라 L2/L3/L4/L7 스위치 등 다양한 기종이 있다.

L2 스위치는 Ethernet에서 동작하는 계층 2 레벨의 장비로서 목적지를 확인하여 단순히 포워딩 하는 기능을 한다.

L3 스위치는 계층 3 레벨의 장비로서 하드웨어적으로 IP 패킷을 분석하여 경로를 선정하고 포워딩 한다. 표 10.1에 라우터와 L3 스위치의 특징을 비교하였다.

L4 스위치는 계층 4 레벨의 장비로서 TCP와 UDP 포트별로 패킷을 분류하여 서버나 네트워크 장비들로 트래픽을 로드 밸런싱(load balancing) 하는 기능을 제공한다.

L7 스위치는 계층 7 레벨의 장비로서 IP 주소와 포트 정보, URL(Uniform Resource Locator) 정보, 쿠키 정보 등을 분석하여 패킷의 내용을 기반으로 트래픽을 로드 밸런싱 하는 기능을 제공한다. L7 스위치는 불필요한 트래픽을 차단하거나 DDoS 공격 등을 완화시켜 서버가 정상적인 서비스를 할 수 있도록 보호하는 기능도 제공한다.

| 표 10.1 | 라우터와 L3스위치의 특징 비교

	라우터	L3 스위치
OSI 계층	3계층	3계층
경로 선정	소프트웨어적으로 라우팅	하드웨어적으로 포워딩
성능	느림	빠름
지원하는 MAC	Ethernet, WAN	Fast/Gigabit Ethernet

10.7 종단 인터페이스

◉ DTE-DCE 인터페이스

컴퓨터 등과 같이 데이터를 처리하는 장치를 데이터 단말 장치(DTE : Data Terminal Equipment)라고 하며, 모뎀과 같이 전송 매체에 연결하는 장치를 데이터 회선 종단 장치 (DCE : Data Circuit-terminating Equipment)라고 한다. 그림 10.10과 같이 DTE와 DCE 간에는 적절한 인터페이스가 이루어져야 한다.

DTE-DCE 인터페이스는 다음과 같은 4가지 특성을 정의한다.

- 기계적 특성
- 전기적 특성
- 기능적 특성
- 절차적 특성

기계적 특성(mechanical characteristics)은 핀의 수 등 물리적 접속을 정의하며, 전기적 특성(electrical characteristics)은 데이터 1과 0을 표현하기 위한 전압 레벨과 펄스폭 등을 정의한다.

기능적 특성(functional characteristics)은 데이터 전송용, 제어 신호용 등과 같이 핀의 기능을 정의하며, 절차적 특성(procedural characteristics)은 데이터를 전송하기 위해 DTE 와 DCE 간에 수행되어야 하는 동작들의 절차를 정의한다.

| 그림 10.10 | DTE-DCE 인터페이스

○ EIA-232

EIA-232는 컴퓨터의 직렬 포트를 이용한 저속도 통신의 DTE-DCE 인터페이스를 정의하고 있다.

EIA-232의 특징은 다음과 같다.

- 핀의 수 : 25핀
- 전송 거리 : $15m$
- 전송 속도 : $20kbps$
- 전송 선로 : 불평형 모드
- 코드 : NRZ-L(NonReturn to Zero-Level)
- 전압 레벨 : $-3V$(이진 1, OFF 상태)
  $+3V$(이진 0, ON 상태)

EIA-232 커넥터는 그림 10.11과 같이 25핀으로 구성되어 있지만 주로 다음과 같은 5핀을 사용하여 통신한다.

- 2번 핀 : DTE에서 DCE로 데이터 송신(TxD)
- 3번 핀 : DTE에서 DCE로부터의 데이터 수신(RxD)
- 4번 핀 : DTE에서 DCE로 송신 요청(RTS)
- 5번 핀 : DCE에서 DTE로 송신 허락(CTS)
- 7번 핀 : 신호용 접지

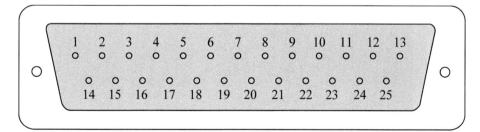

| 그림 10.11 | EIA-232 커넥터

⊙ 널 모뎀

널 모뎀(null modem)은 모뎀을 사용하지 않고 두 컴퓨터를 직접 연결하여 통신하는 경우에 활용되는 두 DTE 간의 인터페이스이다.

널 모뎀은 그림 10.12에서 보는 바와 같이 RS-232 직렬 포트를 상호 연결해주는 스위치 박스이다.

2번 핀(TxD)과 3번 핀(RxD)을 두 DTE 간에 서로 교차되게 연결하여 데이터가 송수신될 수 있게 한다.

4번 핀(RTS)과 5번 핀(CTS)은 각각 내부 연결하고 상대편 DTE의 8번 핀(CD : Carrier Detect)에 연결함으로써 접속 설정이 곧바로 이루어지게 한다.

17번 핀(RxClx : Receiver Signal Element Timing)과 24번 핀(TxClx : Transmitter Signal Element Timing)은 두 DTE 간에 서로 교차되게 연결하며, 20번 핀(DTR : DTE Ready)은 상대편 DTE의 6번 핀(DSR : DCE Ready)과 22번 핀(RI : Ring Indicator)에 교차되게 연결한다.

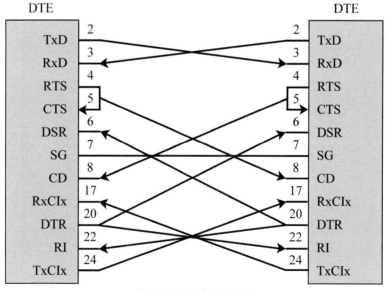

| 그림 10.12 | 널 모뎀

10.8 RJ45 커넥터

RJ45 커넥터는 UTP 케이블을 이용하여 컴퓨터를 허브에 연결하거나 허브와 허브를 연결하는 데 사용되고 있다.

RJ45 커넥터는 8핀으로 구성되어 있지만 그림 10.13에서 보는 바와 같이 4핀만을 사용하여 통신한다.

- 1번 핀 : 데이터 송신(Tx+)
- 2번 핀 : 데이터 송신(Tx−)
- 3번 핀 : 데이터 수신(Rx+)
- 6번 핀 : 데이터 수신(Rx−)

RJ45 커넥터는 선의 색깔에 의해 기능을 식별하고 있다. 백황색, 황색, 백녹색, 청색, 백청색, 녹색, 백갈색, 갈색의 순서로 선을 배치하고 있다.

허브에 컴퓨터를 연결할 때에는 스트레이트 케이블을 사용하고, 허브와 허브를 연결할 때에는 크로스오버 케이블을 사용한다.

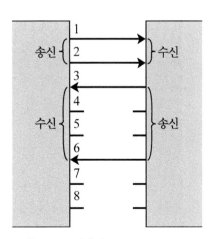

| 그림 10.13 | LAN용 RJ45 커넥터

TCP/IP 인터넷

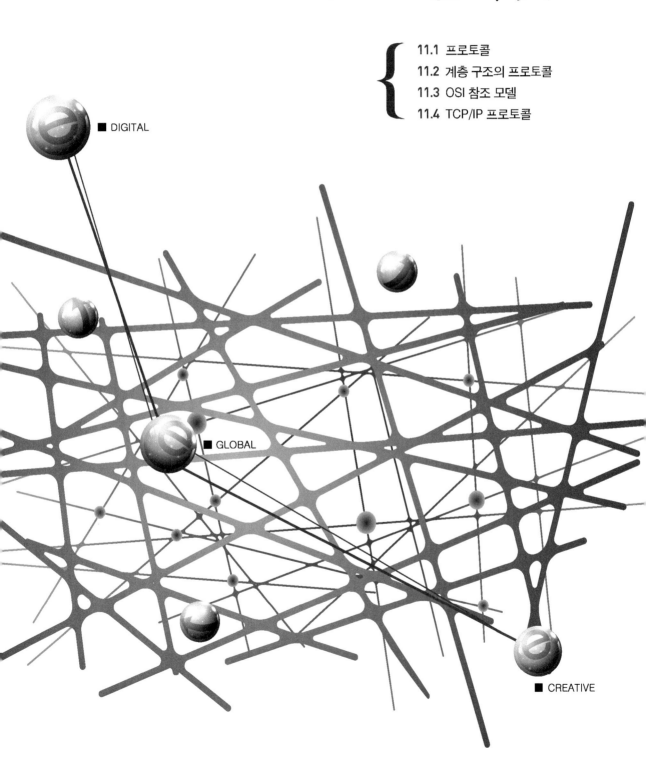

DIGITAL

GLOBAL

CREATIVE

11.1 프로토콜

프로토콜(protocol)이란 원활한 통신이 이루어질 수 있도록 두 통신 개체 간에 주고받는 메시지와 절차 등을 정의한 규약을 말한다.

프로토콜은 다음과 같은 기능을 수행한다.

■ 단편화/재조립
■ 연결 제어
■ 오류 제어
■ 흐름 제어
■ 주소 지정

단편화(segmentation or fragmentation)란 송신 측에서는 메시지를 통신망이 전달할 수 있는 데이터의 최대 크기인 MTU(Maximum Transmission Unit)로 분할하여 전송하고, 수신 측에서는 원래의 순서대로 재조립(reassembly)하는 기능을 말한다.

일반적으로 메시지를 단편화 하면 오류로 인한 재전송이 감소되어 전송 효율이 좋아지고 전송 설비를 효과적으로 공유할 수 있는 장점이 있다.

연결 제어(connection control)란 두 개체 간에 통신이 이루어질 수 있도록 핸드쉐이크(handshake) 절차에 의해 연결을 설정하고 통신 도중에는 연결을 유지하며, 통신이 완료되면 연결을 종료하는 기능을 말한다. 연결형 프로토콜은 데이터가 오류 없이 순서적으로 전달되어 신뢰성이 있는 데이터 전달 서비스가 가능하지만 전송 도중에 연결이 끊어지게 되면 새로운 연결을 설정하여야 한다.

비연결형 프로토콜은 두 통신 개체 간에 연결을 설정할 필요가 없는 장점은 있으나 수신 측으로부터 응답을 받지 않기 때문에 데이터가 정확히 전달되었다고 보장할 수 없다. 비연결형 프로토콜을 신뢰성이 없는 데이터 전달 서비스 또는 최선형 서비스(best-effort service)

라고 하며, 오류 복구는 상위 계층 프로토콜이나 응용에서 수행된다.

오류 제어(error control)는 ARQ(Automatic Repeat reQuest) 방식이나 FEC(Forward Error Correction) 방식 등을 이용하여 전송 도중 발생한 오류를 복구하는 기능이며, 흐름 제어(flow control)는 슬라이딩 윈도우 프로토콜 등을 이용하여 송신 측과 수신 측 간의 데이터 흐름을 제어하는 기능이다.

주소 지정(addressing)은 데이터를 목적지까지 정확히 전달하기 위해 컴퓨터나 네트워크 장비를 식별할 수 있는 도메인 이름과 같이 전 세계적으로 유일한 주소를 지정하는 것을 말한다.

인터넷에서는 32비트의 IP 주소가 사용되고, LAN에서는 48비트의 MAC(Medium Access Control) 주소가 사용된다.

목적지의 주소 지정 방법은 다음과 같다.

- 단일 주소
- 방송 주소
- 멀티캐스트
- 애니캐스트

단일 주소(unicast)는 거의 대부분의 서비스에 사용되는 주소 지정 방법이며, 데이터가 한 곳의 목적지로만 전달된다.

방송 주소(broadcast)는 군사용이나 특정 영역에 있는 라우터들에게 라우팅 정보를 전송하는 목적으로 사용되는 주소 지정 방법이며, 데이터가 모든 곳으로 전달된다.

멀티캐스트(multicast)는 화상 회의나 다자 게임 등의 서비스에 사용되는 주소 지정 방법이며, 데이터가 그룹으로 지정된 모든 목적지로 전달된다. 애니캐스트(anycast)는 데이터가 그룹으로 지정된 주소들 중 하나의 목적지로 전달된다.

11.2 계층 구조의 프로토콜

Data Communication & Computer Network

프로토콜은 소프트웨어적으로 구현되는 데 여러 기능들이 수행되어야 하므로 하나의 프로그램으로 작성하기에는 너무 방대하고 어렵다. 명백히 다른 기능들로 분류하여 독립적으로 구현한 다음 이들을 통합하는 것이 바람직하다. 이런 개념을 도입한 것이 프로토콜의 계층 구조이다.

계층 구조의 프로토콜에서는 그림 11.1에서 보는 바와 같이 어떤 계층을 N 계층이라고 하면 인접한 상위 계층을 $N+1$ 계층, 하위 계층을 $N-1$ 계층이라고 하며, 각 계층에서 처리하는 프로세스 등의 실체를 개체(entity)라고 한다.

인접 계층 간의 통신 인터페이스 점을 SAP(Service Access Point)라고 하며, 송신 측과 수신 측의 N 계층은 동일한 프로토콜을 사용하므로 동등(peer) 프로토콜이라고 한다.

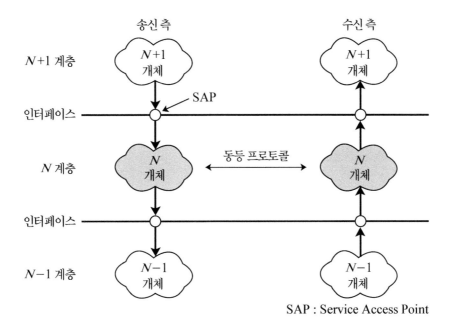

| 그림 11.1 | 통신 프로토콜의 계층 개념

그림 11.2에 3계층 구조의 컴퓨터 통신 프로토콜을 예시하였다.

- 응용 계층
- 전송 계층
- 네트워크 액세스 계층

응용 계층(application layer)은 분산 환경에서 HTTP, E_mail 등 다양한 응용을 지원하며, 이 계층에서 사용하는 프로토콜을 응용 프로토콜이라고 한다.

전송 계층(transport layer)은 근원지 컴퓨터의 응용과 목적지 컴퓨터의 응용 간에 신뢰성 있는 데이터 전달이 이루어지도록 하는 기능을 한다. 이 계층에서 사용하는 프로토콜을 전송 프로토콜이라고 한다.

네트워크 액세스 계층(network access layer)은 컴퓨터와 통신망 간의 데이터 전달에 관여한다. 이 계층에서 사용하는 프로토콜을 네트워크 액세스 프로토콜이라고 한다.

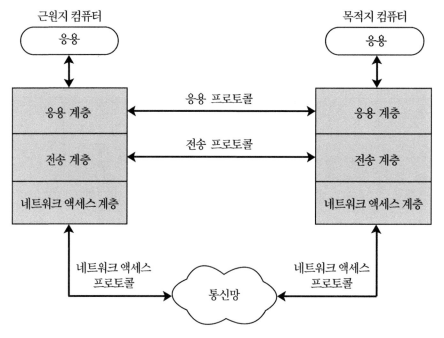

| 그림 11.2 | 3계층 구조의 컴퓨터 통신 프로토콜

11.3 OSI 참조 모델

Data Communication & Computer Network

OSI(Open Systems Interconnection) 참조 모델(reference model)은 1984년 국제 표준 기구인 ISO(International Standard Organization)에서 정의한 개방형 컴퓨터 통신 모델이다.

대부분의 응용이 TCP/IP 프로토콜을 기반으로 하는 인터넷을 통해 서비스되고 있지만 OSI 참조 모델은 다양한 분야에 유용하게 사용되고 있다.

OSI 참조 모델은 그림 11.3에서 보는 바와 같이 7계층 구조이다.

- 응용 계층
- 표현 계층
- 세션 계층
- 전송 계층
- 네트워크 계층
- 데이터 링크 계층
- 물리 계층

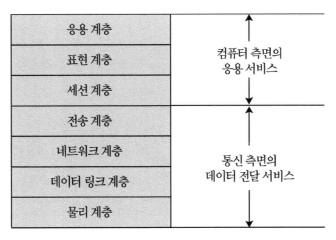

| 그림 11.3 | OSI 참조 모델

OSI 참조 모델에 있어서 하위 4계층은 통신 측면에서의 데이터 전달 서비스를 제공하고, 상위 3계층은 컴퓨터 측면에서의 응용 서비스를 제공한다.

각 계층의 주된 기능은 다음과 같다.

물리 계층(physical layer)은 다양한 전송 매체를 통해 실제의 비트 스트림을 전송하는 기능을 하며, 전송 매체에의 액세스를 위한 인터페이스인 기계적 특성, 전기적 특성, 기능적 특성, 절차적 특성에 관련된다.

데이터 링크 계층(data link layer)은 링크의 설정과 유지 및 종료를 담당하며, 노드 간의 오류 제어와 흐름 제어 기능을 수행한다. 데이터 링크 계층에서 사용하는 프로토콜 데이터 단위(PDU : Protocol Data Unit)를 프레임(frame)이라고 한다.

네트워크 계층(network layer)은 통신망 내에서의 라우팅 기능을 수행하며, 폭주 제어(congestion control)는 물론 과금 기능도 수행한다. 네트워크 계층에서 사용하는 PDU를 패킷(packet)이라고 한다.

전송 계층(transport layer)은 통신 종단점(endpoint) 간의 단대단(end-to-end) 오류 제어와 흐름 제어 기능을 수행하며, 신뢰성 있는 데이터 전달 서비스를 제공한다. 전송 계층의 PDU를 트랜스포트(transport)-PDU라고 한다.

세션 계층(session layer)은 프로세스 간 세션의 설정과 유지 및 종료를 담당하며, 전이중 방식이나 반이중 방식으로 종단 시스템의 응용 간 대화(dialog)를 관리한다. 세션 계층은 효율적인 세션 관리를 위해 상위 계층인 표현 계층으로부터 받은 데이터를 짧은 데이터 단위로 분할하여 하위 계층인 전송 계층으로 보낸다.

세션 계층은 동기점(synchronization point)을 설정하여 시스템 상의 문제로 인해 전송이 중단된 경우에 오류를 복구하는 기능도 수행한다.

표현 계층(presentation layer)은 데이터 표현이 상이한 응용 프로세스의 독립성을 제공하며, 코드 변환(code conversion)에 의해 ASCII 코드를 사용하는 컴퓨터와 EBCDIC 코드를 사용하는 컴퓨터가 서로 통신할 수 있게 하고, 가상 터미널(virtual terminal) 개념을 이용하여 다양한 기종의 컴퓨터들이 서로 통신할 수 있게 한다.

표현 계층의 또 다른 중요한 기능은 암호화(encryption)로써 송신 측에서는 데이터를 암호화 하여 암호문을 전송하고 수신 측에서는 암호문을 해독한다.

응용 계층(application layer)은 응용 프로세스가 분산 환경에 액세스 할 수 있게 함으로써 원격 로그인(telnet), 파일 전달, E_mail, 원격 DB(Data Base) 검색 등의 다양한 응용 서비스를 제공한다.

두 종단 시스템이 패킷 망을 경유하여 통신하는 경우, 중간 시스템에서는 그림 11.4에서 보는 바와 같이 3계층까지의 기능만을 수행한다.

일반적으로 라우터는 3계층까지의 기능을 수행하지만 교환기나 LAN을 연결하는 장비인 브릿지는 2계층까지의 기능을 수행하고 리피터는 1계층의 기능만 수행한다.

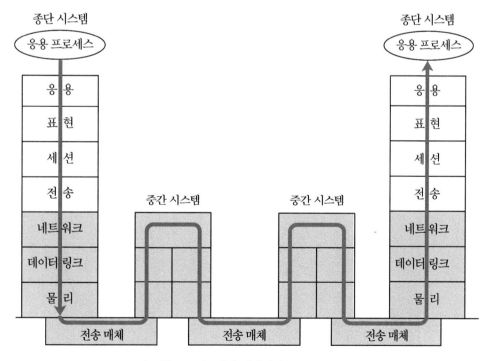

| 그림 11.4 | 패킷 망에서의 프로토콜 구조

11.4 TCP/IP 프로토콜

TCP/IP(Transmission Control Protocol/Internet Protocol) 프로토콜이란 인터넷을 위해 개발된 수많은 프로토콜들의 모음(protocol suite)을 말한다.

TCP/IP 프로토콜은 그림 11.5에서 보는 바와 같이 4계층 구조로 되어 있다.

- 응용 계층
- 전송 계층
- 인터넷 계층
- 네트워크 액세스 계층

응용 계층(application layer)은 사용자에게 홈페이지, E-mail, 원격 로그인, 파일 전달 등을 비롯하여 다양한 응용 서비스를 제공하는 기능을 한다.

응용 계층에는 다음과 같은 프로토콜들이 있다.

- HTTP(Hyper Text Transfer Protocol) : 홈페이지

OSI 참조 모델		TCP/IP 프로토콜
응용 계층		응용 계층
표현 계층		
세션 계층		
전송 계층		전송 계층
네트워크 계층		인터넷 계층
데이터 링크 계층		네트워크 액세스 계층
물리 계층		

| 그림 11.5 | TCP/IP 프로토콜의 구조

- SMTP(Simple Mail Transfer Protocol) : E_mail
- Telnet : 원격 로그인
- FTP(File Transfer Protocol) : 파일 전달
- Ping : 연결성 시험
- DNS(Domain Name System) : 도메인 이름을 IP 주소로 변환
- NFS(Network File System) : 원격 파일 액세스
- SNMP(Simple Network Management Protocol) : 네트워크 관리
- NTP(Network Time Protocol) : 정확한 네트워크 타임 제공
- Kerberos : 클라이언트와 서버 간의 인증

전송 계층(transport layer)은 호스트에서 수행되는 응용 프로세스 사용자에게 단대단 데이터 전달 서비스를 제공하는 기능을 한다.

전송 계층에는 다음과 같은 프로토콜들이 있다.

- TCP(Transmission Control Protocol) : 연결형 데이터 전달
- UDP(User Datagram Protocol) : 비연결형 데이터 전달

TCP/IP 통신 소프트웨어가 실행되는 컴퓨터에서는 많은 응용 프로세스들이 동시에 실행되기 때문에 전송 계층 프로토콜은 근원지 호스트의 특정 프로세스와 목적지 호스트의 특정 프로세스를 식별하기 위해 16비트의 포트(port) 번호를 사용한다.

인터넷 계층(internet layer)은 다양한 네트워크를 통하여 데이터가 목적지 호스트까지 전달될 수 있도록 주소 변환과 라우팅 기능을 수행한다. 인터넷 계층은 컴퓨터를 식별하기 위해 32비트의 IP 주소를 사용한다.

인터넷 계층에는 다음과 같은 프로토콜들이 있다.

- IP(Internet Protocol) : 비연결형 데이터 전달
- ICMP(Internet Control Message Protocol) : 라우터의 상황 및 오류에 대한 정보 전달
- OSPF(Open Shortest Path First Protocol) : 동일한 자치 시스템 내에 있는 라우터 간에 라우팅 정보 전달

- RIP(Routing Information Protocol) : 동일한 자치 시스템 내에 있는 라우터 간에 라우팅 정보 전달
- BGP(Border Gateway Protocol) : 상이한 자치 시스템의 경계에 있는 라우터 간에 라우팅 정보 전달
- IDRP(InterDomain Routing Protocol) : 상이한 자치 시스템에 있는 라우터 간에 라우팅 정보 전달
- IGMP(Internet Group Management Protocol) : 멀티캐스팅 지원
- ARP(Address Resolution Protocol) : IP 주소를 MAC 주소로 변환

네트워크 액세스 계층(network access layer)은 Ethernet, WAN 등 다양한 데이터 링크 기술을 통해 인터넷 계층으로부터 받은 데이터를 전달할 수 있도록 인터넷 계층에 표준화된 인터페이스를 제공하는 기능을 한다.

호스트를 네트워크에 연결시키는 데에는 네트워크 인터페이스 카드가 필요하며, LAN 카드를 제작할 때 이미 할당된 48비트의 주소를 MAC 주소라고 하며, 물리적 하드웨어 주소 혹은 하드웨어 주소 또는 Ethernet 주소라고도 한다.

OSI 참조 모델에서는 반드시 인접 계층 간에서만 인터페이스가 이루어지지만 TCP/IP 프로토콜에서는 계층 간에 명확한 구분이 없는 경우도 있다.

예를 들어, 인터넷 계층의 ICMP나 OSPF 프로토콜들은 동등한 인터넷 계층의 IP 프로토콜을 이용하고, 응용 계층의 Ping은 전송 계층을 이용하지 않고 직접 인터넷 계층의 ICMP 프로토콜을 이용한다. 인터넷 계층의 RIP 프로토콜은 오히려 상위 계층인 전송 계층의 UDP 프로토콜을 이용한다.

한편, SMTP, HTTP, FTP 등의 응용 계층 프로토콜은 반드시 전송 계층의 TCP 프로토콜을 이용하여야 하며, SNMP와 같은 응용 계층 프로토콜은 반드시 전송 계층의 UDP 프로토콜을 이용하여야 한다. 그림 11.6에 TCP/IP 프로토콜의 종속성을 나타내었다.

TCP/IP 프로토콜의 각 계층에서는 그림 11.7에서 보는 바와 같은 프로토콜 데이터 단위 (PDU : Protocol Data Unit)를 사용한다.

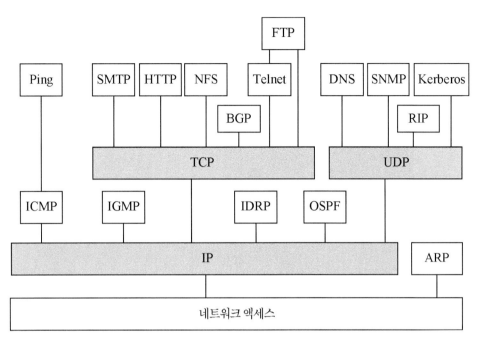

| 그림 11.6 | TCP/IP 프로토콜의 종속성

- 응용 계층 : 연결형인 경우에는 스트림, 비연결형인 경우에는 메시지
- 전송 계층 : TCP는 세그먼트, UDP는 데이터그램
- 인터넷 계층 : IP 패킷(데이터그램)
- 네트워크 액세스 계층 : 프레임

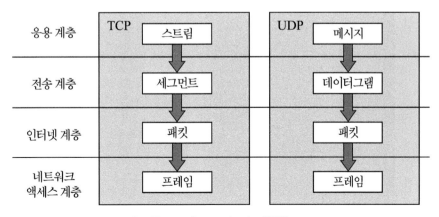

| 그림 11.7 | TCP/IP의 계층별 PDU

각 계층에서는 상위 계층으로부터 전달된 데이터에 헤더를 추가하여 해당 계층에서 처리하는 프로토콜 데이터 단위로 캡슐화 한다.

LAN을 통해 TCP/IP 인터넷의 응용 서비스를 이용하는 경우에는 그림 11.8에서 보는 바와 같이 인터넷의 IP 패킷 앞에 Ethernet 헤더가 추가되고, 뒤에는 오류 제어를 위한 Ethernet 트레일러가 추가되어 Ethernet 프레임이 생성된다.

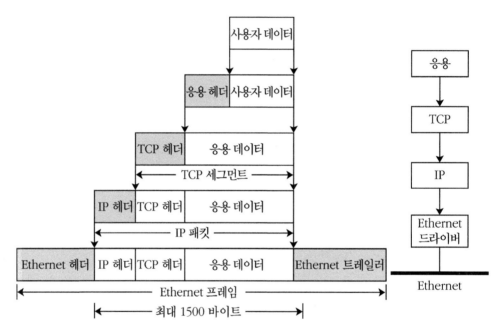

| 그림 11.8 | TCP/IP의 캡슐화

인터넷 계층 프로토콜

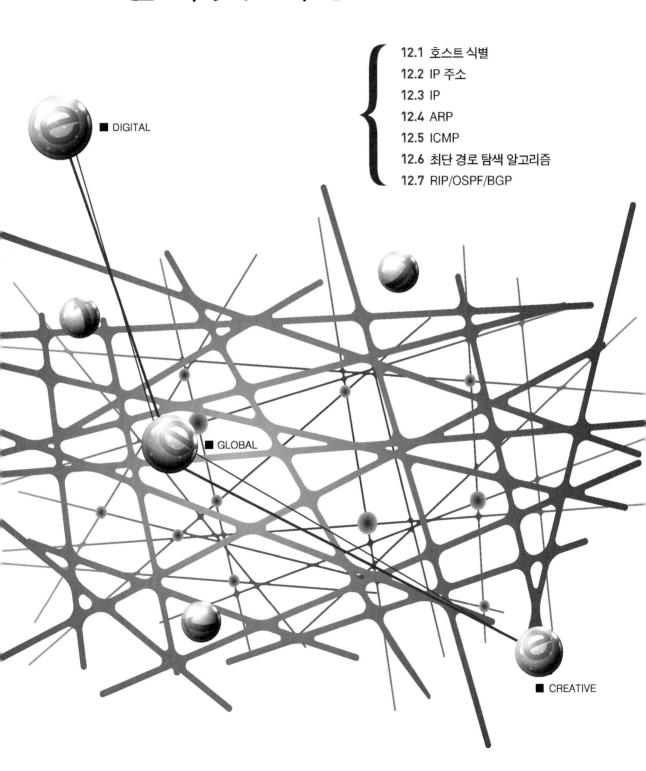

■ DIGITAL

■ GLOBAL

■ CREATIVE

12.1 호스트 식별

○ 호스트 식별자

일반적으로 호스트를 식별하는 데에는 그림 12.1에서 보는 바와 같이 3가지 유형의 식별자를 사용한다.

- 도메인 이름
- IP 주소
- MAC 주소

도메인 이름은 기억하기 쉽기 때문에 사용자들은 도메인 이름을 선호한다.

IP 주소는 IP 패킷을 목적지 호스트까지 전달하는 데 필요한 인터넷 상의 주소이며, 32비트의 IP 주소를 사용하여 호스트를 식별한다.

MAC(Medium Access Control) 주소는 제조업체에서 LAN 카드를 생산할 때 할당한 주소이며, 48비트의 MAC 주소를 사용하여 호스트를 식별한다. MAC 주소는 물리적 하드웨어 주소 또는 Ethernet 주소라고도 한다.

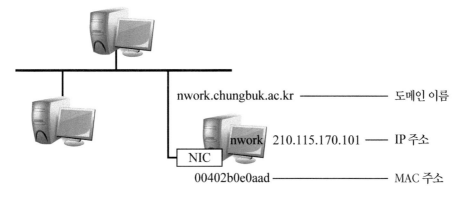

| 그림 12.1 | 호스트 식별자의 3가지 유형

◎ 도메인 이름

컴퓨터를 인터넷에 연결시키기 위해서는 도메인 이름을 지정하여야 하며, 도메인 이름을 지정하는 원칙은 다음과 같다.

- 도메인 이름은 영문자와 숫자의 조합으로 표현한다.
- 각 단계별 도메인 이름은 마침표(.)로 구분한다.
- 도메인 이름은 전 세계적으로 유일하게 할당한다.

최상위 도메인과 2단계 도메인은 다음과 같다.

- kr(Korea) : 한국
- com(company) : 기업
- net(network) : 네트워크 관련 기관
- ac.kr(academy) : 대학교
- go.kr(government) : 정부 기관
- or.kr(organization) : 비영리 기관
- co.kr(company) : 기업
- seoul.kr : 서울특별시

도메인 이름의 단계적 이름 지정 방법을 그림 12.2에 트리 구조로 나타내었다.

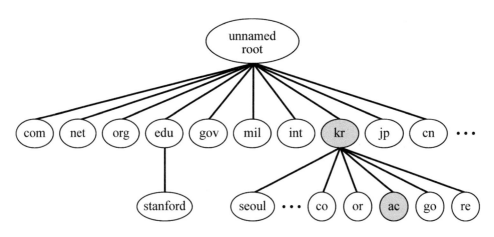

| 그림 12.2 | 도메인 이름의 트리 구조

12.2 IP 주소

Data Communication & Computer Network

◉ IP 주소 형식

IP 주소는 네트워크 식별자(network identifier)와 호스트 식별자(host identifier)로 구성되어 있으며, 다음과 같은 IP 주소의 유형이 있다.

- 클래스 A 주소
- 클래스 B 주소
- 클래스 C 주소
- 클래스 D 주소

그림 12.3에서 보는 바와 같이 클래스 A 주소는 처음 비트가 0이며, 네트워크를 식별하는 데 7비트, 호스트를 식별하는 데 24비트를 사용한다. 클래스 B 주소는 처음 2비트가 10이며, 네트워크를 식별하는 데 14비트, 호스트를 식별하는 데 16비트를 사용한다. 클래

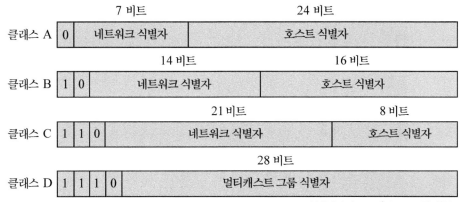

클래스	범위
A	1.0.0.0 ~ 127.255.255.255
B	128.0.0.0 ~ 191.255.255.255
C	192.0.0.0 ~ 223.255.255.255
D	224.0.0.0 ~ 239.255.255.255

127.0.0.1 : 로컬 호스트 IP 주소

| 그림 12.3 | IP 주소의 형식

스 C 주소는 처음 3비트가 110이며, 네트워크를 식별하는 데 21비트, 호스트를 식별하는 데 8비트를 사용한다. 클래스 D 주소는 처음 4비트가 1110이며, 멀티캐스팅용으로 사용된다. 로컬 호스트 IP 주소인 127.0.0.1은 자체 루프백 시험을 위해 사용된다.

IP 주소는 점 십진 표기법(dotted decimal notation)으로 표현한다.

예를 들어, 도메인 이름이 nwork.chungbuk.ac.kr인 컴퓨터의 IP 주소를 점 십진 표기법으로 표현하면 다음과 같다.

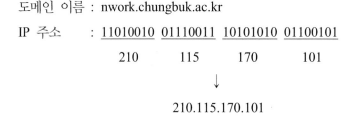

도메인 이름 : nwork.chungbuk.ac.kr

IP 주소　　 : <u>11010010</u> <u>01110011</u> <u>10101010</u> <u>01100101</u>

　　　　　　　　210　　　115　　　170　　　101

↓

210.115.170.101

○ 서브네팅

IP 주소를 효과적으로 사용하기 위해 서브네팅(subnetting) 기법을 사용할 수 있다. 서브네팅이란 호스트 식별자의 일부분을 서브넷 식별자(subnet identifier)로 사용하는 3단계 주소 지정 방법이다.

그림 12.4와 같이 4비트의 서브넷 식별자를 사용하여 서브네팅을 한다면 이 기관은 내부적으로 14개의 서브넷을 구축할 수 있다.

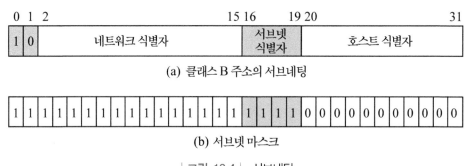

(a) 클래스 B 주소의 서브네팅

(b) 서브넷 마스크

| 그림 12.4 | 서브네팅

서브넷 마스크(subnet mask)는 서브넷 식별자로 할당된 비트들을 1로 세팅한 값이며, 이를 점 십진 표기법으로 표현하면 255.255.240.0이 된다.

사용자들은 기억하기 쉬운 도메인 이름을 선호하지만 TCP/IP 프로토콜은 IP 주소를 사용하기 때문에 호스트 식별자 간의 변환 작업이 필요하다. 호스트 식별자 간의 변환을 그림 12.5에 나타내었다.

사용자가 입력한 목적지의 도메인 이름을 IP 주소로 변환하는 방법은 다음과 같다.

- DNS(Domain Name System) 서버를 이용하여 변환
- hosts 파일을 이용하여 변환

한편, LAN에 연결된 목적지 호스트로 IP 패킷을 전달하기 위해서는 LAN을 통하여야 하므로 주소 변환 프로토콜인 ARP(Address Resolution Protocol)에 의해 IP 주소를 MAC 주소로 변환하여야 한다.

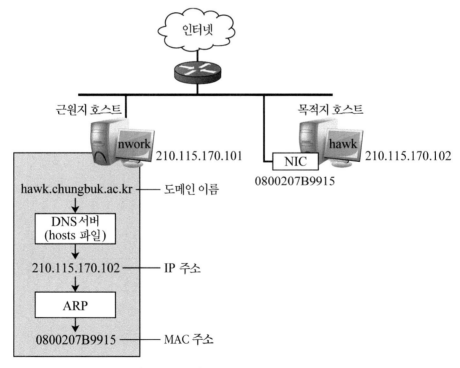

| 그림 12.5 | 호스트 식별자 간의 변환

Data Communication & Computer Network

12.3 IP

인터넷 프로토콜 IP(Internet Protocol)는 인터넷 계층에서 동작하는 대표적인 비연결형 프로토콜이다. IP는 IP 패킷이 근원지 호스트로부터 목적지 호스트까지 전달될 수 있도록 라우팅 기능을 수행할 뿐만 아니라 단편화의 기능도 수행한다.

목적지까지의 경로 상에 있는 중간 라우터들은 IP 패킷이 목적지까지 전달되기 위해 경유하여야 할 후속 라우터를 결정한 다음, 후속 라우터로 IP 패킷을 전달한다. 이와 같은 방식을 홉 바이 홉(hop-by-hop) 라우팅이라고 한다.

IP는 비연결형 데이터 전달 서비스를 제공하므로 그림 12.6에서 보는 바와 같이 다음과 같은 형태의 오류가 발생할 수 있다.

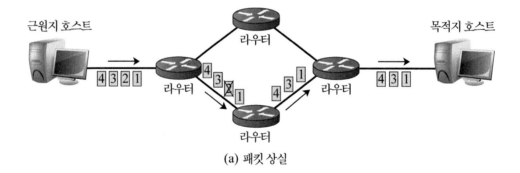

(a) 패킷 상실

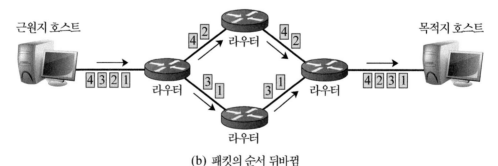

(b) 패킷의 순서 뒤바뀜

| 그림 12.6 | IP의 비연결형 데이터 전달 서비스

- IP 패킷의 상실
- IP 패킷의 순서 뒤바뀜

IP 패킷은 전달되는 도중 라우터에서의 트래픽 폭주로 인해 폐기될 수도 있고, 전송 오류로 인해 상실될 수도 있으며, 각각의 IP 패킷이 다른 경로를 통해 전달될 수 있기 때문에 송신된 순서와는 다르게 목적지에 도착할 수도 있다.

이러한 오류가 발생할 수 있으므로 비연결형 IP 패킷 전달 서비스를 신뢰성 없는 서비스 또는 최선형 서비스라고 한다. 상실된 IP 패킷의 재전송을 요청하고, 순서가 뒤바뀐 IP 패킷을 원래의 순서대로 재조립하는 등의 오류 제어 기능은 상위 계층에서 수행된다.

IP 패킷은 그림 12.7에서 보는 바와 같이 20바이트의 헤더와 데이터 부분으로 구성되며, 각 필드의 기능은 다음과 같다.

- 버전(version) : IP 프로토콜의 버전을 나타내며, IPv4가 사용되고 있으므로 이 필드의 값은 4이다.
- 헤더 길이(header length) : 32비트 워드 단위로 나타낸 헤더 길이이며, 최대 길이는 60바이트로 제한된다. 선택 사항 필드가 없는 경우에는 IP 헤더의 길이가 20바이트이

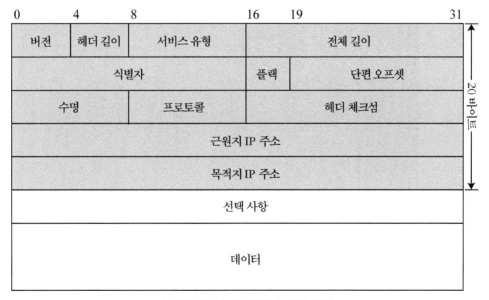

| 그림 12.7 | IP 패킷의 헤더 포맷

므로 이 필드의 값은 5이다.

■ 서비스 유형(type of service) : 서비스 유형 필드는 3비트의 우선순위(precedence) 필드, 최소 지연, 최대 처리율, 최대 신뢰도, 최소 비용을 나타내는 4비트의 TOS(Type Of Service) 필드, 정의되지 않은 1비트로 구성되어 있다.

		←		TOS 필드		→
우선 순위		지연	처리율	신뢰도	비용	0

TOS 필드는 서비스의 품질을 결정짓는 중요한 역할을 하며, 4비트 중 한 비트만 1로 세팅할 수 있다. 예를 들어, TOS 필드가 1000이라면 IP 패킷을 지연이 최소인 경로를 경유하여 전달되도록 라우팅 한다는 의미이다.

■ 전체 길이(total length) : 바이트 단위로 나타낸 헤더와 데이터의 길이이며, IP 패킷의 최대 길이는 2^{16}(65,535) 바이트이다.

■ 식별자(identification) : 호스트에서 전송하는 IP 패킷을 유일하게 식별하기 위한 필드로서 IP 패킷이 전송될 때마다 1씩 증가한다.

■ 플랙(flag) : more 비트는 마지막 단편이 아닌 경우에 1로 세팅하고, don't fragment 비트는 단편화를 하지 않는 경우에 1로 세팅한다.

■ 단편 오프셋(fragment offset) : IP 패킷의 처음에서부터 이 단편까지의 오프셋을 나타낸다.

■ 수명(TTL : Time To Live) : IP 패킷이 인터넷에서 존속할 수 있는 수명을 의미하며, IP 패킷이 경유하는 라우터 수의 상한선으로 나타낸다. 라우터를 경유할 때마다 TTL 값을 1씩 감소시키며, 목적지에 도달하기 전에 이 값이 0이 되면 라우터는 IP 패킷을 폐기한다.

■ 프로토콜(protocol) : IP 패킷을 이용하는 상위 프로토콜을 나타낸다. 이 필드의 값이 1이면 IP 패킷이 ICMP 메시지를 운반한다는 의미이다.

■ 헤더 체크섬(header checksum) : IP 헤더 자체의 오류를 검사하는 데 사용되며, 헤더 체크섬 필드를 0으로 세팅한 다음 헤더를 16비트 단위로 1의 보수 합을 계산한 것이다.

■ 근원지 IP 주소(source IP address) : IP 패킷을 생성한 근원지 호스트의 32비트 IP 주소이다.

- 목적지 IP 주소(destination IP address) : IP 패킷을 보낼 목적지 호스트의 32비트 IP 주소이다.
- 선택 사항(option) : 보안 등의 용도로 사용되는 가변 길이 필드이다.

/etc/protocols 파일에 IP를 이용하는 상위 프로토콜 및 IP 헤더의 프로토콜 필드 값이 열거되어 있다. 다음은 */etc/protocols* 파일의 내용 중 일부이다.

```
[nwork] > cat /etc/protocols
ip      0      IP       # internet protocol
icmp    1      ICMP     # internet control message protocol
tcp     6      TCP      # transmission control protocol
egp     8      EGP      # exterior gateway protocol
udp     17     UDP      # user datagram protocol
```

모든 라우터들은 라우팅 표(routing table)를 유지하며, 라우팅 표에는 다음과 같은 항목들이 포함된다.

- 목적지 IP 주소
- 후속 라우터의 IP 주소
- 목적지 IP 주소가 네트워크 주소인 지 호스트 주소인 지를 나타내는 플래
- IP 패킷을 내보낼 네트워크 인터페이스의 규격

netstat -rn 명령으로 다음과 같이 라우팅 표의 내용을 확인할 수 있다.

```
[nwork] > netstat -rn
Routing Table:
```

Destination	Gateway	Flags	Ref	Use	Interface
127.0.0.1	127.0.0.1	UH	1	829453	lo0
210.115.170.0	210.115.170.101	U	2	3293	le0
default	210.115.170.1	UG	2	26135	

Destination 필드는 목적지 네트워크 또는 호스트의 IP 주소이며, Gateway 필드는 목적지로 IP 패킷을 보낼 후속 라우터(게이트웨이)의 IP 주소이다. Flag 필드에서 U(up)는 이

경로가 사용 가능하다는 의미이고, H(host)는 특정 호스트로의 경로, G(gateway)는 라우터로의 경로임을 나타낸다.

Ref(referenced) 필드는 경로를 참조한 횟수이며, Use 필드는 이 경로를 통해 전송된 IP 패킷의 수이다. Interface 필드는 인터페이스의 이름이다. lo0는 IP 주소가 127.0.0.1인 로컬 호스트의 인터페이스, le0는 Ethernet 인터페이스이다.

근원지 호스트는 IP 패킷을 전달하기 위해 먼저 헤더에 포함된 목적지 IP 주소를 참조하여 목적지 호스트가 자신과 동일한 네트워크에 연결되어 있는 지 혹은 상이한 네트워크에 있는 지를 판단한다.

그림 12.8에서 보는 바와 같이 목적지 호스트가 자신과 동일한 네트워크에 연결되어 있다고 판단되면 ARP를 이용하여 목적지 IP 주소를 MAC 주소로 변환한 다음 목적지 호스트로 IP 패킷을 전달한다.

목적지 호스트가 자신과 동일한 네트워크에 연결되어 있지 않다고 판단되면 라우팅 표를 탐색하여 후속 라우터로 IP 패킷을 전달한다.

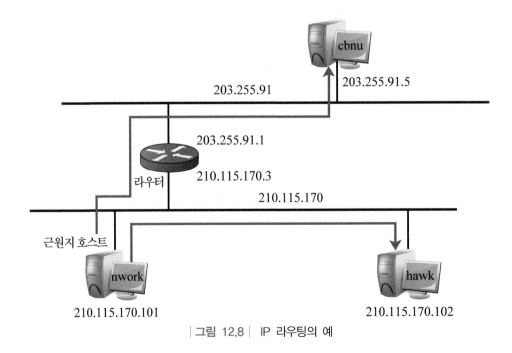

| 그림 12.8 | IP 라우팅의 예

Data Communication & Computer Network

12.4 ARP

주소 변환 프로토콜 ARP(Address Resolution Protocol)는 동일한 네트워크에 있는 목적지 호스트로 IP 패킷을 직접 전달할 수 있도록 IP 주소를 MAC 주소로 변환하는 프로토콜이다.

호스트는 효율적인 ARP의 동작을 위해 ARP 캐시(cache)를 이용한다. ARP 캐시에는 IP 주소를 MAC 주소(물리적 하드웨어 주소)로 매핑한 내용이 저장되며, 각 엔트리는 생성된 시점부터 20분간 유지된다.

arp -a 명령으로 ARP 캐시에 있는 내용을 확인할 수 있다.

[nwork] > arp -a

Net to Media Table

Device	IP Address	Mask	Flags	Phys Addr
le0	router	255.255.255.255		00:00:a2:cb:28:1c
le0	210.115.170.21	255.255.255.255		00:c0:26:31:87:8d
le0	210.115.170.104	255.255.255.255		00:4f:4d:00:41:52
le0	nwork	255.255.255.255	SP	00:40:2b:0e:0a:ad
le0	203.255.81.18	255.255.255.255		00:00:e8:29:d4:61
le0	BASE-ADDRESS.MCAST.NET	240.0.0.0	SM	01:00:5e:00:00:00

Device 필드는 인터페이스의 이름이며, le0은 Ethernet 인터페이스를 의미한다. IP Address와 Phys Addr 필드는 호스트나 라우터의 IP 주소와 해당 MAC 주소이며, Mask 필드는 네트워크 마스크이다.

Flag 필드에서 S(static)는 해당 엔트리가 변경되지 않고 ARP 캐시에 계속 존재한다는 의미이다. P(published)는 주로 로컬 호스트에 세팅되며, M(mapping)은 멀티캐스트 엔트리인 BASE-ADDRESS.MCAST.NET에만 세팅된다.

호스트에서 실행되는 IP 프로세스가 동일한 네트워크에 있는 호스트로 IP 패킷을 전달할 필요가 있는 경우에는 먼저 ARP 캐시를 검색한다.

목적지 호스트의 엔트리가 ARP 캐시에 있다면 IP 주소를 해당 MAC 주소로 변환하여 IP 패킷을 전달한다.

목적지 호스트의 엔트리가 ARP 캐시에 없는 경우에는 다음과 같은 ARP 동작이 수행되며, 이를 그림 12.9에 예시하였다.

- 단계 1 : 근원지 호스트에서 실행되고 있는 ARP 프로세스가 자신의 IP 주소와 MAC 주소, 목적지 호스트의 IP 주소를 포함한 ARP Request 패킷을 LAN에 방송한다.
- 단계 2 : 목적지 호스트에서 실행되고 있는 ARP 프로세스는 IP 주소가 자신의 것임을 인지하고, ARP Request 패킷을 송신한 근원지 호스트에게 ARP Reply 패킷을 이용하여 자신의 MAC 주소를 반환한다.
- 단계 3 : 근원지 호스트는 목적지 호스트의 IP 주소와 MAC 주소의 매핑을 ARP 캐시에 저장한다.

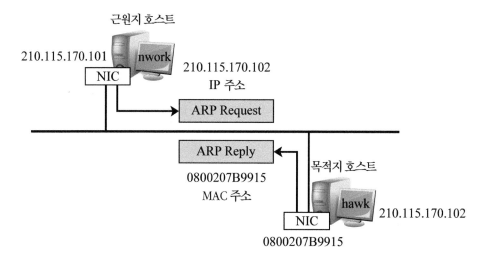

| 그림 12.9 | ARP의 동작

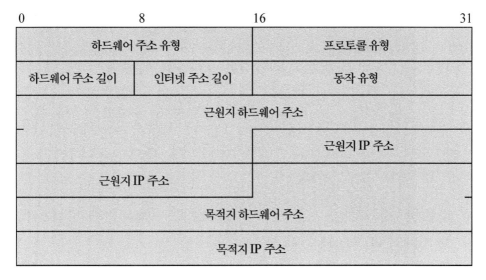

| 그림 12.10 | ARP 패킷의 포맷

ARP 패킷의 포맷은 그림 12.10과 같으며, 각 필드의 기능은 다음과 같다.

- 하드웨어 주소 유형(hardware address type) : 물리적 하드웨어 주소의 유형을 나타내며, Ethernet인 경우에는 이 필드의 값이 1이다.
- 프로토콜 유형(protocol type) : 매핑되는 프로토콜 주소의 유형을 나타내며, IP 주소인 경우에는 이 필드의 값이 0x0800이다.
- 하드웨어 주소 길이(hardware address size) : 바이트 단위로 나타낸 물리적 하드웨어 주소의 길이이며, Ethernet인 경우에는 이 필드의 값이 6이다.
- 인터넷 주소 길이(internet address size) : 바이트 단위로 나타낸 IP 주소의 길이이며, IP 주소는 이 필드의 값이 4이다.
- 동작 유형(operation type) : ARP 동작의 유형을 나타내며, 이 필드의 값은 ARP Request 패킷인 경우는 1, ARP Reply 패킷인 경우는 2이다.
- 근원지 하드웨어 주소(source hardware address) : 근원지 호스트의 MAC 주소이다.
- 근원지 IP 주소(source IP address) : 근원지 호스트의 IP 주소이다.
- 목적지 하드웨어 주소(destination hardware address) : 목적지 호스트의 MAC 주소이다.
- 목적지 IP 주소(destination IP address) : 목적지 호스트의 IP 주소이다.

12.5 ICMP

인터넷 제어 메시지 프로토콜 ICMP(Internet Control Message Protocol)는 호스트나 라우터가 다양한 오류 상태 또는 상황 변화를 통보하는 데 사용하는 프로토콜이며, ICMP 메시지는 IP 패킷에 실려 운반된다.

IP 패킷을 전달하는 도중에 오류가 발생하거나 예외적인 상황이 발생하면 라우터는 근원지 호스트로 ICMP 오류 메시지를 반환한다.

ICMP 오류 메시지는 다음과 같다.

- 목적지 도달 불능(Destination Unreachable) : IP 패킷을 목적지 네트워크나 호스트까지 전달할 수 없음을 통보하는 데 사용된다.
- 근원지 억제(Source Quench) : 잠정적으로 IP 패킷의 송신을 멈추도록 흐름 제어가 요구될 때 사용된다.
- 재경로(Redirect) : 더 나은 경로가 있음을 통보하는 데 사용된다.
- 시간 초과(Time Exceeded) : IP 패킷의 수명 필드(TTL)가 0이 되어 더 이상 전달할 수 없음을 통보하는 데 사용된다.
- 부적절한 파라미터(Parameter Problem) : IP 패킷 헤더의 필드가 적합하지 않음을 통보하는 데 사용된다.

ICMP 질의 메시지는 다음과 같다.

- 반향 요청/응답(Echo Request/Reply) : 목적지 호스트까지의 연결성 여부를 알기 위해 사용된다.
- 라우터 요청/광고(Router Solicitation/Advertisement) : 이웃 라우터의 존재 여부를 확인하기 위해 사용된다.
- 타임스탬프 요청/응답(Timestamp Request/Reply) : 현재의 날짜와 시간을 나타내는 타임스탬프를 얻기 위해 사용된다. 타임스탬프는 1900년 1월 1일부터 경과한 시간을

초로 나타낸 값이다.

■ 정보 요청/응답(Information Request/Reply) : 라우팅 등에 필요한 정보를 얻기 위해 사용된다.

■ 주소 마스크 요청/응답(Address Mask Request/Reply) : 서브넷 마스크를 알기 위해 사용된다.

ICMP에는 표 12.1에 열거한 바와 같이 15가지 유형의 다양한 메시지가 있다. 예를 들어, 목적지에 도달할 수 없는 경우에는 유형 3인 ICMP 메시지를 사용한다.

ICMP 메시지 포맷의 공통 필드는 그림 12.11과 같으며, 각 필드의 기능은 다음과 같다.

■ 유형(type) : ICMP 메시지의 유형을 나타낸다. Echo Request 메시지인 경우에는 이 필드의 값이 8이며, Echo Reply 메시지인 경우에는 0이다.

■ 코드(code) : ICMP 메시지에 대한 추가적인 정보를 제공한다. Destination Unreachable 메시지인 경우, 목적지 네트워크에 도달할 수 없다면 이 필드의 값은 0이고, 목적지 호스트에 도달할 수 없다면 1이다.

■ 체크섬(checksum) : 전체 메시지에 대한 오류를 검사하는 데 사용하며, 16비트 단위로 1의 보수 합을 계산한 것이다.

그림 12.12와 같이 사용자가 "ping 도메인 이름"을 입력하면 Ping은 목적지 호스트로 ICMP Echo Request 메시지를 송신하고, 이 메시지를 받은 목적지 호스트는 ICMP Echo

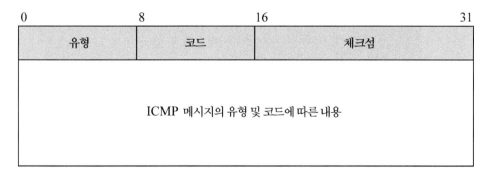

0	8	16	31
유형	코드	체크섬	
ICMP 메시지의 유형 및 코드에 따른 내용			

| 그림 12.11 | ICMP 메시지 포맷의 공통 필드

| 표 12.1 | ICMP 메시지의 유형

유형	코드	기 능
0	0	반향 응답(Echo Reply)
3		목적지 도달 불능(Destination Unreachable)
	0	network unreachable
	1	host unreachable
	2	protocol unreachable
	3	port unreachable
	4	fragmentation needed but don't fragment bit set
	5	source route failed
	6	destination network unknown
	7	destination host unknown
	8	source host isolated
	9	destination network administratively prohibited
	10	destination host administratively prohibited
	11	network unreachable for TOS
	12	host unreachable for TOS
	13	communication administratively prohibited by filtering
	14	host precedence violation
	15	precedence cutoff in effect
4	0	근원지 억제(Source Quench)
5		재경로(Redirect)
	0	redirect for network
	1	redirect for host
	2	redirect for TOS and network
	3	redirect for TOS and host
8	0	반향 요청(Echo Request)
9	0	라우터 광고(Router Advertisement)
10	0	라우터 요청(Router Solicitation)
11		시간 초과(Time Exceeded)
	0	TTL equals 0 during transit
	1	TTL equals 0 during reassembly
12		부적절한 파라미터(Parameter Problem)
	0	IP header bad
	1	required option missing
13	0	타임스탬프 요청(Timestamp Request)
14	0	타임스탬프 반환(Timestamp Reply)
15	0	정보 요청(Information Request)
16	0	정보 반환(Information Reply)
17	0	주소 마스크 요청(Address Mask Request)
18	0	주소 마스크 반환(Address Mask Reply)

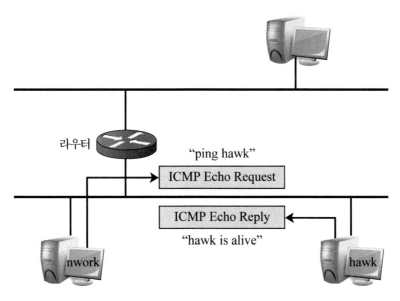

| 그림 12.12 | Ping 연결성 시험

Reply 메시지로서 응답한다. Ping은 "host is alive"라고 목적지 호스트에 연결 가능하다는 것을 사용자에게 알려준다.

ICMP Echo Request와 Echo Reply 메시지의 포맷을 그림 12.13에 나타내었다.

식별자(identifier)와 순서 번호(sequence number)는 Echo Request 메시지와 Echo Response 메시지를 연관짓기 위해 사용되는 필드이며, 순서 번호는 Echo Request 메시지를 전송할 때마다 1씩 증가한다.

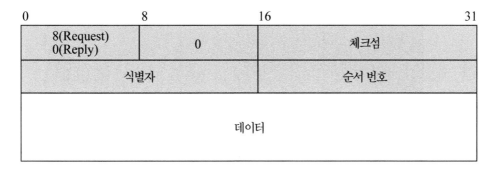

| 그림 12.13 | ICMP Echo Request/Reply 메시지의 포맷

12.6 최단 경로 탐색 알고리즘

Data Communication & Computer Network

라우팅은 최적의 경로, 즉 근원지에서 목적지까지의 최단 경로를 선택하는 것을 말하며, 라우터는 홉의 수 또는 지연이 최소이거나 트래픽의 처리율이 최대인 경로를 최단 경로로 평가한다.

라우팅을 위한 최단 경로의 탐색에는 다음과 같은 알고리즘들이 사용된다.

- Dijkstra 알고리즘
- Bellman-Ford 알고리즘

● Dijkstra 알고리즘

Dijkstra 알고리즘은 근원지로부터 목적지까지의 스패닝 트리(spanning tree)를 형성해 가는 과정을 거쳐 최단 경로를 탐색한다.

그림 12.14와 같은 통신망에서 Dijkstra 알고리즘을 이용하여 근원지 1에서 목적지 6까지의 최단 경로를 탐색하는 과정은 다음과 같다. 단, 링크상의 수치들은 지연 시간이라고 가정한다.

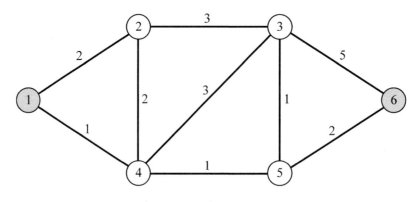

| 그림 12.14 | 통신망의 예

근원지 1과 이웃한 모든 라우터들 중에서 지연이 가장 적은 라우터를 선택한다. 이때 근원지와 직접 연결되지 않은 라우터들까지의 지연은 ∞로 간주한다.

라우터 2까지의 지연은 2, 라우터 4까지의 지연은 1이므로 라우터 4를 선택하고 그림 12.15(a)와 같이 근원지 1과 라우터 4를 연결한 트리를 형성한다. 이 트리는 근원지 1과 라우터 4를 포함하므로 라우터 집합 M={1,4}라고 표현한다.

근원지 1과 라우터 4를 연결한 트리에 직접 연결된 라우터들 중 근원지 1로부터 지연이 가장 적은 라우터를 탐색한다.

라우터 2와 라우터 5까지의 지연은 2이고, 라우터 3까지의 지연은 4이므로 일단 라우터 2를 선택하고 그림 12.15(b)와 같이 근원지 1과 라우터 2, 라우터 4를 포함한 트리를 형성한다. 이를 라우터 집합 M={1,2,4}라고 표현한다.

마찬가지 방법으로 라우터 집합 M={1,2,4}의 트리에 직접 연결된 라우터들 중 근원지 1로부터 지연이 가장 적은 라우터를 탐색한다. 라우터 5까지의 지연은 2이고, 라우터 3까

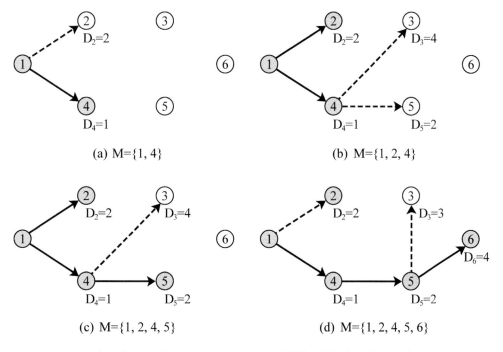

(a) M={1, 4}

(b) M={1, 2, 4}

(c) M={1, 2, 4, 5}

(d) M={1, 2, 4, 5, 6}

| 그림 12.15 | Dijkstra 알고리즘을 이용한 최단 경로 탐색 과정

지의 지연은 4이므로 라우터 5를 선택하고 그림 12.15(c)와 같이 근원지 1과 라우터 2, 라우터 4, 라우터 5를 포함한 트리를 형성한다. 이를 라우터 집합 M={1,2,4,5}라고 표현한다.

목적지 6은 라우터 집합 M={1,2,4,5}의 트리에 직접 연결되어 있으므로 그림 12.15(d)와 같이 라우터 4, 라우터 5를 경유하는 경로 1-4-5-6을 최단 경로로 선택한다.

이러한 방법으로 라우터 집합 M에 모든 라우터들을 포함시킴으로써 표 12.2와 같은 모든 목적지에 대한 최단 경로 표를 얻을 수 있다. 예를 들어, 목적지가 3인 경우, 경로 1-2-3과 경로 1-4-3은 지연이 각각 5, 4인 반면에 경로 1-4-5-3은 지연이 3이므로 이를 최단 경로로 선택한다.

| 표 12.2 | Dijkstra 알고리즘을 이용한 최단 경로 표

단계		D_2	경로	D_3	경로	D_4	경로	D_5	경로	D_6	경로
1	{1}	2	1-2	∞	-	1	1-4	∞	-	∞	-
2	{1,4}	2	1-2	4	1-4-3	1	1-4	2	1-4-5	∞	-
3	{1,2,4}	2	1-2	4	1-4-3	1	1-4	2	1-4-5	∞	-
4	{1,2,4,5}	2	1-2	3	1-4-5-3	1	1-4	2	1-4-5	4	1-4-5-6
5	{1,2,3,4,5}	2	1-2	3	1-4-5-3	1	1-4	2	1-4-5	4	1-4-5-6
6	{1,2,3,4,5,6}	2	1-2	3	1-4-5-3	1	1-4	2	1-4-5	4	1-4-5-6

● Bellman-Ford 알고리즘

Bellman-Ford 알고리즘은 홉의 수를 증가시키면서 근원지로부터 목적지까지의 최단 경로를 탐색한다.

그림 12.14와 같은 통신망에서 Bellman-Ford 알고리즘을 이용하여 근원지 1에서 목적지 6까지의 최단 경로를 탐색하는 과정은 그림 12.16과 같다. 단, 링크상의 수치들은 지연시간이라고 가정한다.

그림 12.16(a)와 같이 근원지 1로부터 홉의 수가 1인 라우터들은 라우터 2와 라우터 4가 있으며, 이들 라우터까지의 지연은 각각 2, 1이다. 홉의 수가 2일 때 도달할 수 있는 라우터들까지의 경로들 중 지연이 가장 적은 경로를 선택한다.

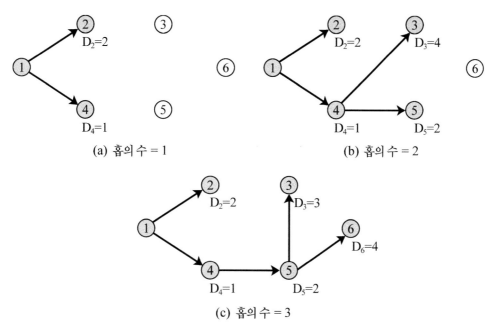

(a) 홉의 수 = 1 (b) 홉의 수 = 2

(c) 홉의 수 = 3

| 그림 12.16 | Bellman–Ford 알고리즘을 이용한 최단 경로 탐색 과정

예를 들어, 라우터 3에 도달할 수 있는 방법은 경로 1-2-3, 1-4-3의 2가지가 있지만 지연이 각각 5, 4이므로 그림 12.16(b)와 같이 경로 1-4-3을 선택한다.

홉의 수가 3이면 목적지 6에 도달할 수 있으며, 그림 12.16(c)와 같이 경로 1-4-5-6의 지연이 가장 적으므로 이 경로를 최단 경로로 선택한다.

이러한 방법으로 표 12.3과 같은 모든 목적지에 대한 최단 경로 표를 얻을 수 있다.

| 표 12.3 | Bellman–Ford 알고리즘을 이용한 최단 경로 표

홉 수	D_2	경로	D_3	경로	D_4	경로	D_5	경로	D_6	경로
1	2	1-2	∞	-	1	1-4	∞	-	∞	-
2	2	1-2	4	1-4-3	1	1-4	2	1-4-5	∞	-
3	2	1-2	3	1-4-5-3	1	1-4	2	1-4-5	4	1-4-5-6
4	2	1-2	3	1-4-5-3	1	1-4	2	1-4-5	4	1-4-5-6

12.7 RIP/OSPF/BGP

자치 시스템(autonomous system)이란 통신망 사업자 등의 단일 기관에 의해 관리되는 통신망을 말한다.

그림 12.17에서 보는 바와 같이 동일한 자치 시스템 내에 있는 라우터들 간에는 내부 라우터 프로토콜에 의해 라우팅 정보가 전달되지만 서로 다른 자치 시스템에 있는 라우터들 간에는 외부 라우터 프로토콜에 의해 라우팅 정보가 전달된다.

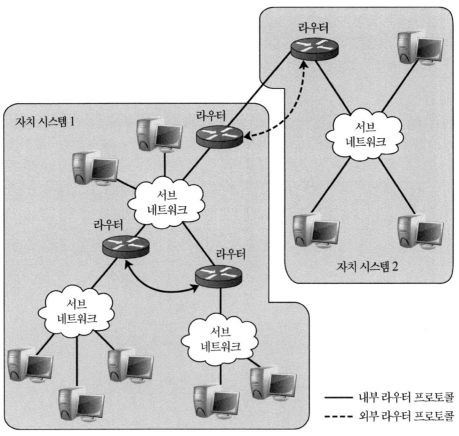

| 그림 12.17 | 자치 시스템

○ RIP

RIP(Routing Information Protocol)는 소규모 네트워크에서 사용되고 있는 내부 라우터 프로토콜이며, RIP의 특징은 다음과 같다.

- RIP 메시지는 전송 계층의 UDP 데이터그램에 의해 운반된다.
- 경로 선택 메트릭(metric)은 홉 카운트(hop count)이다.
- 최단 경로 탐색에는 Bellman-Ford 알고리즘을 사용한다.
- 거리 벡터(distance vector) 라우팅 프로토콜이라고도 한다.
- 각 라우터는 이웃 라우터들로부터 수신한 정보를 이용하여 라우팅 표를 갱신한다.
- 30초마다 주기적으로 라우팅 정보를 교환한다.
- 네트워크의 상황 변화에 신속하게 대처하지 못한다.
- 홉 카운트가 16이면 목적지까지 도달할 수 없는 것으로 간주하기 때문에 대규모 네트워크에는 적합하지 않다.
- 멀티캐스팅을 지원하지 못한다.

RIP 프로토콜에서는 각 라우터가 이웃 라우터들이 보내온 라우팅 정보에 의해 라우팅 표를 갱신하므로 그림 12.18에 예시한 바와 같은 상황이 발생될 수 있다.

정상적인 경우에는 그림 12.18(a)와 같이 라우터 B와 라우터 C가 서로의 라우팅 표를 교환함으로써 원활한 라우팅이 가능하다.

그림 12.18(b)와 같이 라우터 A가 고장이 나서 네트워크 1에 도달할 수 없는 경우에도 이 사실을 알 수 없는 라우터 C는 여전히 자신을 경유한다면 3홉으로 네트워크 1에 도달할 수 있다고 라우터 B에게 통보한다.

라우터 C로부터 받은 정보를 근거로 라우터 B는 자신의 라우팅 표에서 네트워크 1의 홉 카운트를 4홉으로 갱신하고, 그림 12.18(c)와 같이 갱신된 내용을 다시 라우터 C에게 통보한다. 라우터 C는 홉 카운트를 1홉 증가시키고 이를 다시 라우터 B에게 통보한다.

이러한 과정이 계속 반복 진행되어 홉 카운트가 16홉이 된 시점에서야 비로소 라우터 B와 라우터 C가 네트워크 1에 도달할 수 없다는 사실을 알게 된다. 이와 같은 방법으로는 네트워크의 상황 변화에 신속하게 대처할 수 없다.

RIP는 어떤 링크를 통해 수신한 특정 경로에 대한 갱신 정보를 다시 그 링크를 통해 역방향으로 전달하지 않음으로써 counting to infinity 문제를 해결한다.

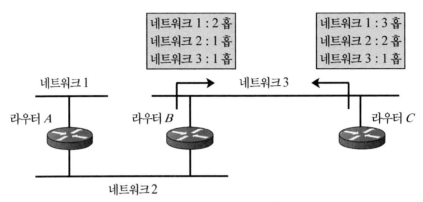

(a) 정상적인 상태에서의 라우팅 정보 교환

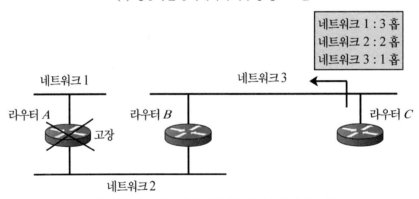

(b) 라우터 *A*가 고장인 상황에서의 라우팅 정보 교환

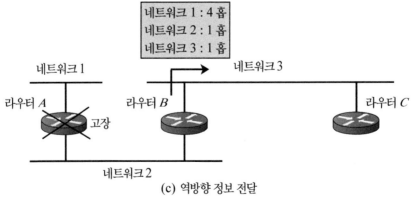

(c) 역방향 정보 전달

| 그림 12.18 | counting to infinity 문제

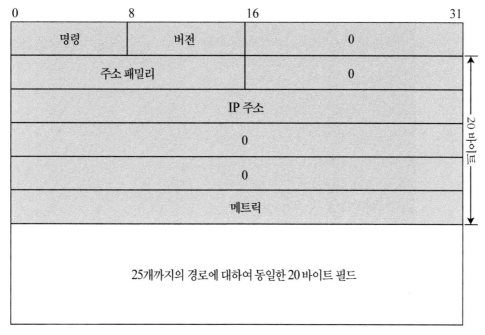

| 그림 12.19 | RIP 메시지의 포맷

RIP 메시지의 포맷은 그림 12.19와 같으며, 각 필드의 기능은 다음과 같다.

- 명령(command) : RIP 명령의 유형을 나타내며, 요청인 경우에는 이 필드의 값이 1이고, 응답인 경우에는 2이다. 요청 명령은 라우팅 표의 전부 혹은 일부를 보내도록 모든 라우터에게 방송되며, 각 라우터는 요청에 즉시 응답한다. 라우터들이 라우팅 표를 갱신하였을 경우에는 요청에 관계없이 응답 명령을 전송한다.
- 버전(version) : 통상적인 RIP는 이 필드의 값이 1이다.
- 주소 패밀리(address family) : 주소의 유형을 나타내며, IP 주소인 경우에는 이 필드의 값이 2이다.
- IP 주소(IP address) : 특정 네트워크를 나타내기 위해 호스트 식별자 부분을 0으로 세팅한 32비트 IP 주소이다.
- 메트릭(metric) : IP 주소 필드에 지정된 네트워크까지의 홉 카운트이다.

한 경로에 대한 라우팅 정보를 주고받는 데 20바이트가 정의되며, 최대 25개의 경로에 대한 정보만을 주고받을 수 있다.

○ OSPF

OSPF(Open Shortest Path First)는 인터넷에 널리 사용되고 있는 대표적인 내부 라우팅 프로토콜이며, OSPF의 특징은 다음과 같다.

- OSPF 메시지는 인터넷 계층의 IP 패킷에 의해 운반된다.
- 경로 선택 메트릭은 TOS(Type Of Service) 개념을 기반으로 한다.
- 최단 경로 탐색에는 Dijkstra 알고리즘을 사용한다.
- 링크 상태(link state) 라우팅 프로토콜이라고도 한다.
- 각 라우터는 모든 라우터들로부터 수신한 정보를 이용하여 라우팅 표를 갱신한다.
- 변화가 있을 때에만 모든 라우터들에게 라우팅 정보를 보낸다.
- 네트워크 변화에 신속하게 대처할 수 있다.
- 대규모 네트워크에 적합하다.
- 멀티캐스팅을 지원한다.

OSPF는 그림 12.20에서 보는 바와 같이 영역(area)이라는 개념을 도입하고 있다. 영역은 서로 연결된 네트워크, 호스트, 라우터들로 구성된다.

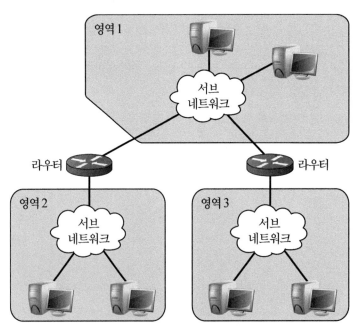

| 그림 12.20 | 자치 시스템 내에서의 영역

| 그림 12.21 | Hello 메시지를 이용한 이웃 라우터 검사

OSPF는 동일한 영역에 있는 라우터들에게만 링크 상태 정보를 방송한다. 이렇게 함으로써 라우팅 정보의 전달로 인한 인터넷 상의 과도한 트래픽을 감소시킬 수 있다.

OSPF는 그림 21.21에서 보는 바와 같이 Hello 메시지를 이용하여 이웃한 라우터를 검사하며, 라우터들이 자신의 데이터베이스를 초기화하기 위해 Database Description 메시지를 교환한다.

갱신된 링크 상태 정보를 교환하기 위해 Link State Request 메시지, Link State Update 메시지, Link State Acknowledgment 메시지를 이용한다.

5가지 OSPF 메시지에 공통인 헤더 포맷은 그림 12.22와 같으며, 각 필드의 기능은 다음과 같다.

■ 버전(version) : 통상적인 OSPF는 이 필드의 값이 2이다.

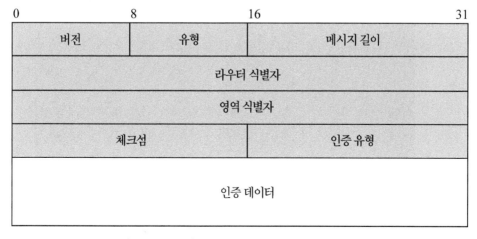

| 그림 12.22 | OSPF 메시지의 공통 헤더 포맷

- 유형(type) : OSPF 메시지의 유형을 나타낸다.

  Hello 메시지 : 1

  Database Description 메시지 : 2

  Link State Request 메시지 : 3

  Link State Update 메시지 : 4

  Link State Acknowledgment 메시지 : 5
- 메시지 길이(message length) : 바이트 단위로 나타낸 공통 헤더를 포함한 메시지의 길이이다.
- 라우터 식별자(router identification) : OSPF 메시지를 송신하는 라우터의 32비트 IP 주소이다.
- 영역 식별자(area identification) : OSPF 메시지가 전달되는 영역을 식별하기 위한 필드이다.
- 체크섬(checksum) : 오류를 검사하는 데 사용되며, 16비트 단위로 1의 보수 합을 계산한 것이다.
- 인증 유형(authentication type) : 인증 체계를 나타내는 필드이며, 0이면 인증 기능을 사용하지 않으며, 1이면 간단한 패스워드를 사용한다는 것을 의미한다.
- 인증 데이터(authentication data) : 인증용 데이터이다.

BGP

BGP(Border Gateway Protocol)는 상이한 자치 시스템에 있는 라우터 간에 라우팅 정보를 교환하는 데 사용되는 외부 라우터 프로토콜이며, BGP의 특징은 다음과 같다.

- BGP 메시지는 전송 계층 프로토콜인 TCP 세그먼트에 의해 운반된다.
- BGP를 실행하는 두 시스템은 TCP 연결을 설정한 다음 전체 BGP 라우팅 표를 교환한다.
- BGP는 거리 벡터 라우팅 프로토콜이지만 자치 시스템의 관리자에 의해 라우팅 정책이 결정되므로 정책 기반 라우팅(policy based routing)이라고도 한다.

BGP는 다음과 같은 메시지를 이용하여 라우터 간에 라우팅 정보를 교환한다.

- Open 메시지 : TCP 연결이 설정된 다음 보내는 첫 메시지로서 두 라우터가 이웃 관계를 오픈하기 위해 전송된다.

- Update 메시지 : 단일 경로에 대한 정보나 제거할 경로들의 목록 등 라우팅 정보를 교환하기 위해 전송된다.

- Keepalive 메시지 : Open 메시지의 응답으로서 전송되며, 이웃 관계가 유지되고 있음을 확인하기 위해 주기적으로 전송된다.

- Notification 메시지 : 오류 상태가 검출되었을 때 전송되며, 이 메시지를 전송하면 즉시 연결이 끊어진다.

위에 열거한 4가지 BGP 메시지에 공통인 헤더 포맷은 그림 12.23과 같으며, 각 필드의 기능은 다음과 같다.

- 마커(marker) : 두 BGP 프로세스 간의 동기 상실을 검출하거나 BGP 메시지를 인증하기 위해 사용된다.

- 길이(length) : 바이트 단위로 나타낸 메시지의 길이이다.

- 유형(type) : 메시지의 유형을 나타내는 필드이다.

        Open 메시지 : 1

        Update 메시지 : 2

        Notification 메시지 : 3

        Keepalive 메시지 : 4

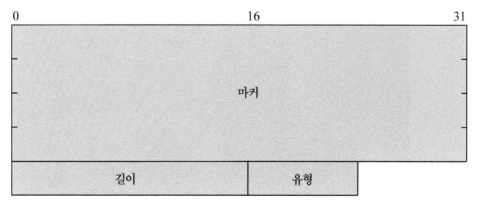

| 그림 12.23 | BGP 메시지의 헤더 포맷

전송 계층 프로토콜

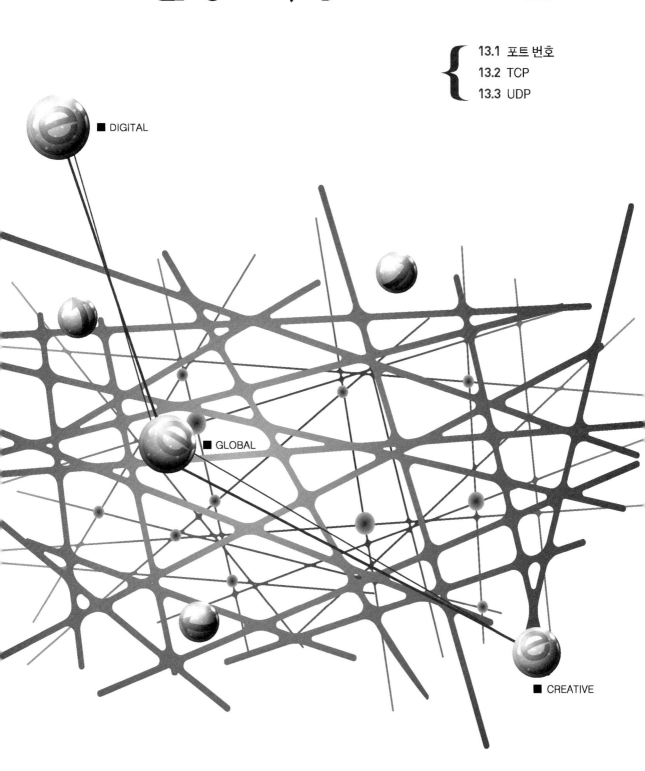

13.1 포트 번호

TCP/IP 통신 소프트웨어를 실행하는 대부분의 컴퓨터에서는 많은 프로세스들이 동시에 수행된다. 여러 응용 프로세스들이 동시에 TCP/IP 통신 서비스를 이용할 수 있기 때문에 동일한 호스트 내의 응용 프로세스들을 식별할 수 있어야 한다.

응용 프로세스를 식별하기 위해 16비트의 포트 번호(port number)를 사용하며, 포트 번호는 다음과 같이 할당된다.

- 포트 0 : 사용하지 않음
- 포트 1 ~ 1023 : 널리 알려진 시스템 포트
- 포트 1024 ~ 49151 : 사용자 등록 포트
- 포트 49152 ~ 65535 : 동적 임시 포트

그림 13.1에서 보는 바와 같이 FTP 서버는 TCP 포트 21을 이용하여 제어 연결을 설정하고 TCP 포트 20을 이용하여 데이터를 전달하는 파일 전달 서비스를 제공한다. Telnet 서버는 TCP 포트 23을 이용하여 원격 로그인 서비스를 제공한다.

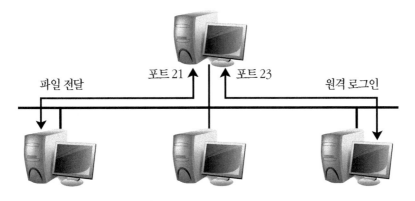

포트 21   포트 23

파일 전달   원격 로그인

| 그림 13.1 | 포트 번호에 의한 프로세스의 식별

널리 알려진 서비스를 위한 시스템 포트는 IANA(Internet Assigned Number Authority)에서 할당한다. 일반적으로 서버 프로세스는 널리 알려진 시스템 포트를 사용하지만 클라이언트 프로세스는 서버와의 통신을 설정하기 위해 동적인 임시 포트를 사용한다.

한편, 사용자가 정의한 클라이언트/서버 응용에서는 서버 프로세스에 IANA에 등록한 사용자 포트를 사용한다.

/etc/services 파일에 널리 알려진 포트 및 UNIX 관련 예약 포트 번호가 포함되어 있다.

다음은 */etc/services* 파일의 내용 중 일부를 발췌한 것이다.

```
[nwork] > cat /etc/services
    echo            7/tcp       # Returns what client sends
    echo            7/udp
    discard         9/tcp       # Discards what client sends
    discard         9/udp
    daytime         13/tcp      # Returns time and date in human readable form
    daytime         13/udp
    chargen         19/tcp      # Sends continual stream of characters
    chargen         19/udp      # Sends datagram
    ftp-data        20/tcp      # File Transfer Protocol - data
    ftp             21/tcp      # File Transfer Protocol - control
    telnet          23/tcp      # Remote login
    smtp            25/tcp      # Simple Mail Transfer Protocol
    name            42/udp      # Nameserver
    tftp            69/udp      # Trivial File Transfer Protocol
    ntp             123/tcp     # Network Time Protocol
    ntp             123/udp
    kerberos        750/tcp     # Kerberos key server
    kerberos        750/udp
```

13.2 TCP

Data Communication & Computer Network

전송 제어 프로토콜인 TCP(Transmission Control Protocol)는 전송 계층에서 동작하는 대표적인 연결형 프로토콜이다.

TCP는 근원지 호스트의 특정 프로세스로부터 목적지 호스트의 특정 프로세스까지 신뢰성 있게 데이터를 전달하는 기능을 수행한다. 신뢰성 있는 데이터 전달이란 데이터에 오류가 없고 중복되지 않으며, 송신한 순서대로 정확히 목적지까지 데이터가 전달된다는 의미이다.

TCP는 연결형 바이트 스트림(connection-oriented byte stream) 서비스를 제공한다.

TCP를 이용하는 두 응용 프로세스는 데이터를 전달하기 전에 TCP 연결을 설정하여야 한다. TCP 연결이 설정되면 두 응용 프로세스 간에 바이트 스트림을 전달하고, 통신이 종료되면 TCP 연결을 끊는다.

TCP는 여러 시스템들과의 다중 연결을 동시에 지원하므로 연결들을 식별할 수 있어야 한다. TCP는 연결들을 식별하기 위해 IP 주소와 포트 번호로 구성된 소켓(socket)을 이용한다.

널리 알려진 TCP 포트를 이용하는 대표적인 응용 서비스는 다음과 같다.

- 포트 20 : FTP(File Transfer Protocol)-data
- 포트 21 : FTP-control
- 포트 23 : Telnet
- 포트 25 : SMTP(Simple Mail Transfer Protocol)
- 포트 80 : HTTP(Hyper Text Transfer Protocol)
- 포트 110 : POP3(Post Office Protocol 3)
- 포트 443 : HTTPS(Hyper Text Transfer Protocol Secure)

TCP는 다음과 같은 기능을 수행한다.

- 경유하는 통신망에 적합한 크기로 응용 데이터를 분할한다. 최대 세그먼트 크기 MSS (Maximum Segment Size)는 TCP 연결을 설정할 때 협상이 이루어진다. MSS의 디폴트 값은 536바이트이므로 디폴트 값을 사용하는 경우, IP 패킷의 크기는 그림 13.2에서 보는 바와 같이 TCP 헤더 20바이트와 IP 헤더 20바이트를 포함하여 576바이트가 된다.

- 순서가 뒤바뀐 세그먼트를 정렬하고 중복된 세그먼트를 폐기한다. TCP 세그먼트는 IP 패킷으로 운반되므로 수신 측에 도착한 세그먼트들은 순서가 뒤바뀌거나 중복될 수도 있다. TCP는 순서 번호를 이용하여 원래의 순서대로 세그먼트를 재조립하여 응용 계층으로 전달한다.

- 헤더와 데이터에 대하여 단대단 체크섬을 수행한다. 오류가 없으면 송신 측으로 확인 응답을 보내지만 오류가 검출되면 세그먼트를 폐기하고 응답하지 않는다.

- 슬라이딩 윈도우 기법을 이용한 흐름 제어를 수행한다.

- 타이머를 구동한다. TCP는 세그먼트를 전송할 때 retransmission 타이머를 구동하여 타임아웃 될 때까지 수신 측으로부터 확인을 받지 못하면 재전송한다. 윈도우가 증가 되었는지를 확인하기 위해 persist 타이머를 사용한다. TCP 연결이 장기간 동안 유휴 상태인 경우에는 상대방이 연결을 유지하고 있는지를 확인하기 위해 keepalive 타이머를 사용한다. TCP 연결을 종료할 때에는 2배의 MSL(Maximum Segment Lifetime) 시간 동안 TIME_WAIT 상태로 유지될 수 있도록 하기 위해 2MSL 타이머를 구동한다.

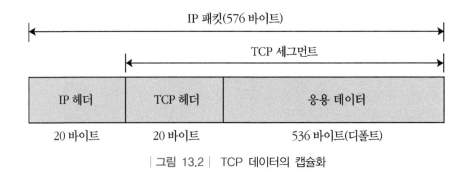

| 그림 13.2 | TCP 데이터의 캡슐화

TCP 세그먼트는 그림 13.3에서 보는 바와 같이 20바이트의 헤더와 데이터 부분으로 구
성되며, 각 필드의 기능은 다음과 같다.

- 근원지 포트 번호(source port number) : 근원지 호스트의 응용 프로세스를 식별하기
  위한 16비트 포트 번호이다.
- 목적지 포트 번호(destination port number) : 목적지 호스트의 응용 프로세스를 식별
  하기 위한 16비트 포트 번호이다.
- 순서 번호(sequence number) : 데이터 필드에 포함된 데이터의 첫 번째 바이트에 할
  당된 32비트 순서 번호이다. TCP 연결을 설정할 때 초기 순서 번호(ISN : Initial
  Sequence Number)가 선정되며, 데이터의 각 바이트마다 순서 번호가 1씩 증가한다.
- 확인 번호(acknowledgment number) : 다음에 수신할 순서 번호를 나타내는 32비트
  필드이다.
- 헤더 길이(header length) : 32비트 단위로 나타낸 헤더의 길이이다.
- 플래(flag) : TCP는 6비트의 플래을 사용한다.
  - URG(urgent) : 긴급 포인터가 유효함을 나타낸다.
  - ACK(acknowledgment) : 확인 번호가 유효함을 나타낸다.

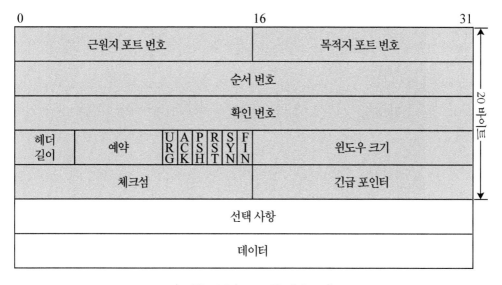

| 그림 13.3 | TCP의 헤더 포맷

- PSH(push) : 수신 측 TCP가 데이터를 가능한 한 신속하게 응용 프로세스로 보내도록 push 함수를 호출한다.
- RST(reset) : 연결을 리셋한다.
- SYN(synchronization) : 연결을 초기화하기 위해 순서 번호를 동기화한다.
- FIN(finish) : 송신 측 TCP가 데이터 전송을 종료한다.

■ 윈도우 크기(window size) : 흐름 제어를 위한 16비트 필드이며, 윈도우의 크기는 바이트의 수로 나타낸다.

■ 체크섬(checksum) : 헤더와 데이터를 포함하여 TCP 세그먼트 전체에 대한 오류를 검사하는 데 사용되며, 16비트 단위로 1의 보수 합을 계산한 것이다.

■ 긴급 포인터(urgent pointer) : 송신 측이 긴급한 데이터를 전달하기 위해 URG 플래그를 세팅하였을 때에만 유효한 포인터이다. 이 필드의 값은 긴급 데이터의 마지막 바이트의 순서 번호를 나타내기 위해 순서 번호 필드의 값에 더해진 오프셋이다.

■ 선택 사항(option) : 최대 세그먼트 크기를 지정하거나 윈도우 크기를 확장하기 위해 사용되는 가변 길이 필드이다.

TCP 연결을 이용한 응용 서비스는 클라이언트/서버 형태로써 제공되는 데 서버는 클라이언트로부터의 연결 요청을 대기하고 있다가 수동적으로 연결을 설정하기 때문에 수동 오픈(passive open)이라고 하며, 클라이언트는 서버에게 능동적으로 연결을 요청하기 때문에 능동 오픈(active open)이라고 한다.

TCP는 그림 13.4와 같이 3방향 핸드쉐이크(three-way handshake) 절차를 이용하여 연결을 설정한다.

■ 단계 1 : 클라이언트가 연결을 원하는 서버의 포트 번호와 클라이언트의 초기 순서 번호를 포함한 SYN 세그먼트를 서버에게 보낸다.
■ 단계 2 : 서버는 클라이언트의 초기 순서 번호에 1을 더한 확인 번호와 서버의 초기 순서 번호를 포함한 SYN 세그먼트로 응답한다.
■ 단계 3 : 클라이언트가 서버의 초기 순서 번호에 1을 더한 확인 번호를 포함한 ACK 세그먼트로 응답한다.

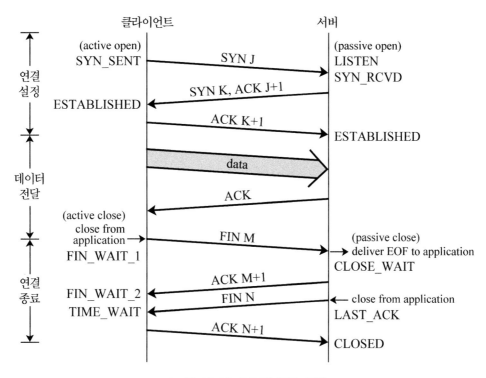

| 그림 13.4 | TCP의 동작 절차

연결이 설정되면 클라이언트와 서버 간에 양방향 데이터 전달이 이루어진다.

데이터 전달이 완료되면 다음과 같은 절차로서 TCP 연결을 끊는다.

- 단계 1 : 클라이언트는 데이터 전달을 완료한 응용으로부터 연결을 끊으라는 지시가 오면 클라이언트의 순서 번호를 포함한 FIN 세그먼트를 서버에게 보낸다.
- 단계 2 : 서버는 응용에게 받을 데이터가 더 이상 없다고 통보하고, 클라이언트의 순서 번호에 1을 더한 확인 번호를 포함한 ACK 세그먼트를 클라이언트에게 보낸다.
- 단계 3 : 서버는 응용으로부터 연결을 끊으라는 지시가 오면 서버의 순서 번호를 포함한 FIN 세그먼트를 클라이언트에게 보낸다.
- 단계 4 : 클라이언트는 서버의 순서 번호에 1을 더한 확인 번호를 포함한 ACK 세그먼트로 응답한다.

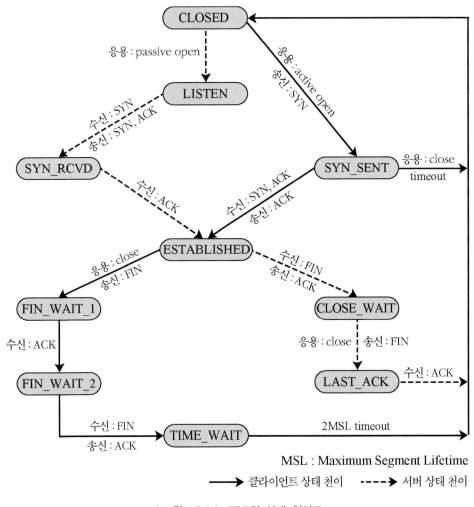

| 그림 13.5 | TCP의 상태 천이도

그림 13.5는 정상적인 연결 설정과 종료 절차를 고려한 TCP의 상태 천이도이다.

TCP는 CLOSED 상태에서 시작하여 연결이 설정되면 ESTABLISHED 상태가 되고, 이 상태에서 데이터의 전달이 이루어진다. 데이터 전달이 완료되면 TCP 연결을 종료하고 CLOSED 상태로 돌아간다.

TCP는 폭주 회피(congestion avoidance)와 slow start 기법을 사용하여 송신 측에 의한 흐름 제어를 한다. 폭주 회피와 slow start 기법에서는 수신 측 윈도우인 크레딧(credit)과 폭주 윈도우(congestion window)를 이용하며, 송신 측에 실제로 허용되는 윈도우 크기는 min(credit, congestion window)이다.

폭주 회피 기법은 정상 상태일 때에는 폭주 윈도우의 크기를 크레딧과 동일하게 하지만 하나의 패킷이 상실될 때마다 폭주 윈도우를 반으로 줄이는 기법이다. 폭주 상태가 심각하여 패킷이 계속 상실되면 폭주 윈도우가 지수 함수적으로 감소되므로 신속하게 트래픽의 양을 줄일 수 있게 된다.

slow start 기법은 폭주가 회복되거나 새로운 연결을 시작할 때 이용된다. 그림 13.6과 같이 처음에는 폭주 윈도우를 1로 초기화하여 하나의 세그먼트를 보내고 응답을 기다린다. 확인 응답이 도착하면 폭주 윈도우를 2로 증가시키고 2개의 세그먼트를 보낸다. 확인 응답이 도착할 때마다 폭주 윈도우를 1씩 증가시킨다.

slow start 기법은 이와 같이 트래픽의 양을 서서히 증가시키지만 폭주 윈도우의 크기가 어느 정도 커지면 다시 초기 상태로 환원함으로써 네트워크내의 트래픽을 조절한다.

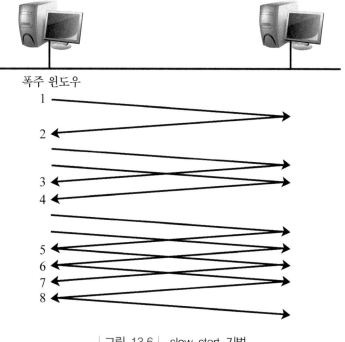

| 그림 13.6 | slow start 기법

13.3 UDP

사용자 데이터그램 프로토콜 UDP(User Datagram Protocol)는 전송 계층에서 동작하는 대표적인 비연결형 프로토콜이다.

UDP 프로토콜의 특징은 다음과 같다.

- 근원지 호스트의 특정 프로세스로부터 목적지 호스트의 특정 프로세스까지 데이터그램을 전달하지만 신뢰성을 제공하지 않는다.
- 비연결형 데이터 전달 서비스를 제공한다.
- 오류 제어와 흐름 제어를 하지 않는다.

UDP는 다음과 같은 오류가 발생할 수 있다.

- UDP 데이터그램의 상실
- UDP 데이터그램의 순서 뒤바뀜

UDP 데이터그램은 그림 13.7에서 보는 바와 같이 IP 패킷에 실려 운반되며, 경유하는 통신망에 적합한 크기로 분할되어 전송된다.

UDP를 사용하는 경우에는 상실된 UDP 데이터그램을 검출하여 재전송을 요청하고, 순서가 뒤바뀐 UDP 데이터그램을 원래의 순서대로 재조립하는 등의 오류 제어 기능은 상위 계층인 응용 계층에서 수행한다.

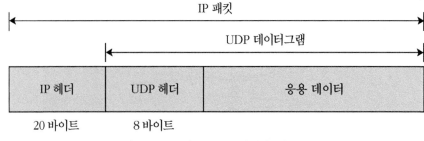

| 그림 13.7 | UDP 데이터의 캡슐화

TCP/IP 인터넷에서 널리 알려진 UDP 포트를 이용하는 대표적인 응용 서비스는 다음과 같다.

- 포트 7 : Echo
- 포트 9 : Discard
- 포트 53 : DNS(Domain Name System)
- 포트 123 : NTP(Network Time Protocol)
- 포트 161 : SNMP(Simple Network Management Protocol)
- 포트 750 : Kerberos

UDP 데이터그램은 그림 13.8에서 보는 바와 같이 8바이트의 헤더와 데이터 부분으로 구성되며, 각 필드의 기능은 다음과 같다.

- 근원지 포트 번호(source port number) : 근원지 호스트의 응용 프로세스를 식별하기 위한 16비트 포트 번호이다.
- 목적지 포트 번호(destination port number) : 목적지 호스트의 응용 프로세스를 식별하기 위한 16비트 포트 번호이다.
- UDP 길이(UDP length) : 32비트 단위로 나타낸 헤더와 데이터의 길이이다.
- 체크섬(checksum) : UDP 헤더와 데이터에 대한 오류를 검사하는 데 사용되며, 16비트 단위로 1의 보수 합을 계산한 것이다.

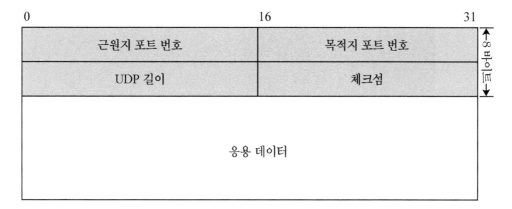

| 그림 13.8 | UDP의 헤더 포맷

Chapter

14

응용 계층 프로토콜

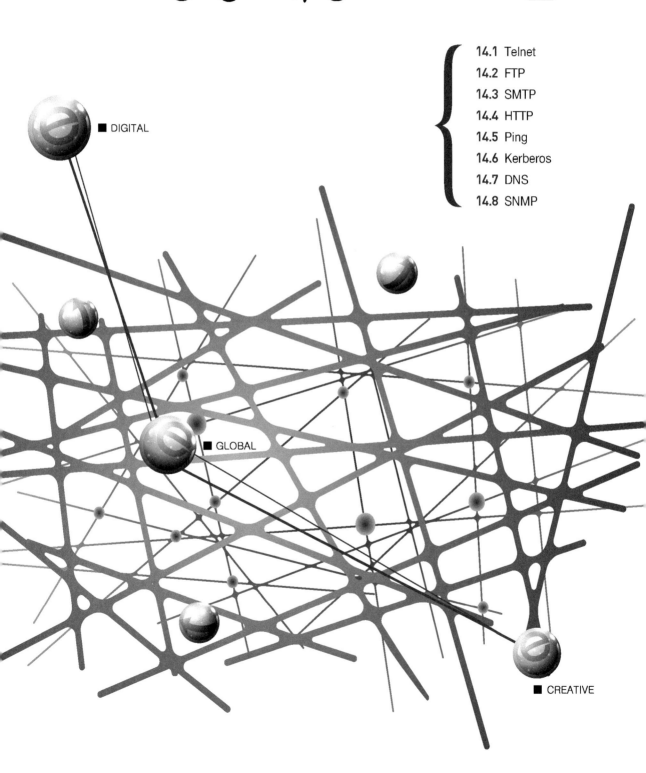

14.1 Telnet

Telnet은 사용자가 원격 호스트에 로그인 하여 작업할 수 있게 해주는 응용 계층 프로토콜이다. UNIX 시스템 간에서만 동작하는 Rlogin과는 달리 Telnet은 어떠한 운영체제를 사용하는 시스템에서도 동작한다.

Telnet은 그림 14.1에서 보는 바와 같이 TCP 23번 포트를 사용하여 연결을 설정한다. 클라이언트인 사용자가 입력한 명령이 서버로 보내지면 서버는 사용자가 요청한 명령을 수행하고 그 결과를 반환한다.

사용자의 로컬 호스트는 더미 터미널의 역할을 하기 때문에 Telnet으로 로그인 하여 작업한 내용은 원격 호스트에 남아 있게 된다.

Telnet 소프트웨어는 명령 모드와 입력 모드의 2가지 모드로 동작한다.

인자 없이 *telnet* 명령만을 입력하면 명령 모드가 되며, 화면에 *telnet>* 프롬프트가 나타난다. 입력 모드로 동작하기 위해서는 사용자가 *telnet* 명령에 로그인 하려는 원격 호스트의 도메인 이름을 입력한다.

로그인 절차가 완료되면 사용자는 로컬 호스트에 로그인 한 것처럼 원격 호스트를 사용할 수 있다.

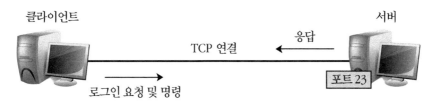

| 그림 14.1 | Telnet 프로토콜의 동작

14.2 FTP

FTP(File Transfer Protocol)는 로컬 호스트와 원격 호스트 간에 양방향으로 파일을 전달할 수 있게 해주는 응용 계층 프로토콜이다.

E-mail에 파일을 첨부하여 보낼 수도 있지만 FTP를 이용하면 용량이 큰 파일도 간편하게 주고받을 수 있다.

FTP는 그림 14.2에서 보는 바와 같이 TCP 21번 포트를 사용하여 제어 연결을 설정하고, TCP 20번 포트를 사용하여 데이터 연결을 설정한 다음 파일을 전달한다.

FTP의 동작 과정은 다음과 같다.

사용자가 *ftp* 명령에 파일을 전달하고자 하는 원격 호스트의 도메인 이름을 입력하여 FTP 서비스를 호출한다. FTP 클라이언트는 원격 호스트의 FTP 서버와 TCP 연결을 설정한다.

FTP 클라이언트는 사용자가 입력한 사용자 이름과 패스워드를 FTP 서버에게 보내고, FTP 서버는 사용자의 액세스 권한에 대한 인증 절차를 수행한다. 정당한 사용자이면 화면에 *ftp*> 프롬프트가 나타나면서 FTP 파일 전달 세션이 개시된다.

FTP를 이용한 파일의 전달에 있어서 자주 사용되는 명령어는 다음과 같다.

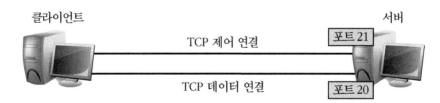

| 그림 14.2 | FTP 프로토콜의 동작

cd	change remote working directory
close	terminate ftp session
get	receive file
ls	list contents of remote directory
mget	get multiple files
mput	send multiple files
put	send one file
pwd	print working directory on remote machine
quit	terminate ftp session and exit

get 명령을 이용하여 원격 호스트에 있는 파일을 로컬 호스트로 가져오는 동작과 *put* 명령을 이용하여 로컬 호스트에 있는 파일을 원격 호스트로 보내는 동작은 다음과 같다.

```
ftp> get ftptest
200 PORT command successful.
150 ASCII data connection for ftptest (210.115.170.101,47574) (50157 bytes).
226 ASCII Transfer complete.
local: ftptest remote: ftptest
51383 bytes received in 0.26 seconds (1.9e+02 Kbytes/s)
ftp> put ohtest
200 PORT command successful.
150 ASCII data connection for ohtest (210.115.170.101,47575).
226 Transfer complete.
local: ohtest remote: ohtest
51383 bytes sent in 0.2 seconds (2.5e+02 Kbytes/s)
ftp> _
```

파일의 전달이 완료되면 로컬 호스트의 FTP 프로세스는 데이터 연결을 닫으며, 제어 연결을 이용하여 또 다른 파일 전달 동작을 개시하거나 제어 연결을 닫는다.

14.3 SMTP

SMTP(Simple Mail Transfer Protocol)는 E_mail 서버 간에 E_mail을 전달하는 응용 계층 프로토콜이다. 사용자는 POP3(Post Office Protocol 3)를 이용하여 E_mail 서버로부터 자신에게 온 E_mail을 가져온다.

E_mail 시스템은 그림 14.3에서 보는 바와 같이 사용자 에이전트 UA(User Agent), 메시지 전달 에이전트 MTA(Message Transfer Agent)로 구성되며, TCP 25번 포트를 사용하여 MTA 간에 연결을 설정한다.

UA는 사용자가 E_mail과 상호 작용하는 프로세스이며, Mail, MH(Mail Handler) 등이 UA의 기능을 수행한다.

MTA는 SMTP 클라이언트와 SMTP 서버 간에 E_mail을 교환하는 프로세스이며, Sendmail이 MTA의 기능을 수행한다.

사용자가 Internet Explorer의 Microsoft Express 등을 이용하여 E_mail을 주고받기 위해서는 E_mail 서버에 계정을 설정하는 절차가 필요하지만 많은 사용자들이 인터넷 포털이나 모바일 검색 엔진인 구글에서 제공하는 계정을 사용한다.

웹 mail을 이용하면 계정 설정과 관계없이 어느 컴퓨터에서나 보다 편리하게 인터넷 상에서 E_mail을 주고받을 수 있다.

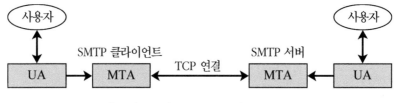

| 그림 14.3 | SMTP를 이용한 E_mail

14.4 HTTP

Data Communication & Computer Network

HTTP(Hyper Text Transfer Protocol)는 WWW(World Wide Web)에서 하이퍼텍스트 (hypertext) 문서 전달에 사용되는 응용 계층 프로토콜이다.

HTTP는 그림 14.4에서 보는 바와 같이 TCP 80번 포트를 사용하여 연결을 설정한다. 클라이언트가 HTTP로 원하는 웹 사이트에 접속하고 서비스를 요청하면 서버는 요청된 웹 페이지의 문서를 보여주게 된다.

HTML(Hypertext Markup Language)은 웹 브라우저에서 볼 수 있는 문서를 말하며, 웹 에서 한 페이지란 서버에 저장되어 있는 하나의 HTML 파일을 의미한다. HTML의 기본 형식은 다음과 같다.

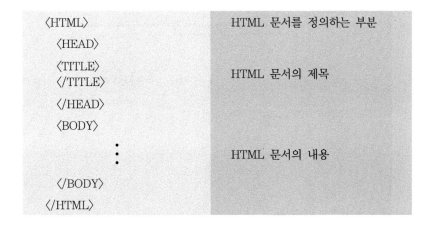

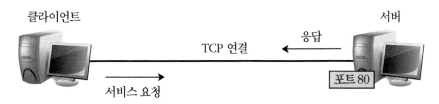

| 그림 14.4 | HTTP 프로토콜의 동작

14.5 Ping

Data Communication & Computer Network

Ping은 그림 14.5에서 보는 바와 같이 목적지 호스트의 연결성 시험을 하기 위해 사용하는 응용 계층 프로토콜이다.

그림 14.6은 Ping 연결성 시험을 한 결과의 화면이다.

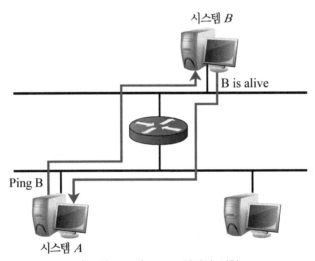

| 그림 14.5 | Ping 연결성 시험

```
Pinging nwork.chungbuk.ac.kr [210.115.170.131] with 32 bytes of data:

Reply from 210.115.170.131: bytes=32 time<1ms TTL=255
Reply from 210.115.170.131: bytes=32 time<1ms TTL=255
Reply from 210.115.170.131: bytes=32 time<1ms TTL=255
Reply from 210.115.170.131: bytes=32 time<1ms TTL=255
Reply from 210.115.170.131: bytes=32 time<1ms TTL=255
Reply from 210.115.170.131: bytes=32 time<1ms TTL=255
```
(a) 연결이 성공한 경우

```
Pinging nwork.chungbuk.ac.kr [210.115.170.131] with 32 bytes of data:

Request timed out.
Request timed out.
```
(b) 연결이 실패한 경우

| 그림 14.6 | Ping 연결성 시험의 결과 화면

14.6 Kerberos

Data Communication & Computer Network

Kerberos는 분산 환경에서 클라이언트와 서버 간에 상호 인증 기능을 제공하는 응용 계층 프로토콜이다. Kerberos는 MIT대학교의 Athena 프로젝트에 의해 개발되었으며, DES (Data Encryption Standard) 암호화 기반의 제 삼자 인증 프로토콜로서 사용자의 ID와 패스워드를 이용하여 사용자 인증 절차를 수행하고, 정당한 사용자이면 시스템에의 액세스를 허용한다.

Kerberos 인증 절차는 그림 14.7에서 보는 바와 같다.

- 단계 1 : 클라이언트가 인증 서버에게 TGT(Ticket-Granting Ticket)를 요청한다.
- 단계 2 : 인증 서버가 클라이언트에게 TGT를 반환한다.
- 단계 3 : 클라이언트가 티켓 허용 서버에게 서버 티켓을 요청한다.
- 단계 4 : 티켓 허용 서버가 클라이언트에게 서버 티켓을 반환한다.
- 단계 5 : 클라이언트가 서버에게 서비스를 요청한다.
- 단계 6 : 서버가 클라이언트에게 액세스를 허락한다.

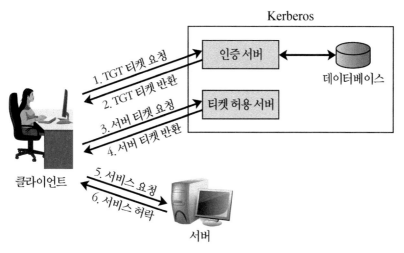

| 그림 14.7 | kerberos 인증 절차

14.7 DNS

DNS(Domain Name System)는 도메인 이름을 IP 주소로 변환하는 응용 계층 프로토콜이다.

이름 변환(name resolution) 기능은 다음과 같은 방법으로 수행될 수 있다.

- hosts 파일
- DNS 서버

hosts 파일에 의한 이름 변환을 하기 위해서는 통신하기를 원하는 모든 호스트의 도메인 이름과 IP 주소를 네트워크 관리자가 미리 */etc/hosts* 파일에 입력하여야 하고 필요에 따라 *hosts* 파일을 갱신한다.

다음은 */etc/hosts* 파일의 내용 중 일부이다.

```
[nwork] > cat /etc/hosts
127.0.0.1              localhosts
210.115.170.101        nwork          loghost
210.115.170.102        hawk           hawk.chungbuk.ac.kr
210.115.170.1          router         default gateway
```

hosts 파일을 이용한 이름 변환 방법은 그림 14.8에서 보는 바와 같이 호스트의 이름 변환 프로세스가 *hosts* 파일을 탐색하여 목적지 호스트의 도메인 이름을 IP 주소로 변환하는 방법이며, 소규모 네트워크에 사용된다.

인터넷의 경우에는 통신하려는 호스트의 수가 너무 방대하므로 로컬 *hosts* 파일에 도메인 이름과 IP 주소의 대응 관계를 유지하는 것이 불가능하기 때문에 DNS 서버를 이용하여 이름 변환을 수행한다.

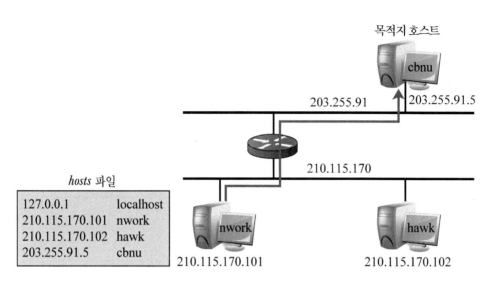

목적지 호스트

cbnu

203.255.91   203.255.91.5

210.115.170

hosts 파일

127.0.0.1	localhost
210.115.170.101	nwork
210.115.170.102	hawk
203.255.91.5	cbnu

nwork   hawk

210.115.170.101   210.115.170.102

| 그림 14.8 | hosts 파일을 이용한 이름 변환

DNS 서버는 호스트의 도메인 이름과 IP 주소에 대한 데이터베이스를 관리한다. DNS 클라이언트 프로세스를 변환기(resolver)라고 하며, DNS 클라이언트와 DNS 서버는 UDP 나 TCP의 53번 포트를 사용하여 연결을 설정한다.

DNS를 이용한 이름 변환 과정을 그림 14.9에 나타내었다.

호스트의 도메인 이름을 사용하는 명령이 입력되면 TCP/IP 통신 소프트웨어는 자동으로 DNS 변환기 프로세스를 호출한다. 변환기는 도메인 이름에 해당하는 IP 주소를 알려 주도록 DNS 서버에게 DNS 질의(query) 메시지를 보낸다.

DNS 서버는 IP 주소를 포함한 DNS 응답(response) 메시지를 변환기로 반환하며, 근원 지 호스트는 DNS 서버가 보내온 IP 주소를 이용하여 목적지 호스트로 데이터를 전송한다.

소규모 네트워크에서는 하나의 DNS 서버로도 이름 변환이 가능하지만 대규모 네트워크 에서는 데이터베이스의 용량이 너무 커져서 탐색 시간이 길어질 뿐만 아니라 DNS 메시지 들로 인해 네트워크의 성능이 저하된다. 이러한 문제를 해결하기 위해 계층적으로 DNS 서버를 지정할 수 있다.

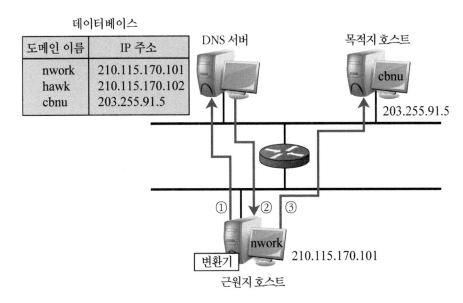

도메인 이름	IP 주소
nwork	210.115.170.101
hawk	210.115.170.102
cbnu	203.255.91.5

데이터베이스

DNS 서버

목적지 호스트

cbnu

203.255.91.5

① ② ③

변환기 nwork 210.115.170.101

근원지 호스트

| 그림 14.9 | DNS를 이용한 이름 변환

계층적 DNS 서버를 이용하는 경우에는 DNS 서버들이 자신의 도메인에 대한 데이터베이스만을 관리한다. 변환기가 특정 DNS 서버에게 이름 변환 서비스를 요청하였을 때 DNS 서버의 데이터베이스에 해당 엔트리가 없을 수가 있다. 이러한 상황에 대처하기 위해 변환기는 다음과 같은 방법으로 이름 변환 서비스를 요청할 수 있다.

■ 순환적 변환
■ 반복적 변환

순환적 변환(recursive resolution)은 변환기로부터 이름 변환 요청을 받은 DNS 서버가 필요하다면 다른 DNS 서버와 접촉하여서라도 변환기에게 IP 주소를 반환한다.

반복적 변환(iterative resolution)은 변환기로부터 이름 변환 요청을 받은 DNS 서버가 이름 변환 기능을 수행할 수 없다면 다른 DNS 서버를 변환기에게 알려준다. 변환기는 다른 DNS 서버에게 다시 이름 변환을 요청한다. 변환기는 IP 주소를 얻을 때까지 DNS 서버들과 접촉한다.

14.8 SNMP

Data Communication & Computer Network

SNMP(Simple Network Management Protocol)는 그림 14.10에서 보는 바와 같이 SNMP 매니저와 SNMP 에이전트 간의 통신에 사용되는 네트워크 관리 프로토콜이다.

SNMP 에이전트는 정해 놓은 규격에 따라 정보를 수집하고 보관하며, SNMP 매니저는 SNMP 에이전트의 정보를 수집해서 전체 네트워크를 관리한다. 관리하는 객체를 정의한 규격을 MIB(Management Information Base)이라고 한다.

SNMP 매니저와 에이전트 간에 주고받는 메시지는 다음과 같다.

- Get-Request 메시지 : 매니저가 지정한 객체를 가져온다.
- Get-Next-Request 메시지 : 매니저가 지정한 객체의 다음 객체를 가져온다.
- Set-Request 메시지 : 매니저가 지정한 객체의 값을 설정한다.
- Get-Response 메시지 : 매니저의 요청에 대한 결과를 보낸다.
- Trap 메시지 : 특별한 이벤트가 발생한 경우, 매니저에게 알린다.

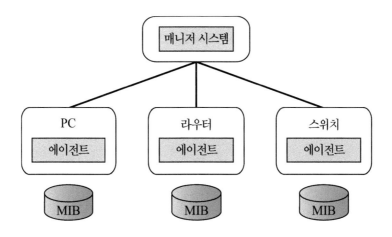

MIB : Management Information Base

| 그림 14.10 | SNMP의 구조

MIB 변수들에 이름을 할당하기 위해 사용하는 계층적 객체 식별자의 이름 공간을 그림 14.11에 나타내었다.

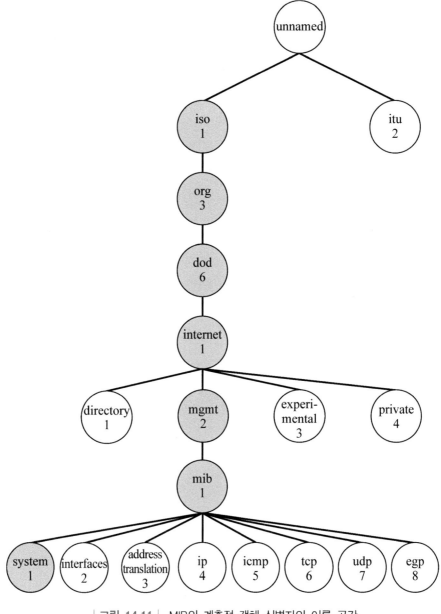

| 그림 14.11 | MIB의 계층적 객체 식별자의 이름 공간

MIB의 관리 객체들은 ISO의 ASN.1(Abstract Syntax Notation One)를 사용하여 정의된다.

변수 sysDescr은 1.3.6.1.2.1.1.1과 같이 정의된다.

iso org dod internet mgmt mib system sysDescr
1   3   6   1   2   1   1   1

MIB(Management Information Base)의 객체 그룹에는 다음과 같이 8가지가 있다.

- 시스템(system)
- 인터페이스(interface)
- 주소 변환(AT : Address Translation)
- IP(Internet Protocol)
- ICMP(Internet Control Message Protocol)
- TCP(Transmission Control Protocol)
- UDP(User Datagram Protocol)
- EGP(Exterior Gateway Protocol)

SNMP는 네트워크를 관리하기 위해 객체 그룹 각각에 매우 많은 MIB 객체들을 정의하고 있지만 여기서는 각 객체 그룹에 1개의 객체만을 열거한다.

- sysUpTime : 시스템의 네트워크 관리 부분이 재개시된 후 경과한 시간
- ifNumber : 네트워크 인터페이스의 수
- atTable : 네트워크 주소와 상응하는 물리적 주소를 포함한 주소 변환 표
- ipInReceives : 수신된 IP 패킷의 수
- icmpInDestUnreachs : 수신된 ICMP Destination Unreachable 메시지의 수
- tcpRtoMin : TCP의 재전송 타임아웃에 허용된 최소 값
- udpNoPorts : 목적지 포트에 없는 응용으로 수신한 UDP 메시지의 수
- egpInMsgs : 오류 없이 수신된 EGP 메시지의 수

소켓 프로그래밍

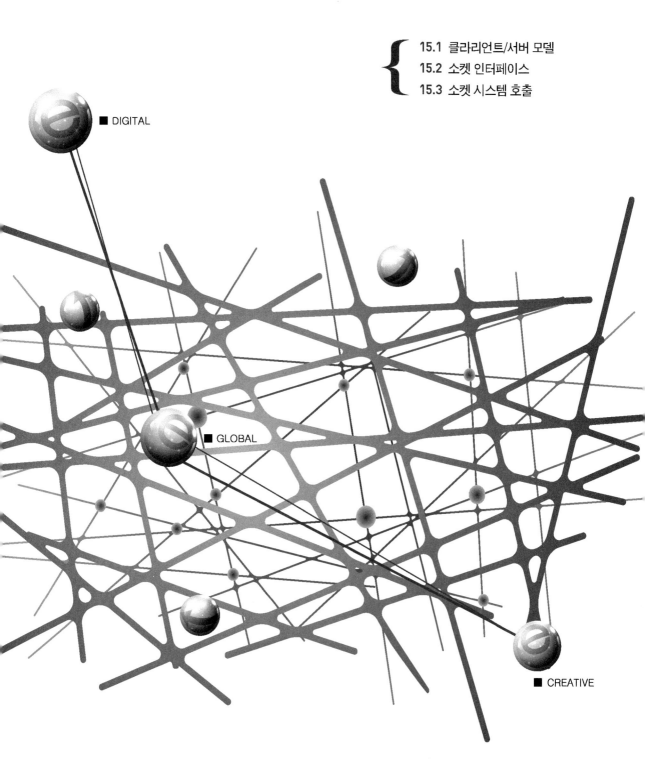

■ DIGITAL

■ GLOBAL

■ CREATIVE

15.1 클라이언트/서버 모델

Data Communication & Computer Network

● 클라이언트/서버의 기능

인터넷 응용 서비스는 클라이언트/서버 형태로 사용자에게 서비스가 제공되고 있다. 서비스를 요청하는 프로세스를 클라이언트(client)라고 하며, 클라이언트의 요청을 처리하고 그 결과를 반환하는 프로세스를 서버(server)라고 한다. 클라이언트 프로세스와 서버 프로세스는 동일한 시스템에서 실행될 수도 있고 상이한 시스템에 분산되어 실행될 수도 있다.

분산 클라이언트/서버 환경에서는 그림 15.1에서 보는 바와 같이 로컬 호스트의 클라이언트 프로세스는 인터넷을 통해 서비스를 요청하고, 원격 호스트의 서버 프로세스는 요청받은 서비스를 처리하고 그 결과를 반환한다.

클라이언트에 의해 수행되는 절차는 다음과 같다.

- 단계 1 : 클라이언트 프로세스와 서버 프로세스 간에 통신 채널을 연다. 이를 능동 오픈(active open)이라고 한다.
- 단계 2 : 서비스를 요청하는 메시지를 서버에게 보낸다.
- 단계 3 : 서버로부터 요청에 대한 결과를 받는다.
- 단계 4 : 통신 채널을 닫고(close) 실행을 종료한다.

서버는 클라이언트의 요청을 처리하는 방법에 따라 다음과 같이 구분된다.

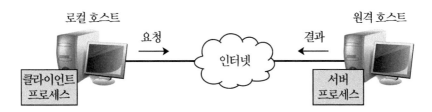

| 그림 15.1 | 분산 환경에서의 클라이언트/서버 모델

■ 반복 서버
■ 병행 서버

반복 서버(iterative server)는 한 번에 하나의 클라이언트 요청만을 처리한다. 첫 번째 클라이언트의 요청을 처리하는 도중에 두 번째 클라이언트가 서비스를 요청한다면 두 번째 클라이언트는 첫 번째 클라이언트의 서비스가 완료될 때까지 대기한 다음 처리된다.

반복 서버에 의해 수행되는 절차는 다음과 같다.

■ 단계 1 : 서버는 통신 채널을 열어 두고 클라이언트의 연결 요청을 허락한다는 것을 운영체제에게 통보한다. 이를 수동 오픈(passive open)이라고 한다.
■ 단계 2 : 클라이언트의 요청이 도착하기를 기다린다.
■ 단계 3 : 클라이언트로부터 서비스를 요청하는 메시지가 들어오면 서버가 활성화되어 요청을 처리하는 데 필요한 작업을 수행한다. 이 클라이언트를 처리하는 동안에 도착하는 다른 클라이언트의 요청은 큐에 대기시킨다.
■ 단계 4 : 요청을 처리한 결과를 클라이언트에게 보낸다.
■ 단계 5 : 큐에 대기하고 있는 후속 클라이언트의 요청을 처리하거나 단계 2로 가서 새로운 클라이언트의 요청이 도착하기를 기다린다.

병행 서버(concurrent server)는 여러 클라이언트들의 요청을 동시에 처리한다. 병행 서버는 첫 번째 클라이언트의 요청이 도착하면 클라이언트와 서버 간의 연결을 설정한 다음 그림 15.2에서 보는 바와 같이 fork 함수를 호출하여 프로세스를 복제하고 자식 프로세스(child process)로 연결을 넘겨준다.

후속 클라이언트의 요청에 대해서도 마찬가지로 fork 함수를 호출하여 자식 프로세스를 생성함으로써 동시에 수행되게 한다.

병행 서버에 의해 수행되는 절차는 다음과 같다.

■ 단계 1 : 서버는 통신 채널을 열어 두고 클라이언트의 연결 요청을 허락한다는 것을 운영체제에게 통보한다. 이를 수동 오픈(passive open)이라고 한다.
■ 단계 2 : 클라이언트의 요청이 도착하기를 기다린다.

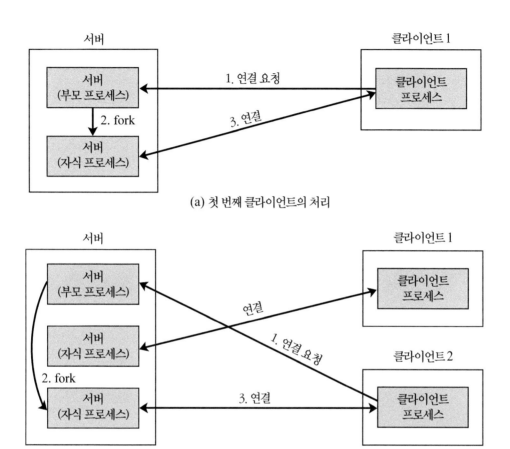

(a) 첫 번째 클라이언트의 처리

(b) 두 번째 클라이언트의 처리

| 그림 15.2 | 병행 서버의 동작

■ 단계 3 : 클라이언트로부터 서비스를 요청하는 메시지가 들어오면 fork 함수를 호출
하여 요청을 처리하는 독립된 자식 프로세스를 생성한다. 부모 프로세스
(parent process)는 다른 클라이언트의 요청을 기다린다.

■ 단계 4 : 자식 프로세스가 요청에 대한 처리를 완료한 후 작업을 종료한다.

○ 클라이언트/서버 모델의 유형

클라이언트/서버 모델은 다음과 같은 유형이 있다.

■ 단순형

■ 방송형

■ 체인형

 단순 클라이언트/서버 모델은 그림 15.3(a)와 같이 한 시스템은 클라이언트로 동작하고 다른 시스템은 서버로 동작하며, 방송형(broadcast) 클라이언트/서버 모델은 그림 15.3(b)와 같이 클라이언트가 다수의 서버에게 동일한 서비스를 요청한다.

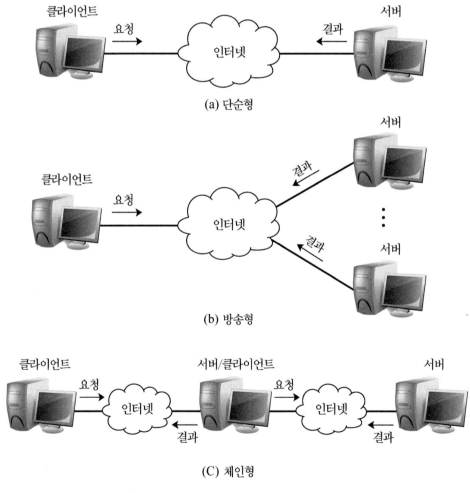

| 그림 15.3 | 클라이언트/서버 모델의 유형

체인형(chain) 클라이언트/서버 모델은 그림 15.3(c)와 같이 클라이언트와 서버들이 체인 형태로 연결되어 있다. 특정 클라이언트의 서비스 요청을 받은 서버는 그 클라이언트에 대해서는 서버로 동작하지만 다른 서버에 대해서는 클라이언트로 동작한다.

◉ 연관

로컬 호스트에서 실행되는 프로세스와 원격 호스트에서 실행되는 프로세스가 통신하기 위해서는 그림 15.4에서 보는 바와 같이 5가지 정보가 필요하며, 이를 연관(association)이라고 한다.

- 프로토콜 식별자(protocol identifier) : 두 프로세스 간에 데이터를 전달하기 위해 사용되는 전송 계층 프로토콜을 기술하는 식별자이다.
- 로컬 IP 주소(local internet address) : 로컬 호스트의 IP 주소이다.
- 로컬 포트 번호(local port number) : 로컬 호스트의 프로세스를 식별하기 위한 포트 번호이다.
- 원격 IP 주소(remote internet address) : 원격 호스트의 IP 주소이다.
- 원격 포트 번호(remote port number) : 원격 호스트의 프로세스를 식별하기 위한 포트 번호이다.

호스트의 프로세스를 식별하기 위해서는 프로토콜 식별자, IP 주소, 포트 번호가 필요하며, 이를 반연관(half-association)이라고 한다. 두 반연관이 유효한 연관을 형성하기 위해서는 반드시 동일한 전송 계층 프로토콜인 TCP나 UDP를 사용하여야 한다.

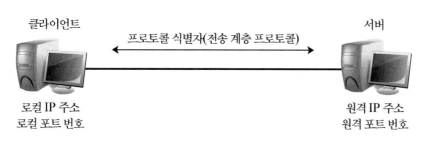

클라이언트
프로토콜 식별자(전송 계층 프로토콜)
서버

로컬 IP 주소
로컬 포트 번호

원격 IP 주소
원격 포트 번호

| 그림 15.4 | 연관을 구성하는 5가지 정보

15.2 소켓 인터페이스

○ 소켓

분산 클라이언트/서버 환경에서 동작하는 TCP/IP 응용들은 그림 15.5에서 보는 바와 같이 통신 종단점(endpoint)을 식별하기 위해 소켓(socket)이라는 개념을 사용한다.

소켓은 호스트를 식별하는 IP 주소와 응용 프로세스를 구별하는 포트 번호를 결합한 것이라고 할 수 있다.

TCP/IP 응용 프로그램들은 UNIX 시스템에서 파일을 액세스하는 기법과 유사한 방법으로 소켓 인터페이스를 이용하여 서로 통신한다.

UNIX 시스템에서는 특정 파일이나 장치에 데이터를 입출력하기 위해 open, read, write, close 함수를 호출한다. 다시 말하자면, 응용이 파일을 액세스하기 위해 open을 호출하여 파일을 열고, read나 write를 호출하여 파일로부터 데이터를 가져오거나 파일에 데이터를 저장한다. 파일을 사용한 다음에는 close를 호출하여 파일을 닫는다.

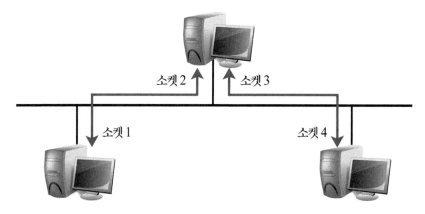

| 그림 15.5 | 소켓에 의한 종단점 식별

운영체제는 응용이 open을 호출하면 특정 파일을 식별하기 위해 작은 정수 값을 반환한다. 이를 파일 기술자(file descriptor)라고 한다. 응용은 파일 기술자를 read나 write의 인자로 사용하여 특정 파일과의 데이터 전달을 수행한다.

파일 I/O 동작을 네트워크 환경에 확장한 것이 소켓 인터페이스이다.

소켓 인터페이스는 로컬 시스템에서 실행되는 프로세스와 원격 시스템에서 실행되는 프로세스가 표준화된 방식으로 통신할 수 있도록 소켓 응용 프로그래밍 인터페이스(API : Application Programming Interface)를 제공한다.

● 소켓의 유형

소켓 API는 응용 프로그램이 통신 서비스를 요청하는 데 필요한 여러 가지 소켓 시스템 호출(socket system call)을 지원한다.

소켓 API를 이용하는 TCP/IP 응용은 socket을 호출하여 운영체제에게 통신에 사용할 소켓을 생성하도록 요청하며, 운영체제는 특정 소켓을 식별하기 위해 작은 정수 값을 반환한다. 이를 소켓 기술자(socket descriptor)라고 한다.

응용은 로컬 파일에 액세스하는 것과 유사한 방법으로 소켓 기술자를 read나 write의 인자로 사용하여 원격 호스트에서 실행되고 있는 응용과 데이터를 주고받을 수 있다.

소켓 API는 그림 15.6에서 보는 바와 같이 3가지 유형의 소켓을 정의한다.

- 스트림 소켓
- 데이터그램 소켓
- raw 소켓

스트림 소켓(stream socket)은 TCP 전송 계층 프로토콜을 사용하여 통신하는 데 이용되는 소켓이다. 스트림 소켓은 데이터 스트림이 TCP 연결을 통해 한 소켓에서 다른 소켓으로 신뢰성 있게 전달되도록 연결형 데이터 전달 서비스를 지원한다.

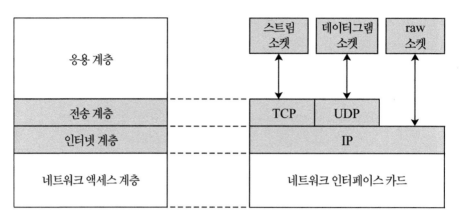

| 그림 15.6 | 소켓의 유형

데이터그램 소켓(datagram socket)은 UDP 전송 계층 프로토콜을 사용하여 통신하는 데 이용되는 소켓이다. 데이터그램 소켓은 신뢰성을 보장하지 않고 데이터그램을 전달하는 비연결형 데이터 전달 서비스를 지원한다.

raw 소켓은 IP나 ICMP 인터넷 계층 프로토콜을 직접 사용하여 통신하는 데 이용되는 소켓이다. raw 소켓은 네트워크 관리 등과 같은 특수한 용도에만 사용한다.

● 소켓 주소의 구조체

소켓 주소(socket address)는 통신 종단점을 규정한다. TCP/IP 통신 소프트웨어에서는 클라이언트 프로세스와 서버 프로세스가 소켓 주소에 의해 유일하게 식별된다. 소켓 시스템 호출들은 소켓 주소를 구성하는 정보를 포함한 구조체에 대한 포인터를 참조한다.

소켓 주소의 구조체에는 다음과 같은 정보가 포함된다.

- 패밀리(family) : 사용되는 프로토콜을 식별하는 16비트 정수 값이다. TCP/IP 통신을 위해서는 AF_INET 식별자에 해당하는 정수 값을 사용한다.
- 포트(port) : 프로세스에 할당된 포트 번호를 식별하는 16비트 정수 값이다.
- 주소(address) : 프로세스가 실행되고 있는 호스트의 이진 형식 IP 주소를 포함한 32비트 정수 값이다.

<sys/types.h> 헤더 파일에 정의된 unsigned 데이터 형은 다음과 같다.

- u_char : 캐릭터 형식의 unsigned 정수
- u_short : 이진 형식의 16비트 unsigned 정수
- u_long : 이진 형식의 32비트 unsigned 정수

소켓 주소 형식은 그림 15.7과 같으며, <netinet/in.h> 헤더 파일에 정의된 IP 주소 in_addr와 소켓 주소 sockaddr_in의 구조체는 다음과 같다.

```
struct in_addr {
    u_long s_addr              /* 32bit netid/hostid */
                               /* network byte order */
} ;

struct sockaddr_in {
    short       sin_family     /* AF_INET */
    u_short     sin_port       /* 16bit port number */

    struct in_addr sin_addr    /* 32bit netid/hostid */
                               /* network byte order */
    char        sin_zero[8] ;  /* unused */
} ;
```

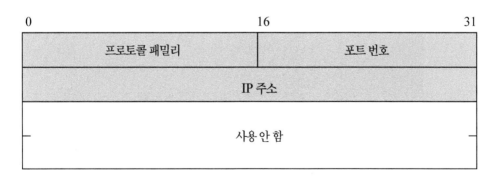

0	16	31
프로토콜 패밀리		포트 번호
IP 주소		
사용 안 함		

| 그림 15.7 | 소켓 주소의 형식

○ 변환 함수

컴퓨터들은 기억장소에 데이터를 저장하는 방법에 따라 big-endian 시스템과 little-endian 시스템으로 구분할 수 있다.

big-endian 시스템에서는 최상위 바이트가 가장 낮은 기억장소에 저장되고, 최하위 바이트가 가장 높은 기억장소에 저장된다.

little-endian 시스템에서는 최상위 바이트가 가장 높은 기억장소에 저장되고, 최하위 바이트가 가장 낮은 기억장소에 저장된다.

그림 15.8에서 보는 바와 같이 동일한 IP 주소 210.115.170.101를 저장할 때에도 big-endian과 little-endian 시스템은 서로 다른 형태로 저장한다.

네트워킹 프로토콜에 사용되는 바이트 순위를 네트워크 바이트 순위(network byte order) 또는 네트워크 옥텟 순위(network octet order)라고 하며, 모든 TCP/IP 통신 소프트웨어의 네트워크 바이트 순위는 big-endian이다.

big-endian 시스템과는 달리 little-endian 시스템은 반드시 바이트 순위를 변환하여야 한다.

210	115	170	101
11010010	01110011	10101010	01100101
기억장소 n	기억장소 $n+1$	기억장소 $n+2$	기억장소 $n+3$

(a) big-endian

101	170	115	210
01100101	10101010	01110011	11010010
기억장소 n	기억장소 $n+1$	기억장소 $n+2$	기억장소 $n+3$

(b) little-endian

| 그림 15.8 | big-endian과 little-endian

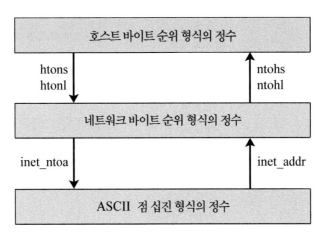

| 그림 15.9 | 바이트 순위와 IP 주소 변환 함수의 관계

그림 15.9는 네트워크 바이트 순위 변환 함수와 주소 변환 함수들의 변환 관계를 나타낸 것이다.

TCP/IP 통신 소프트웨어는 다음과 같은 네트워크 바이트 순위 변환 함수와 주소 변환 함수를 제공한다.

◉ 네트워크 바이트 순위 변환 함수

- htons(host to network short) : 호스트에서 사용되는 바이트 순위를 네트워크 바이트 순위로 16비트 정수 변환한다.
- htonl(host to network long) : 호스트에서 사용되는 바이트 순위를 네트워크 바이트 순위로 32비트 정수 변환한다.
- ntohs(network to host short) : 네트워크 바이트 순위를 호스트에서 사용하는 바이트 순위로 16비트 정수 변환한다.
- ntohl(network to host long) : 네트워크 바이트 순위를 호스트에서 사용하는 바이트 순위로 32비트 정수 변환한다.

◉ 주소 변환 함수

- inet_addr : ASCII 점 십진 IP 주소를 32비트 이진 형식으로 변환한다.
- inet_ntoa : 32비트 이진 IP 주소를 ASCII 점 십진 형식으로 변환한다.

15.3 소켓 시스템 호출

소켓 API는 TCP/IP 응용 프로그램이 통신 서비스를 요청하기 위해 호출하는 다양한 시스템 호출(system call)들을 제공한다.

소켓 시스템 호출을 유형별로 분류하면 다음과 같다.

◯ 소켓 설정용

- socket : 소켓을 생성한다.
- bind : 소켓에 로컬 종단점 식별자(IP 주소, 포트 번호)를 할당한다.

◯ 연결 설정용

- listen : 클라이언트의 연결 요청을 허락한다는 것을 지시하기 위해 서버가 이용한다.
- accept : 클라이언트의 연결 요청을 기다리기 위해 서버가 이용한다.
- connect : 연결을 설정하기 위해 클라이언트가 이용한다.

◯ 데이터 송신용

- write : 스트림 소켓을 통해 데이터를 보낸다.
- writev : 스트림 소켓을 통해 다중 버퍼로부터 데이터를 보낸다.
- send : 선택 사항을 규정하는 데이터를 보낸다.
- sendto : 데이터그램 소켓을 통해 데이터를 보낸다.
- sendmsg : 데이터그램 소켓을 통해 다중 버퍼로부터 데이터를 보낸다.

◯ 데이터 수신용

- read : 스트림 소켓을 통해 데이터를 수신한다.
- readv : 스트림 소켓을 통해 다중 버퍼에 데이터를 수신한다.
- recv : 선택 사항을 규정하는 데이터를 수신한다.
- recvfrom : 데이터그램 소켓을 통해 데이터를 수신한다.
- recvmsg : 데이터그램 소켓을 통해 다중 버퍼에 데이터를 수신한다.

◉ I/O용

- select : 다중 I/O 이벤트에서 어떤 하나가 완료되기를 기다린다.

◉ 연결 종료용

- shutdown : TCP 연결을 종료한다.
- close : 소켓을 해제한다.

◉ 관리용

- gethostbyaddr : IP 주소가 주어진 호스트에 대한 정보를 얻는다.
- gethostbyname : 도메인 이름이 주어진 호스트의 IP 주소를 얻는다.
- gethostid : 로컬 호스트의 IP 주소를 얻는다.
- gethostname : 로컬 호스트의 도메인 이름을 얻는다.
- getpeername : 소켓에 할당된 원격 종단점의 주소를 얻는다.
- getsockname : 소켓에 할당된 로컬 종단점의 주소를 얻는다.
- getprotobyname : 프로토콜의 이름이 주어진 프로토콜과 관련된 정수 값을 얻는다.
- getservbyname : 서비스의 이름이 주어진 널리 알려진 TCP/IP 응용 계층 서비스와 관련된 정수 값을 얻는다.
- getsockopt : 소켓과 관련된 파라미터들의 값을 얻는다.
- setsockopt : 소켓과 관련된 파라미터들의 값을 설정한다.

◉ 연결형 응용 프로토콜

TCP를 이용하는 연결형 응용 프로토콜을 구현하는 응용은 스트림 소켓을 사용하여 통신한다.

TCP 전달 서비스는 오류 제어와 흐름 제어 기능을 제공하기 때문에 신뢰성 있는 데이터 전달을 보장한다.

연결형 응용 프로토콜에서는 서버가 초기화한 후 클라이언트로부터의 연결 요청을 기다리고, 클라이언트가 connect 시스템 호출에 의해 연결을 요청한다. 연결이 설정될 때 클라이언트 프로세스와 서버 프로세스의 연관이 완성된다.

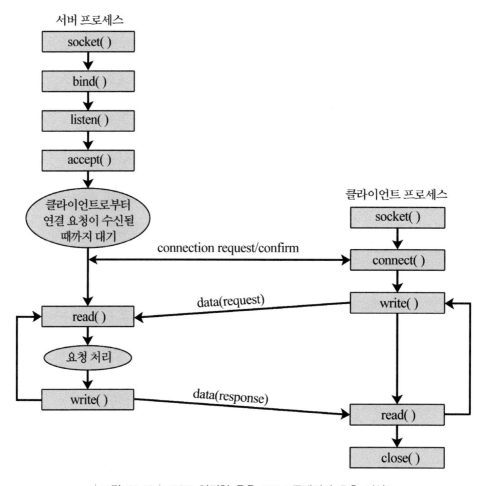

그림 15.10 TCP 연결형 응용 프로토콜에서의 호출 시퀀스

그림 15.10은 연결형 응용 프로토콜을 구현하는 데 있어서의 시스템 호출의 시퀀스를 나타낸 것이다.

연결형 응용 프로토콜에 있어서 서버의 동작 과정은 다음과 같다.

- 단계 1 : 서버는 socket 시스템 호출을 수행하여 서버의 반연관에 전송 계층 프로토콜 정보(TCP)를 채운다.
- 단계 2 : 서버는 bind 시스템 호출을 수행하여 서버의 반연관에 서버의 소켓 주소(IP 주소, 포트 번호)를 채운다.

- 단계 3 : 서버는 listen 시스템 호출을 수행하여 클라이언트로부터의 TCP 연결 요청을 허락한다는 것을 운영체제에게 통보한다.
- 단계 4 : 서버는 accept 시스템 호출을 수행하여 클라이언트로부터 TCP 연결 요청이 도착할 때까지 대기한다.
- 단계 5 : 클라이언트로부터 TCP 연결 요청이 도착하면 헤더에 포함되어 있는 클라이언트의 IP 주소와 포트 번호를 이용하여 클라이언트 프로세스와 서버 프로세스 간의 연관을 완성한다.
- 단계 6 : 서버는 read 시스템 호출을 수행하여 클라이언트로부터 도착하는 데이터를 수신한다.
- 단계 7 : 서버는 write 시스템 호출을 수행하여 클라이언트에게 데이터를 보낸다.

연결형 응용 프로토콜에 있어서 클라이언트의 동작 과정은 다음과 같다.

- 단계 1 : 클라이언트는 socket 시스템 호출을 수행하여 클라이언트의 반연관에 전송 계층 프로토콜 정보(TCP)를 채운다.
- 단계 2 : 클라이언트는 connect 시스템 호출을 수행하여 클라이언트의 반연관에 클라이언트의 소켓 주소(IP 주소, 임시 포트 번호)를 채우고, 서버에게 TCP 연결을 요청한다. connect 시스템 호출은 3방향 핸드쉐이크 절차를 이용하여 연결을 설정하기 위해 클라이언트와 서버 간에 데이터를 주고받게 한다.
- 단계 3 : 클라이언트는 write 시스템 호출을 수행하여 서버에게 데이터를 보낸다.
- 단계 4 : 클라이언트는 read 시스템 호출을 수행하여 서버로부터 도착하는 데이터를 수신한다.
- 단계 5 : 서버와의 데이터 전달이 끝나면 close 시스템 호출을 수행하여 소켓을 해제하고 연결을 끊는다.

연결형 응용 프로그램을 작성하는 데 사용되는 시스템 호출은 다음과 같다.

● socket(int family, int type, int protocol)
- family : 소켓에 사용되는 프로토콜 패밀리를 나타내는 정수
  AF_INET : TCP/IP 프로토콜 패밀리

- type : 소켓의 유형을 나타내는 정수

  SOCK_STREAM : TCP 스트림 소켓

  SOCK_DGRAM : UDP 데이터그램 소켓

- protocol : 소켓에 사용되는 프로토콜을 나타내는 정수. 보통 0

○ bind(int sockfd, struct sockaddr *myaddr, int addrlen)

- sockfd : 소켓 기술자

- *myaddr : 로컬 프로세스의 소켓 주소 포인터

- addrlen : 로컬 주소의 길이를 나타내는 정수

○ listen(int sockfd, int backlog)

- sockfd : 소켓 기술자

- backlog : 서버가 accept 시스템 호출의 수행을 기다리는 동안 클라이언트의 연결 요
  청을 대기시킬 수 있는 수를 나타내는 정수

○ accept(int sockfd, struct sockaddr *cliaddr, int *addrlen)

- sockfd : 소켓 기술자

- *cliaddr : 서버와의 연결을 요청하는 클라이언트의 소켓 주소 포인터

- *addrlen : 클라이언트 주소의 길이 포인터

○ connect(int sockfd, struct sockaddr *servaddr, int addrlen)

- sockfd : 소켓 기술자

- *servaddr : 클라이언트가 연결을 설정하려는 서버의 소켓 주소 포인터

- addrlen : 서버 주소의 길이를 나타내는 정수

○ write(int sockfd, char *buff, int noctets)

- sockfd : 소켓 기술자

- *buff : 보낼 데이터가 있는 버퍼에 대한 포인터

- noctets : 보낼 바이트의 수를 나타내는 정수

○ read(int sockfd, char *buff, int bufflen)

- sockfd : 소켓 기술자

- *buff : 수신된 데이터가 들어갈 버퍼에 대한 포인터
- bufflen : 수신 버퍼의 길이를 나타내는 정수

○ close(int sockfd)
- sockfd : 소켓 기술자

○ 비연결형 응용 프로토콜

UDP를 이용하는 비연결형 응용 프로토콜을 구현하는 응용은 데이터그램 소켓을 사용하여 통신한다.

UDP 전달 서비스는 오류 제어를 하지 않기 때문에 신뢰성 있는 데이터 전달을 보장하지 않는다. 비연결형 응용 프로토콜에서는 클라이언트 프로세스와 서버 프로세스가 실제로 데이터를 보낼 때까지 연관을 완성할 필요는 없다.

그림 15.11은 비연결형 응용 프로토콜을 구현하는 데 있어서 시스템 호출의 시퀀스를 나타낸 것이다.

비연결형 응용 프로토콜에 있어서 서버의 동작 과정은 다음과 같다.

- 단계 1 : 서버는 socket 시스템 호출을 수행하여 서버의 반연관에 전송 계층 프로토콜 정보(UDP)를 채운다.
- 단계 2 : 서버는 bind 시스템 호출을 수행하여 서버의 반연관에 서버의 소켓 주소(IP 주소, 포트 번호)를 채운다.
- 단계 3 : 서버는 recvfrom 시스템 호출을 수행하여 클라이언트로부터 데이터그램이 도착할 때까지 대기한다.
- 단계 4 : 클라이언트로부터 데이터그램이 도착하면 서버는 필요한 절차를 수행한다. 데이터그램의 헤더에 포함되어 있는 클라이언트 호스트의 IP 주소와 클라이언트 포트 번호를 이용하여 클라이언트 프로세스와 서버 프로세스 간의 연관을 완성한다.
- 단계 5 : 서버는 클라이언트에게 데이터그램을 보내기 위해 sendto 시스템 호출을 수행한다.

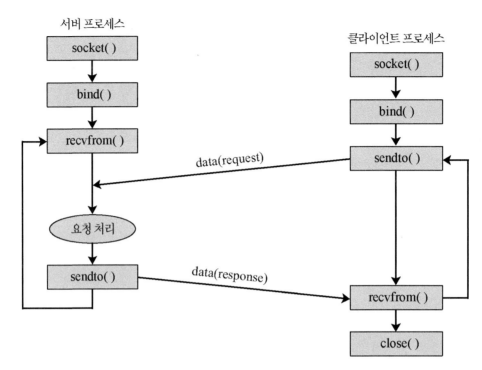

| 그림 15.11 | UDP 비연결형 응용 프로토콜에서의 호출 시퀀스

비연결형 응용 프로토콜에 있어서 클라이언트의 동작 과정은 다음과 같다.

- 단계 1 : 클라이언트는 socket 시스템 호출을 수행하여 클라이언트의 반연관에 전송
계층 프로토콜 정보(UDP)를 채운다.
- 단계 2 : 클라이언트는 bind 시스템 호출을 수행하여 클라이언트의 반연관에 클라이
언트의 소켓 주소(IP 주소, 임시 포트 번호)를 채운다.
- 단계 3 : 클라이언트는 서버에게 데이터그램을 보내기 위해 sendto 시스템 호출을 수
행한다. 클라이언트는 반드시 서버의 소켓 주소를 알아야 한다.
- 단계 4 : 클라이언트는 recvfrom 시스템 호출을 수행하여 서버로부터 데이터그램이
도착할 때까지 대기한다.
- 단계 5 : 서버와의 데이터 전달이 끝나면 close 시스템 호출을 수행하여 소켓을 해제
한다.

Chapter

16

정보 보안

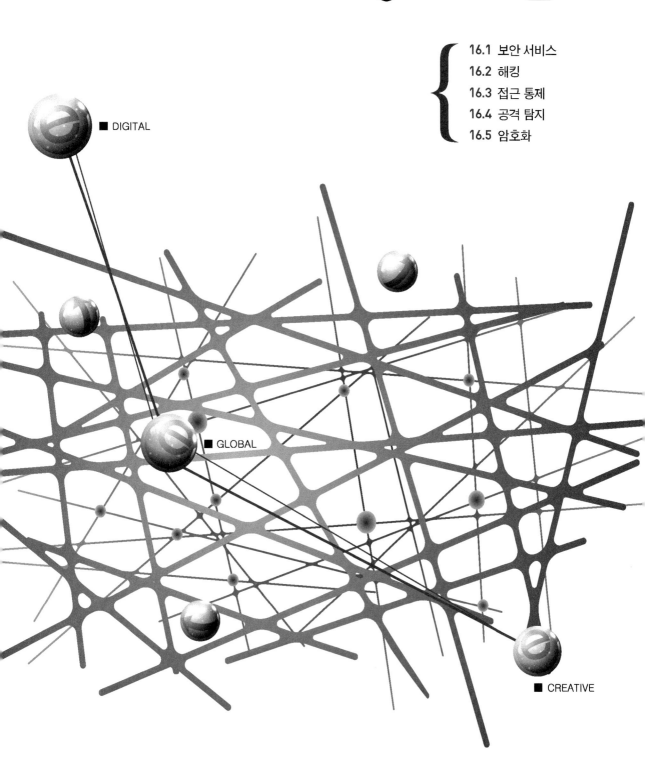

■ DIGITAL

■ GLOBAL

■ CREATIVE

16.1 보안 서비스

공격의 유형

송신 측이 보낸 전문은 정상적으로 목적지에 도착하여야 하지만 전송 도중 전문이 탈취 당하는 등 해커의 공격 대상이 될 수 있다. 해커의 공격 유형은 다음과 같이 분류할 수 있다.

- 가로챔
- 두절
- 변경
- 위조

가로챔(interception) 공격이란 그림 16.1(a)와 같이 원래의 전문이 목적지에 도착하지만 해커가 전송되는 내용을 도청하는 형태의 공격을 말한다.

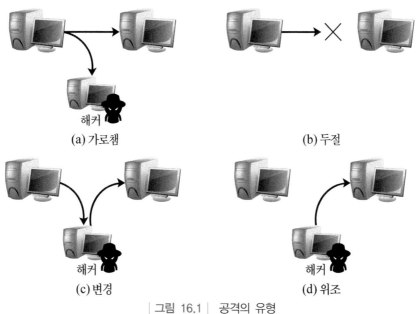

(a) 가로챔   (b) 두절

(c) 변경   (d) 위조

| 그림 16.1 | 공격의 유형

해커의 가로챔에 의해 비밀스러운 개인 정보가 공개되면 사생활(privacy)이 침해될 수도 있고, 만일 국가의 기밀이 알려진다면 국익에 막대한 손해를 초래하거나 국가의 존립에 영향을 미칠 수도 있다.

가로챔 공격을 방지하기 위해 전문을 암호화 하여 전송하더라도 해커가 송신자와 수신자 간에 오고가는 전문의 길이나 통신하는 횟수 등 트래픽을 분석함으로써 어떤 일이 벌어지고 있는지를 어느 정도 예상할 수 있다.

두절(interruption)이란 그림 16.1(b)와 같이 통신 선로를 절단하여 송신자와 수신자 간의 통신 자체를 불가능하게 하거나 공격하려는 컴퓨팅 시스템을 마비시켜 서비스를 하지 못하도록 하는 공격을 말한다.

변경(modification)이란 그림 16.1(c)와 같이 해커가 전송되고 있는 전문의 내용을 수정한다든지 혹은 컴퓨팅 시스템에 무단으로 접근하여 데이터 파일의 값이나 프로그램을 수정하는 형태의 공격을 말한다.

위조(fabrication)란 그림 16.1(d)와 같이 해커가 자신의 신분을 속이고 마치 원래의 송신자인 것처럼 위장하여 거짓 전문을 생성하여 목적지로 전송하는 형태의 공격을 말한다.

가로챔은 전문을 변형시키지 않고 도청만 하기 때문에 소극적 공격(passive attack)이라고 하며, 두절, 변경, 위조와 같은 공격을 적극적 공격(active attack)이라고 한다.

일상생활을 하면서 중요한 문서에는 반드시 책임질 사람의 서명을 받든지 혹은 공인된 기관의 공증을 받는 것과 마찬가지로 변경과 위조를 방지하기 위해서는 인증이나 전자서명이 요구된다.

흔히 발생하는 속임수에는 다음과 같은 유형이 있다.

- 허가 없이 정보에 불법적으로 접근한다.
- 다른 사용자로 위장하여 정보를 변경하거나 위조된 정보를 발송한다.
- 책임을 회피하기 위해 송신자가 자신이 보낸 정보를 부인한다.
- 수신자가 수신한 정보 자체를 부인하거나 수신하지 않은 정보를 수신한 것처럼 속인다.

다양한 공격이나 속임수로부터 컴퓨팅 시스템을 보호하여야 할 뿐만 아니라 공격의 탐지와 암호화 등을 수행하여 정보 보안을 유지하여야 한다.

● 보안 서비스

보안 서비스란 다음과 같이 정보의 보안성을 향상시키기 위한 기능이다.

- 기밀성
- 인증
- 무결성
- 부인 방지
- 가용성
- 접근 통제

기밀성(confidentiality)은 가로챔과 같은 소극적 공격으로부터 전문을 보호하는 기능이며, 암호화에 의해 전문의 기밀성을 제공할 수 있다. 통신 당사자 간에 전송되는 정보는 일정 기간 동안 보안이 유지되어야 하며, 해커가 트래픽 특성을 분석할 수 없도록 거짓 정보를 계속적으로 전송하는 등의 방법으로 교란하여야 한다.

인증(authentication)은 전문 발신자와 수신자를 정확히 식별하고 제삼자가 위장하여 통신에 간여할 수 없도록 함으로써 위조를 방지하는 기능이며, 무결성(integrity)은 인가자 이외에는 전문을 변경할 수 없게 하는 기능이다.

부인 방지(nonrepudiation)는 발신자가 전송된 전문의 내용을 부인하지 못하도록 하는 기능이다. 메시지 인증 코드(MAC : Message Authentication Code)에 의해 전문의 무결성을 제공할 수 있으며, 전자서명(digital signature)에 의해 인증, 무결성, 부인 방지 기능을 제공할 수 있다.

가용성(availability)은 통신 두절 등을 방지하여 시스템을 항상 전문을 주고받을 수 있는 상태로 유지하는 기능이며, 접근 통제(access control)는 해커가 컴퓨팅 시스템에 접근하지 못하도록 패스워드 등을 이용하여 통제하는 기능이다.

16.2 해킹

해커들이 불법적으로 컴퓨팅 시스템에 침투하여 파일을 복사하거나 수정 혹은 삭제하기도 하고 컴퓨팅 시스템 자체를 동작 불능 상태가 되게 하기도 한다.

해커들은 주로 학생으로 단순히 호기심을 충족시키거나 자신의 능력을 과시하기 위한 행동이라는 면에서 애교스러운 점이 있었지만 컴퓨터 전문가라든지 범죄 집단에 의한 해킹이나 기관 내부자에 의한 고의적인 컴퓨터 범죄가 심각한 문제를 유발하고 있다.

◉ 악성 프로그램

악성 프로그램은 바이러스와 같이 숙주(host) 프로그램이 필요하기도 하고 웜과 같이 독립적으로 수행되기도 하며, 다음과 같이 다양한 형태의 악성 프로그램이 있다.

- 바이러스
- 로직 폭탄
- 트로이 목마
- 웜
- 메일 폭탄
- 루트킷
- 스파이웨어
- 키로거
- 악성 스크립트

바이러스(virus)는 자신을 다른 프로그램에 복제하고 잠복해 있다가 숙주 프로그램이 실행될 때 몰래 실행되어 메시지를 남기거나 파일을 삭제하고 또 다른 프로그램을 감염시키기도 하고 컴퓨터의 작동이 느려지게 하는 등 다양한 증상이 나타나는 악성 프로그램이다.

바이러스는 표 16.1에 나타낸 바와 같이 부트 섹터를 감염시키는 부트 바이러스와 .exe, .com 등 실행 파일을 감염시키는 파일 바이러스로 구분된다. 파일 바이러스는 메모리에 상주하면서 실행되는 모든 파일을 감염시키는 메모리 상주형 바이러스와 한 번만 실행되는 메모리 비상주형 바이러스로 구분되며, 감염 위치에 따라 기생형, 겹쳐쓰기형, 산란형, 연결형 바이러스로 구분할 수도 있다.

로직 폭탄(logic bomb)은 정당한 프로그램에 잠복해 있다가 특정한 요일이나 날짜, 특정 파일의 출현 등 조건이 만족되면 실행되어 전체 파일이나 데이터를 변경하거나 삭제하기도 하고 시스템을 마비시키는 악성 프로그램이다.

트로이 목마(trojan horse)는 웹사이트에서 파일을 다운로드하거나 E_mail의 첨부 파일을 열어 볼 때 전파되며, 유용한 프로그램에 해로운 코드를 은밀히 삽입하여 이 프로그램이 정상적으로 수행되면서 파일 접근 권한을 변경하거나 파일을 삭제하기도 하고 컴퓨터 내부의 자료나 개인 정보를 탈취하는 악성 프로그램이다. 트로이 목마에는 원래 윈도우 원격 관리용으로 개발된 백도어(backdoor)를 해킹에 이용하는 백오리피스(back orifice), Win-Trojan 등이 있다.

| 표 16.1 | 바이러스의 유형

종 류			특 징
부트 바이러스			컴퓨터를 기동할 때 부트 섹터에 위치하여 제일 먼저 실행된다.
파일 바이러스	감염 위치	기생형	원래의 프로그램을 파괴하지 않고 프로그램의 앞이나 뒤에 붙는다.
		겹쳐쓰기형	원래의 프로그램이 있는 곳에 바이러스 프로그램이 겹쳐서 존재한다. 프로그램을 실행하면 원래의 프로그램 대신 바이러스 프로그램이 실행되며, 원래의 프로그램은 파괴된다.
		산란형	.exe 파일을 직접 감염시키지 않고 같은 이름의 .com 파일을 만들어서 바이러스 프로그램에 넣어둔다.
		연결형	프로그램을 직접 감염시키지 않고 프로그램을 실행하면 바이러스 프로그램이 먼저 실행되고, 다음에 원래의 프로그램이 실행된다.
	동작 원리	상주형	메모리에 상주하면서 실행되는 모든 파일을 감염시킨다.
		비상주형	한번 실행된 후 메모리에서 사라진다.

웜(worm)은 독립적인 프로그램으로서 메모리에 코드 형태나 실행 파일로 존재하다가 실행되면 다른 시스템으로 급속히 전파되어 인터넷을 다운시키기도 하는 전파력이 매우 강한 악성 프로그램이다. 웜에는 슬래머 웜(slammer worm)을 비롯하여 Code Red, Netsky 등 다양한 형태가 있다.

슬래머 웜은 그림 16.2에서 보는 바와 같이 해커가 미리 MS-SQL(Structured Query Language) 서버를 구동하는 시스템들을 감염시킨다. 감염된 서버들은 해커의 명령에 따라 초 당 50,000개 정도의 공격 패킷을 전송하여 인터넷에 트래픽이 집중되게 한다. 부하가 가중된 DNS 서버가 다운되어 사용자들이 DNS 서버를 사용할 수 없기 때문에 인터넷에 연결을 할 수 없어 결국 인터넷이 마비된다.

메일 폭탄(mail bomb)은 특정한 사람이나 시스템을 대상으로 대량의 E_mail을 전송하여 피해를 주거나 시스템을 다운시키는 악성 프로그램이다.

루트킷(rootkit)은 루트 권한을 획득한 해커가 침입 사실을 은닉하기 위해 계정, 프로세스, 레지스트리 키 값 등을 숨기고 로그(log) 파일을 수정하며, 차후 침입을 위해 백도어나

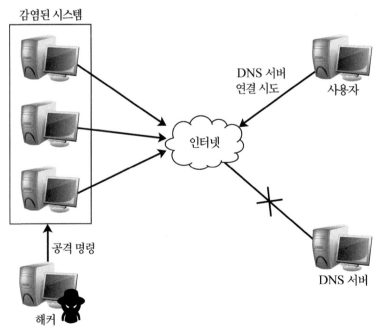

| 그림 16.2 | 슬래머 웜 공격

트로이 목마를 설치하는 등의 기능을 수행하는 악성 프로그램의 모음이다. 루트킷이 설치
되면 해커가 침입한 경로를 바꾸고 명령어들을 은폐하므로 해킹을 당하고 있어도 해킹 사
실을 탐지하기가 어렵다. 해커가 루트 권한을 획득하는 데에는 버그를 공격하는 프로그램
인 익스플로잇(exploit)이 사용된다.

스파이웨어(spyware)는 광고 목적으로 정보를 수집하거나 개인 정보를 탈취하는 악성
프로그램으로 Adware 등이 있으며, 키로거(keylogger)는 사용자가 키보드에서 입력하는
모든 키를 감시하고 기록하는 악성 프로그램으로 개인 정보 등을 탈취하는 데 사용된다.

악성 스크립트(script)는 스크립트 기능을 이용하여 작성한 악성 프로그램으로 비주얼 베
이직 스크립트(Visual Basic script), 자바 스크립트(Java script), MS 윈도우 클라이언트용
mIRC 스크립트(Internet Relay Chat script) 등이 있다.

● 해킹의 유형

해킹에는 다음과 같이 다양한 유형이 있다.

- IP 스푸핑
- 웹 애플리케이션 공격
- 봇 공격
- 스턱스넷
- 후킹

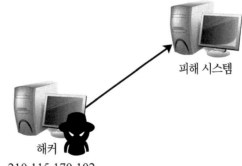

210.115.170.102

피해 시스템

해커
210.115.170.102

| 그림 16.3 | IP 스푸핑 공격

IP 스푸핑(spoofing) 공격은 그림 16.3에서 보는 바와 같이 근원지 IP 주소를 위장하여 피해 시스템을 공격하는 해킹 방법이다.

웹 애플리케이션 공격(web application attack)은 홈페이지에서 DB로 전송되는 SQL 질의를 변조하거나 피해자가 신뢰하는 사이트에 악성 스크립트를 삽입하여 개인 정보를 탈취하는 XSS(Cross Site Scripting) 등 다양하게 공격하는 해킹 방법이다.

봇 공격(bot attack)은 그림 16.4에서 보는 바와 같이 해커가 악성 코드에 감염된 PC들의 네트워크인 봇넷(botnet)을 구축하고, IRC(Internet Relay Chat) 서버에 접속하여 공격 명령을 함으로써 피해 시스템에 무차별적으로 스팸 메일을 보내거나 DDoS(Distributed Denial of Service) 공격을 하는 해킹 방법이다.

스턱스넷(stuxnet)은 핵 시설이나 국가의 산업 기반 시설 등을 관리하는 시스템에 해커가 USB(Universal Serial Bus)를 이용하여 침투하고 공격하는 군사적 사이버 무기 수준의 해킹 방법이다.

후킹(hooking)은 악성 프로그램이 설치된 PC에서 사용자가 인터넷 포털 사이트의 검색창에 검색하고자 하는 특정 검색어를 입력하면 바꿔치기 된 광고 팝업창을 대신 제공하는 해킹 방법이다.

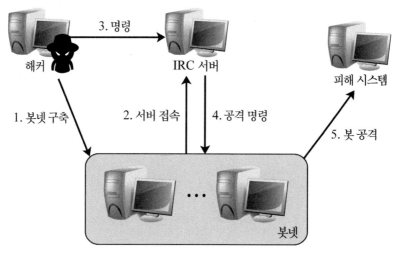

IRC : Internet Relay Chat

| 그림 16.4 | 봇 공격

개인 정보나 금융 정보를 탈취하기 위한 사기 행위들은 다음과 같은 유형이 있다.

■ 피싱
■ 파밍
■ 스미싱

피싱(phishing)은 개인 정보(private data)와 낚시(fishing)의 합성어이며, 수신자의 거래 은행 같은 신뢰할 만한 사이트로 위장하여 E_mail이나 전화 또는 문자 메시지를 보낸다. 피해자가 원래의 사이트를 모방한 웹 사이트에 접속하여 개인 정보나 금융 정보를 입력하게 하고, 탈취한 정보를 이용하여 계좌 이체나 예금을 인출하는 금융사기 수법이다.

파밍(pharming)은 피싱이 변형된 방법으로 인터넷 뱅킹과 모바일 뱅킹의 금융사기 수법이다. 피해자의 PC가 악성 코드에 감염되어서 거래 은행의 사이트에 접속을 시도하면 모방한 웹 사이트에 접속되게 하고 금융 정보를 탈취하여 대출이나 예금을 인출하는 금융사기 수법이다.

스미싱(smishing)은 문자 메시지(SMS)와 피싱(phishing)의 합성어이며, 모바일의 악성 코드이다. 스미싱은 그림 16.5에서 보는 바와 같이 결혼 청첩장이나 돌잔치의 초대장을 보낸 것처럼 위장하여 피해자가 문자 메시지의 웹 사이트를 클릭하면 스마트폰에 악성 코드를 설치하고 소액 결제 대금을 청구하는 금융사기 수법이다.

이외에도 몸값(ransom)과 소프트웨어(software)의 합성어인 랜섬웨어(ransomware)가 있다. 랜섬웨어는 E_mail의 첨부 파일을 열거나 공격 사이트에 접속만 하여도 설치되며, 랜섬웨어에 감염되면 컴퓨터의 데이터 파일이 암호화 되어 사용할 수 없게 되고, 해커는 암호 해독키를 대가로 현금이나 비트 코인을 요구한다.

| 그림 16.5 | 스미싱의 예

◎ 해커의 수법

해커들은 피해 시스템을 공격하기 위해 다음과 같은 수법으로 미리 악성 프로그램을 감염시켜 특정한 날의 공격을 치밀하게 준비한다.

- 일반 사용자의 계정으로 시스템에 침입한다.
- 프로토콜이나 소프트웨어의 취약점이나 버그 등을 이용하여 루트 권한을 획득한다.
- 백도어를 설치하여 피해 시스템에 자유롭게 접근할 수 있게 한다.
- 로그 파일을 지워 침입한 흔적을 없앤다.

해커들은 주로 다음과 같은 경로를 해킹에 이용한다.

- E_mail
- 인터넷 채팅
- 운영체제의 취약점
- 암호가 설정되지 않은 네트워크 공유

해킹 방법은 점점 더 교묘해지고 있으며, 해킹의 특징은 다음과 같다.

- 자동화
- 분산화
- 에이전트화
- 은닉화

해킹 툴(tool)이 인터넷 상에서 무분별하게 배포되고 있으므로 전문지식이 없더라도 해킹할 수 있도록 해킹 방법이 자동화(automation)되고 있으며, 다수의 시스템을 미리 해킹하여 특정 시스템을 특정한 날에 집중적으로 해킹하는 분산화(distribution)가 이루어지고 있다. 백오리피스와 같은 프로그램을 이용하여 시스템에 다시 침입하지 않고 해킹하는 에이전트화(agent)가 이루어지고 있으며, 불특정 다수의 시스템을 이용하여 해킹하기 때문에 해커를 찾아내기 어려운 은닉화(concealment)가 이루어지고 있다.

해킹의 변천 과정은 그림 16.6에서 보는 바와 같이 1980년대는 단순히 루트 권한을 획

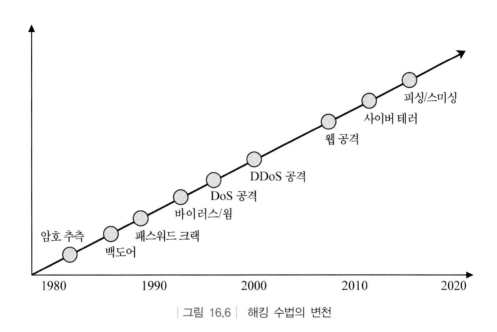

| 그림 16.6 | 해킹 수법의 변천

득하여 시스템을 장악하는 형태가 주종을 이루었지만 1990년대 후반에는 서비스 거부 공격(DoS : Denial of Service)이 출현하였고, 2000년대 이후에는 인터넷을 마비시킬 정도의 분산 서비스 거부(DDoS : Distributed DoS) 공격이 극성을 부리고 있다.

○ 해킹 방지

해커의 공격을 방지하는 데에는 다음과 같은 방법들이 사용될 수 있다.

- 패스워드 등을 이용하여 시스템에의 접근을 통제한다.
- 방화벽(firewall)과 같은 침입 차단 시스템 및 공격 탐지 시스템을 설치한다.
- 해킹을 당하였다면 신속하게 공격을 탐지하고 공격을 차단함으로써 피해가 확산되지 않도록 하고 시스템을 정상 복구한다.
- 전문을 암호화 하여 전송한다.

해킹을 방지하기 위해 시스템 관리자는 사용자의 추가 및 삭제, 주기적인 파일 백업, 소프트웨어 설치 등 시스템에 문제가 발생하지 않도록 관리하여야 하고, 보안 관리자는 보안 정책을 수립하고 보안 감사를 하며, 소프트웨어의 보안 시험 및 패치, 보안 도구의 설치 및 운용, 사용자에 대한 보안 교육을 하여야 한다.

16.3 접근 통제

접근 통제(access control)는 해커나 비인가자가 컴퓨팅 시스템에 접근하지 못하도록 통제하는 기능으로서 다음과 같이 정의하고 있다.

- 자원에 대한 인가되지 않은 접근을 감시하고,
- 접근을 요구하는 사용자를 식별하고,
- 사용자의 접근 요구가 정당한지를 확인하고 기록하며,
- 보안 정책에 근거하여 접근을 승인하거나 거부함으로써
- 비인가자에 의한 불법적인 자원 접근 및 파괴를 예방하는
- 하드웨어, 소프트웨어 및 행정적인 관리

접근 통제 절차는 그림 16.7에서 보는 바와 같이 사용자 식별(user identification), 인증(authentication), 인가(authorization)의 3단계로 수행된다. 사용자를 식별하는 데에는 사용자 ID(IDentification), 계정 번호 등이 사용되고, 사용자의 신원을 확인하기 위한 인증에는 다음과 같이 다양한 방법이 사용되며, 자원에의 접근을 인가할 지의 여부를 결정하는 데에는 보안 등급이나 접근 제어 목록 등이 사용된다.

- 패스워드
- 1회용 패스워드인 OTP(One Time Password)
- 주민번호를 대체한 아이핀(i-PIN : Internet Personal ID Number)
- 공인인증서
- 스마트카드
- 지문, 음성, 얼굴, 망막이나 홍채 등의 생체 인증 정보

| 그림 16.7 | 접근 통제 절차

○ 접근 통제 정책

접근 통제 정책은 다음과 같이 분류할 수 있다.

- 강제적 접근 통제
- 임의적 접근 통제
- 역할 기반 접근 통제

강제적 접근 통제(MAC : Mandatory Access Control) 정책은 규칙 기반 접근 통제라고도 하며, 비밀성을 포함하고 있는 객체에 대하여 이 객체를 이용하는 주체의 권한에 근거하여 객체에 대한 접근을 제한한다.

강제적 접근 통제 방식에서는 객체의 비밀성을 다음과 같이 보안 등급 레벨로 표현하고, 주체의 보안 레벨과 객체의 보안 레벨을 비교하여 접근 권한을 부여한다.

- 3 일급 비밀(top secret)
- 2 비밀(secret)
- 1 기밀(confidential)
- 0 비보안 문서(unclassified)

임의적 접근 통제(DAC : Discretionary Access Control) 정책은 신분 기반 접근 통제라고도 하며, 주체의 신분에 근거하여 객체에 대한 접근을 제한하는 방식으로 객체의 소유자가 접근 여부를 임의로 결정한다.

임의적 접근 통제 방식에서는 모든 개개의 주체와 객체 단위로 접근 제한이 설정되며, 객체의 소유자가 접근 제한을 변경할 수 있는 주체와 객체의 접근 통제 관계를 정의하고 접근 권한을 부여한다.

역할 기반 접근 통제(RBAC : Role Based Access Control) 정책은 비임의적 접근 통제라고도 하며, 주체의 역할에 근거하여 객체에 대한 접근을 제한하는 방식이다. 역할 기반 접근 통제 방식에서는 주체와 객체의 상호관계를 통제하기 위한 역할을 정의하며, 관리자가 주체에게 역할을 할당하고 객체에 대한 접근 권한을 부여한다.

◎ 패스워드 관리

패스워드는 컴퓨팅 시스템에의 접근을 통제하는 가장 기본적이면서도 중요한 사용자 인증 방법이며, 일반 사용자의 패스워드도 철저히 관리되어야 한다.

해커들은 패스워드를 알아내기 위해 다음과 같이 시도하기 때문에 이를 고려하여 패스워드를 선택하는 것도 바람직하다.

- 디폴트 패스워드로 시도한다.
- 사용자나 가족의 이름, 생일, 취미, 전화번호, 주민번호 등으로 시도한다.
- John the Ripper, NTcrack 등의 패스워드 크래킹(cracking) 툴을 이용한다.
- 사용자의 패스워드를 가로챈다.
- 시스템 관리자에게 정당한 사용자인 것처럼 패스워드를 요청한다.

패스워드를 선택하고 관리하는 원칙은 다음과 같다.

- 사용자는 기억하기 용이하지만 해커가 유추하기는 어려워야 한다.
- 최소 10문자 이상으로 한다.
- 적어도 하나의 대문자, 소문자, 숫자를 포함한다.
- 하나의 패스워드를 여러 용도로 사용하지 않아야 한다.
- 사용자 패스워드는 3개월마다 변경한다.
- 루트 패스워드는 1개월마다 변경한다.
- 실패한 로그인 시도 횟수를 엄격히 제한한다.

다음은 사용자가 패스워드를 선택하는 몇 가지 요령을 예시한 것이다.

I love Youngran forever.	→	ilyf	첫 글자 선택
Changsuk	→	vjsmhdil	키보드의 오른쪽 문자
white	→	black	반대말
darling	→	adlrnig	문자의 위치 바꿈
soft ball	→	sobaftll	단어 혼합
computer → ocpmture → ixonryew → Ixonry4w			삼중 변환

16.4 공격 탐지

Data Communication & Computer Network

네트워크의 보안을 유지하기 위해서는 DDoS(Distributed Denial of Service) 공격과 같은 트래픽 폭주 공격 등을 차단하여야 한다. 해커의 공격을 차단하거나 탐지하는 데에는 다음과 같은 방법들이 사용될 수 있다.

- 방화벽 설치
- 침입 탐지 시스템 설치
- 침입 방지 시스템 설치

그림 16.8에서 보는 바와 같이 방화벽을 설치함으로써 인터넷을 통해 내부 통신망으로의 침입을 시도하는 해커의 공격을 일차적으로 차단할 수 있다. 방화벽은 미리 설정한 패킷 필터링 규칙에 따라 원격 사용자의 접근 허용 여부를 결정한다.

침입 탐지 시스템(IDS : Intrusion Detection System)을 설치하여 방화벽을 뚫고 침입한 해커의 공격을 탐지할 수도 있고, 침입 방지 시스템(IPS : Intrusion Prevention System)을 설치하여 실시간으로 공격을 탐지하여 공격을 차단할 수도 있다.

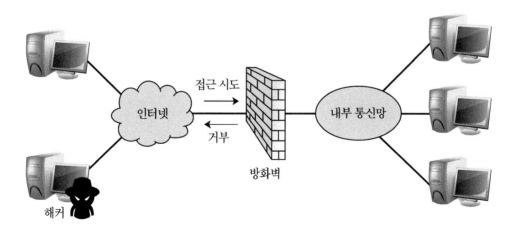

| 그림 16.8 | 방화벽에 의한 침입 차단

16.5 암호화

◎ 암호화 모델

전송되는 전문을 해커로부터 보호하기 위해서는 암호화가 필요하다. 전문을 암호화 하고 암호문을 복호화(암호 해독)하기 위해서는 다음과 같은 3가지 사항이 요구된다.

- 암호/복호 알고리즘
- 키
- 키 분배

전문을 암호화 하여 전송하기 위해서는 통신 당사자 간에 적절한 암호 알고리즘과 복호 알고리즘을 선택하여야 하며, 암호화와 복호화에 사용될 키를 생성하고 비밀스럽게 송신자와 수신자 간에 전달하여야 한다.

그림 16.9에 암호화 모델을 나타내었다.

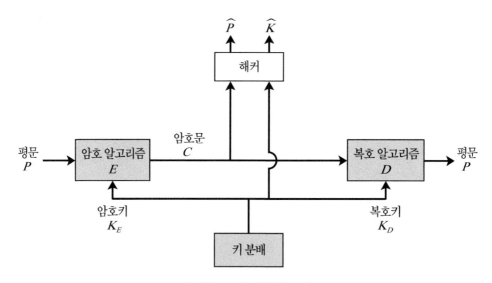

| 그림 16.9 | 암호화 모델

전송하려는 전문을 평문(plaintext)이라고 하며, 송신 측에서는 암호 알고리즘 E와 암호키 K_E를 이용하여 평문 P를 암호문(ciphertext) C로 변환하여 전송한다.

수신 측에서는 복호 알고리즘 D와 복호키 K_D를 이용하여 수신한 암호문을 원래의 평문으로 복원한다.

해커는 전송되는 암호문과 키를 가로채서 암호 해독을 하여 원래의 평문을 알아내려고 시도한다.

키는 암호문과 다른 전송로로 전송하거나 키도 암호화 하여 전송함으로써 해커에게 키가 노출되는 것을 방지하여야 한다.

● 암호 기법

암호 기법은 암호를 해독할 가능성에 따라 다음과 같이 구분할 수 있다.

- 무조건 안전
- 계산상 안전

무조건 안전(unconditionally secure)한 암호 기법이란 해커가 많은 양의 암호문을 입수하여 암호를 풀려고 아무리 노력해 봐도 암호 해독이 불가능한 암호 기법을 말한다.

무조건 안전한 암호 기법은 당연히 보안성은 좋지만 컴퓨터의 처리 능력이 상상을 초월할 정도로 향상되고 있기 때문에 무조건 안전하다고 여겨지는 암호 기법도 언젠가는 해독될 가능성을 배제할 수 없다.

계산상 안전(computationally secure)한 암호 기법이란 암호문의 해독 시간이 정보의 보안을 유지해야 하는 기간보다 더 많이 소요되거나 정보의 가치보다 암호 해독하는 비용이 더 많이 들면 해커들이 암호 해독을 포기할 것이므로 안전하다고 여겨지는 암호 기법을 말한다.

암호 기법은 동작 형태, 평문의 처리, 키에 따라 다음과 같이 분류한다.

○ **동작 형태에 따른 분류**

■ 대치법

■ 치환법

○ **평문의 처리 방법에 따른 분류**

■ 블록 암호

■ 스트림 암호

○ **키에 따른 분류**

■ 대칭키 암호

■ 공개키 암호

■ 하이브리드 암호

대치법(substitution)은 한 문자를 다른 문자로 대체하여 암호화 하는 방법이며, 치환법 (transposition)은 문자나 비트의 위치를 바꾸어 암호화 하는 방법이다. 단일 알파벳 암호, 다중 알파벳 암호 등이 대치법을 이용한 암호이지만 현대 암호는 보안성을 높이기 위해 대치법을 구현하는 S(Substitution)-box와 치환법을 구현하는 P(Permutation)-box를 혼합 하여 사용한다.

블록 암호(block cipher)는 평문을 일정한 길이의 블록 단위로 분할하고 암호화 하여 일 정한 길이의 블록 암호문을 생성하는 방법이며, 블록 암호 알고리즘에는 Feistel 구조와 SPN(Substitution Permutation Network) 구조가 있다.

그림 16.10(a)와 같은 Feistel 구조의 블록 암호는 라운드 함수에 상관없이 역변환이 가 능하므로 암호화와 복호화 과정이 동일하며, 하드웨어나 소프트웨어적으로 구현이 용이한 장점이 있다. 대표적인 Feistel 구조의 블록 암호 알고리즘에는 DES, SEED 등이 있다.

DES(Data Encryption Standard)는 64비트의 평문 블록을 입력하여 64비트의 블록 암 호문을 출력하는 16라운드의 Feistel 구조이며, SEED는 128비트의 평문 블록을 입력하여 128비트의 블록 암호문을 출력하는 16라운드의 Feistel 구조이다.

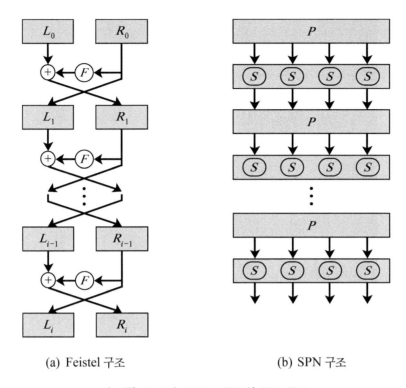

(a) Feistel 구조   (b) SPN 구조

| 그림 16.10 | Feistel 구조와 SPN 구조

SPN 구조의 블록 암호는 혼돈(confusion)과 확산(diffusion)에 기반한 구조로서 그림 16.10(b)에서 보는 바와 같이 S-box를 이용하여 대치하고 P-box를 이용하여 치환하는 과정을 반복한다. SPN 구조는 라운드 함수의 역변환이 가능해야 하는 제약이 있어 암호화와 복호화 과정이 다르지만 암호화와 복호화 속도가 빠른 장점이 있다. 대표적인 SPN 구조의 블록 암호 알고리즘에는 AES, ARIA 등이 있다.

AES(Advanced Encryption Standard)는 128비트의 평문 블록을 입력하여 128비트의 블록 암호문을 출력하는 10/12/14 라운드의 SPN 구조이며, ARIA(Academy Research Institute Agency)는 AES와 유사하지만 12/14/16 라운드의 SPN 구조이다.

스트림 암호(stream cipher)는 평문을 연속적으로 입력하여 연속적인 암호문을 생성하는 방법으로 블록 암호에 비해 보안성은 떨어지지만 하드웨어적 구현이 용이하고 암호화와 복호화 시간이 빨라 실시간 음성이나 영상 스트리밍 전송, 이동 통신 등에 사용된다.

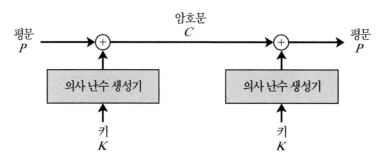

| 그림 16.11 | 스트림 암호

스트림 암호는 그림 16.11에서 보는 바와 같이 송신 측에서는 키를 의사 난수 생성기에 입력하여 키 스트림을 생성하고 평문과 키 스트림을 XOR 연산하여 한 번에 1비트씩 암호문을 생성한다.

수신 측에서는 송신 측과 동일한 방법으로 키 스트림을 생성하고 암호문과 키 스트림을 XOR 연산함으로써 원래의 평문을 얻을 수 있다.

이동 통신 분야에 사용되는 스트림 암호는 LFSR(Linear Feedback Shift Register) 방식이나 FCSR(Feedback with Carry Shift Register) 방식을 이용하여 하드웨어적으로 의사 난수를 생성한다. 스트림 암호에는 RC4, A5/3, OTP(One Time Pad) 등이 있다.

대칭키(symmetric key) 암호는 그림 16.12(a)와 같이 암호화와 복호화에 동일한 키를 사용하는 암호 기법으로 비밀키(secret key) 암호 또는 관용 암호라고도 한다. 대칭키 암호의 대표적인 알고리즘은 DES, AES 등이 있다.

대칭키 암호는 송신 측에서 평문 P를 암호 알고리즘 E와 비밀키 K를 이용하여 암호문 C로 암호화 하며, 이를 수학적으로 표현하면 다음과 같다.

$$C = E_K(P) \tag{16-1}$$

수신 측에서는 암호문 C를 복호 알고리즘 D와 비밀키 K를 이용하여 평문 P로 복원하며, 이를 수학적으로 표현하면 다음과 같다.

$$P = D_K(C)$$
$$= D_K[E_K(P)]$$
(16-2)

공개키(public key) 암호는 그림 16.12(b)와 같이 공개키와 비밀을 유지해야 하는 개인키(private key)의 2가지 키를 사용하는 암호 기법으로 비대칭 암호라고도 한다. 공개키 암호의 대표적인 알고리즘은 RSA, ElGamal 등이 있다.

공개키 암호는 송신 측에서 평문 P를 암호 알고리즘 E와 수신자의 공개키 KU_B를 이용하여 암호문 C로 암호화 하며, 이를 수학적으로 표현하면 다음과 같다.

$$C = E_{KU_B}(P)$$
(16-3)

수신 측에서는 암호문 C를 복호 알고리즘 D와 수신자의 개인키 KR_B를 이용하여 평문 P로 복원하며, 이를 수학적으로 표현하면 다음과 같다.

$$P = D_{KR_B}(C)$$
$$= D_{KR_B}[E_{KU_B}(P)]$$
(16-4)

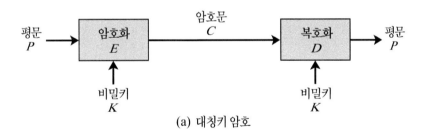

(a) 대칭키 암호

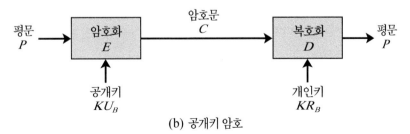

(b) 공개키 암호

| 그림 16.12 | 대칭키 암호와 공개키 암호

하이브리드(hybrid) 암호는 긴 전문의 암호화에는 암호화 속도가 빠른 대칭키 암호를 사용하고, 세션키의 암호화에는 키를 배송할 필요가 없는 공개키 암호를 사용하는 혼합형 암호 기법이다.

하이브리드 암호는 그림 16.13(a)에서 보는 바와 같이 송신 측에서 평문 메시지 P는 암

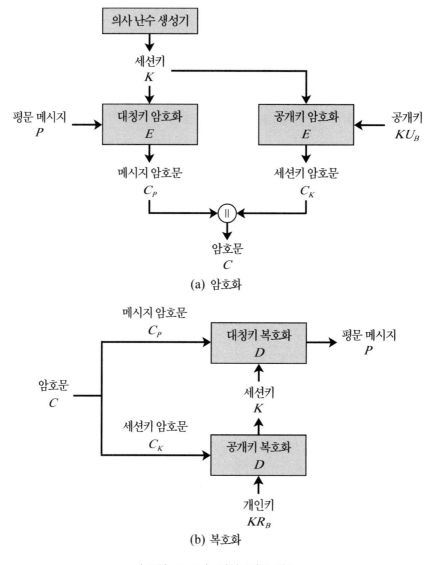

| 그림 16.13 | 하이브리드 암호

호 알고리즘 E와 세션키 K를 이용하여 메시지 암호문 C_P로 암호화 하고, 세션키 K는 암호 알고리즘 E와 수신자의 공개키 KU_B를 이용하여 암호문 C_K로 암호화 한 다음 이들을 결합한 암호문 C를 전송한다. 이를 수학적으로 표현하면 다음과 같다.

$$
\begin{aligned}
C &= C_P \parallel C_K \\
&= E_K(P) \parallel E_{KU_B}(K)
\end{aligned}
\tag{16-5}
$$

수신 측에서는 그림 16.13(b)에서 보는 바와 같이 암호문 C를 메시지 암호문 C_P와 세션키 암호문 C_K로 분리한 다음 세션 암호문 C_K를 복호 알고리즘 D와 수신자의 개인키 KR_B를 이용하여 복호화 함으로써 세션키 K를 얻는다. 메시지 암호문 C_P는 복호 알고리즘 D와 세션키 K를 이용하여 복호화 함으로써 평문 메시지 P로 복원한다. 이를 수학적으로 표현하면 다음과 같다.

$$
\begin{aligned}
K &= D_{KR_B}(C_K) \\
P &= D_K(C_P)
\end{aligned}
\tag{16-6}
$$

○ 키 관리

키는 암호화뿐만 아니라 메시지 인증 코드나 전자서명 등 다양한 용도에 사용된다. 암호문의 보안성은 기능이 알려져 있는 암호 알고리즘보다는 키에 의해 보장되며, 키의 길이가 클수록 해커의 무차별 공격(brute force attack)에 강인하므로 보안성이 향상된다.

키는 용도, 암호화 대상, 사용 횟수에 따라 다음과 같이 분류할 수 있다.

○ 용도에 따른 분류
- 암호용 키
- 인증용 키

○ 암호화 대상에 따른 분류
- 전문 암호용 키
- 키 암호용 키

⊙ 사용 횟수에 따른 분류

■ 세션키

■ 마스터키

암호용 키는 암호화와 복호화에 동일한 키를 사용하는 대칭키 암호 및 암호화와 복호화에 다른 키를 사용하는 공개키 암호에 사용되는 키를 말한다.

인증용 키는 메시지 인증 코드를 이용한 인증과 전자서명에 사용되는 키를 말한다. 메시지 인증 코드를 이용한 인증의 경우에는 송신자와 수신자가 동일한 키를 사용하여 메시지 인증 코드를 생성하고 이를 비교함으로써 인증을 수행한다. 전자서명의 경우에는 송신자가 자신의 개인키로 서명하고 수신자는 송신자의 공개키로 서명을 검증한다.

그림 16.14에서 보는 바와 같이 전문 암호용 키(CEK : Contents Encryption Key)는 전문을 암호화 하는 데 사용되는 키를 말하며, 키 암호용 키(KEK : Key Encryption Key)는 키를 안전하게 배송하기 위해 키를 암호화 하는 데 사용되는 키를 말한다.

세션키(session key)는 해당 통신에서 한 번만 사용되는 1회용 키를 말하며, 마스터키(master key)는 통신할 때마다 반복적으로 사용되는 키를 말한다.

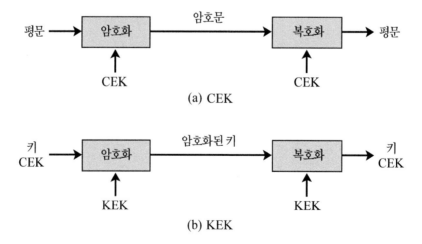

| 그림 16.14 | 전문 암호용 키(CEK)와 키 암호용 키(KEK)

일반적으로 세션키는 전문을 암호화 하는 키인 CEK로 사용되고 마스터키는 키를 암호화 하는 키인 KEK로 사용된다.

키를 생성하는 데에는 다음과 같은 방법이 사용될 수 있다.

- 난수를 이용하는 방법
- 패스워드를 이용하는 방법

난수를 이용하는 방법은 무작위하고 예측 불가능하며, 재현 불가능한 난수열을 키로 사용하는 가장 일반적인 키 생성 방법이다.

난수는 하드웨어적으로 생성할 수도 있고 소프트웨어적으로 생성할 수도 있지만 의사 난수 생성기(pseudo random number generator)에 특정 *seed* 값을 입력하여 생성된 난수열을 키로 이용하는 소프트웨어적 방법이 주로 사용된다.

패스워드를 이용한 방법은 키 암호용 키인 KEK를 생성하는 데 사용될 수 있으며, 패스워드 기반 암호(PBE : Password Based Encryption)라고 한다.

패스워드 기반 암호에서는 의사 난수 생성기에서 생성된 난수인 *salt*와 패스워드를 해시 함수(hash function)에 입력하여 KEK를 생성하고 이 키를 이용하여 세션키를 암호화 하며, 세션키를 복호화 할 때에는 동일한 패스워드와 *salt*를 해시 함수에 입력하여 KEK를 생성하고 이 키를 이용하여 세션키를 복원한다.

키 생성 이외에도 키 분배, 키 삭제 등 키에 대한 관리가 철저히 이루어져야 한다.

대칭키 암호의 경우에는 해커에게 비밀키가 노출되지 않도록 키 분배에 유의하여야 하며, 더 이상 필요하지 않은 키는 해커에게 암호 해독의 빌미를 제공하지 않기 위해 폐기하여야 한다.

통신 도중에도 키를 주기적으로 변경하여 해커가 키를 획득하더라도 이전의 키로 암호화 한 암호문을 해독할 수 없게 함으로써 보안성을 향상시킬 수도 있다.

● 링크 및 단대단 암호화

전문을 어떻게 암호화할 것인지도 중요하지만 어느 위치에서 암호화 및 복호화를 수행하느냐 하는 것도 역시 중요한 문제이다.

암호화 하는 위치에 따라 다음과 같이 분류할 수 있다.

- 링크 암호화
- 단대단 암호화

링크(link) 암호화의 경우에는 헤더와 사용자의 데이터 전체를 암호화 하여 전송하며, 그림 16.15(a)에서 보는 바와 같이 경유하는 중간 노드에서 복호화하고 다시 암호화 하기 때문에 전문의 내용이 중간 노드에 노출되는 취약점이 있지만 트래픽 흐름의 특성은 보호된다.

단대단(end-to-end) 암호화의 경우에는 사용자의 데이터만 암호화 하여 전송하며, 그림 16.15(b)에서 보는 바와 같이 종단 사용자 간에서만 암호화와 복호화가 이루어지기 때문에 전문의 내용이 중간 노드에 노출되지 않아 보안성은 유지되지만 트래픽 흐름의 특성은 노출된다.

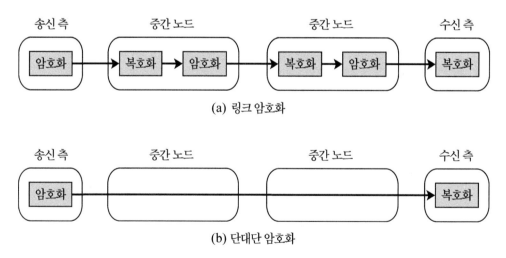

(a) 링크 암호화

(b) 단대단 암호화

| 그림 16.15 | 링크 암호화와 단대단 암호화

Chapter

17

대칭키 암호

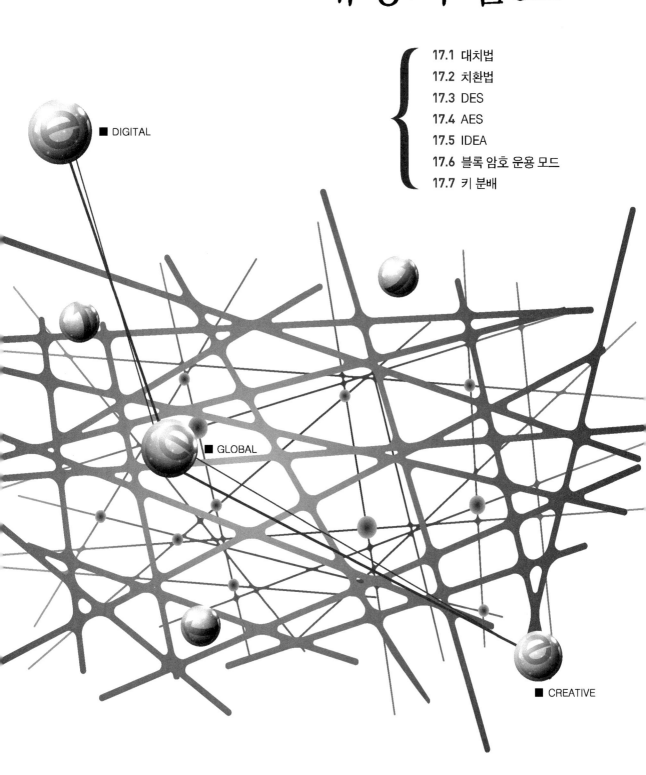

17.1 대치법

Data Communication & Computer Network

◉ 단일 알파벳 암호

단일 알파벳 암호(monoalphabet cipher)는 한 문자를 다른 문자로 일대일 매핑 하는 암호화 방법으로 문자들은 항상 동일한 특정 문자로 대체된다.

Caesar 암호는 다음과 같이 각 문자를 세 번째 뒤의 문자로 대체하는 가장 단순한 단일 알파벳 암호이다.

평문	: a b c d e f g h i j k l m n o p q r s t u v w x y z
암호문	: *d e f g h i j k l m n o p q r s t u v w x y z a b c*

평문 data communication은 *gdwd frppxqlfdwlrq*로 암호화 된다.

모든 a는 d로, c는 f로, m은 p 등으로 대체되기 때문에 Caesar 암호는 단순히 a → b, a → c, ..., a → z 등의 방법으로 문자 대체를 25회만 시도하면 암호문이 해독된다.

단일 알파벳 암호는 Caesar 암호처럼 단순히 문자의 순서대로 대체하지 않고 다음과 같이 임의의 특정 문자로 대체한다.

평문	: a b c d e f g h i j k l m n o p q r s t u v w x y z
암호문	: *o f j g z h r e k t a x d v q i s l u p m y n c b w*

평문 data communication은 *gopo jqddmvkjopkqv*로 암호화 된다.

단일 알파벳 암호도 Caesar 암호와 마찬가지로 모든 a는 o로, c는 j 등으로 대체되지만 일정한 순서가 없이 임의로 대체되므로 암호문을 해독하기 어려울 것 같지만 문자의 발생 빈도에 대한 통계를 활용한다면 간단히 해독된다.

문자의 발생 빈도는 다음과 같다.

단일 문자 :	e	t	o	a	n	i	r	s	h	d	l	c	f	u	m
	p	y	w	g	b	v	k	x	j	q	z				
이중 문자 :	th	in	er	re	an	he	ar	en	ti	te	at	on	ha	ou	it
삼중 문자 :	the	ing	and	ion	ent	for	tio	ere	her	ate	ver	ter			
단어 :	the	of	and	to	a	in	that	is	I	it	for	as	with	was	

암호문에서 가장 빈번하게 나오는 문자를 e로 대체하고, 그 다음으로 빈번하게 나오는 문자를 t로 대체하는 방식으로 문자들을 대체한 다음, 문장의 문맥에 따라 미비한 부분은 이중 문자와 삼중 문자, 단어의 발생 빈도를 활용하여 대체함으로써 보다 정확하게 암호문을 해독할 수 있다.

◉ 다중 알파벳 암호

다중 알파벳 암호(polyalphabet cipher)는 표 17.1의 Vigenere 표를 이용하여 한 문자를 여러 가지 문자로 대체함으로써 암호문을 해독할 때 문자의 발생 빈도를 활용할 수 없게 하는 방법이며, Vigenere 암호라고도 한다.

다중 알파벳 암호에는 평문의 길이와 동일한 길이의 키가 필요하므로 다음과 같은 방법으로 키를 해결하고 있다.

- 일정한 길이의 키를 반복하여 사용한다.
- 키에 평문 자체를 연결하여 자동키(autokey)로 사용한다.

Gerard Joling의 감미로운 목소리와 섹스폰의 운율이 곁들인 "Ticket to the tropics"의 가사를 computer라는 키를 이용하여 다중 알파벳 암호로 변환해보자.

Gotta(=got to) buy me a *ticket to the tropics*

Forget our love and leave this place behind me

Gonna(=going to) buy me a ticket to the tropics

And prove myself that *I can live without your love*

| 표 17.1 | Vigenere 표

	a	b	c	d	e	f	g	h	i	j	k	l	m	n	o	p	q	r	s	t	u	v	w	x	y	z
a	A	B	C	D	E	F	G	H	I	J	K	L	M	N	O	P	Q	R	S	T	U	V	W	X	Y	Z
b	B	C	D	E	F	G	H	I	J	K	L	M	N	O	P	Q	R	S	T	U	V	W	X	Y	Z	A
c	C	D	E	F	G	H	I	J	K	L	M	N	O	P	Q	R	S	T	U	V	W	X	Y	Z	A	B
d	D	E	F	G	H	I	J	K	L	M	N	O	P	Q	R	S	T	U	V	W	X	Y	Z	A	B	C
e	E	F	G	H	I	J	K	L	M	N	O	P	Q	R	S	T	U	V	W	X	Y	Z	A	B	C	D
f	F	G	H	I	J	K	L	M	N	O	P	Q	R	S	T	U	V	W	X	Y	Z	A	B	C	D	E
g	G	H	I	J	K	L	M	N	O	P	Q	R	S	T	U	V	W	X	Y	Z	A	B	C	D	E	F
h	H	I	J	K	L	M	N	O	P	Q	R	S	T	U	V	W	X	Y	Z	A	B	C	D	E	F	G
i	I	J	K	L	M	N	O	P	Q	R	S	T	U	V	W	X	Y	Z	A	B	C	D	E	F	G	H
j	J	K	L	M	N	O	P	Q	R	S	T	U	V	W	X	Y	Z	A	B	C	D	E	F	G	H	I
k	K	L	M	N	O	P	Q	R	S	T	U	V	W	X	Y	Z	A	B	C	D	E	F	G	H	I	J
l	L	M	N	O	P	Q	R	S	T	U	V	W	X	Y	Z	A	B	C	D	E	F	G	H	I	J	K
m	M	N	O	P	Q	R	S	T	U	V	W	X	Y	Z	A	B	C	D	E	F	G	H	I	J	K	L
n	N	O	P	Q	R	S	T	U	V	W	X	Y	Z	A	B	C	D	E	F	G	H	I	J	K	L	M
o	O	P	Q	R	S	T	U	V	W	X	Y	Z	A	B	C	D	E	F	G	H	I	J	K	L	M	N
p	P	Q	R	S	T	U	V	W	X	Y	Z	A	B	C	D	E	F	G	H	I	J	K	L	M	N	O
q	Q	R	S	T	U	V	W	X	Y	Z	A	B	C	D	E	F	G	H	I	J	K	L	M	N	O	P
r	R	S	T	U	V	W	X	Y	Z	A	B	C	D	E	F	G	H	I	J	K	L	M	N	O	P	Q
s	S	T	U	V	W	X	Y	Z	A	B	C	D	E	F	G	H	I	J	K	L	M	N	O	P	Q	R
t	T	U	V	W	X	Y	Z	A	B	C	D	E	F	G	H	I	J	K	L	M	N	O	P	Q	R	S
u	U	V	W	X	Y	Z	A	B	C	D	E	F	G	H	I	J	K	L	M	N	O	P	Q	R	S	T
v	V	W	X	Y	Z	A	B	C	D	E	F	G	H	I	J	K	L	M	N	O	P	Q	R	S	T	U
w	W	X	Y	Z	A	B	C	D	E	F	G	H	I	J	K	L	M	N	O	P	Q	R	S	T	U	V
x	X	Y	Z	A	B	C	D	E	F	G	H	I	J	K	L	M	N	O	P	Q	R	S	T	U	V	W
y	Y	Z	A	B	C	D	E	F	G	H	I	J	K	L	M	N	O	P	Q	R	S	T	U	V	W	X
z	Z	A	B	C	D	E	F	G	H	I	J	K	L	M	N	O	P	Q	R	S	T	U	V	W	X	Y

◉ 키를 반복하여 사용하는 경우

키 :	c	o	m	p	u	t	e	r	c	o	m	p	u	t	e	r	c	o
평문 :	t	i	c	k	e	t	t	o	t	h	e	t	r	o	p	i	c	s
암호문 :	v	w	o	z	y	m	x	f	v	v	q	i	l	h	t	z	e	g

◉ 키에 평문을 연결한 자동키의 경우

키 :	c	o	m	p	u	t	e	r	i	c	a	n	l	i	v	e	w	i	t	h	o	u	t
평문 :	i	c	a	n	l	i	v	e	w	i	t	h	o	u	t	y	o	u	r	l	o	v	e
암호문 :	k	q	m	c	f	b	z	v	e	k	t	u	z	c	o	c	k	c	k	s	c	p	x

17.2 치환법

치환법은 평문에 있는 문자의 위치를 바꾸는 매핑 방법으로 평문을 2차원으로 배열한 다음, 키에 정해진 열(column)의 순서대로 문자를 선택함으로써 암호화 한다.

```
키      : 2  5  1  7  4  3  6
          s  c  o  r  p  i  o
          n  s  s  t  i  l  l
평문    : l  o  v  i  n  g  y
          o  u  a  n  n  e  v
          a  d  a  e  r  o  s
암호문 : osvaasnloailgeopinnrcsoudolyvsrtine
```

암호 해독 과정은 다음과 같다.

키의 길이가 7이라고 가정하여 암호문을 한 열에 다섯 문자씩 배열하고 나서 각 행(row)에 있는 문자들을 이용하여 적절한 단어가 되는 순서대로 열을 짜 맞춘다. 위의 행부터 차례로 읽음으로써 원래의 평문을 복원할 수 있다.

```
암호 해독 과정 : 3  1  6  5  2  7  4    단어              올바른 배열
                  o  s  i  p  c  o  r  (scorpio)        s  c  o  r  p  i  o
                  s  n  l  i  s  l  t  (still s n)      n  s  s  t  i  l  l
                  v  l  g  n  o  y  i  (loving y)   →   l  o  v  i  n  g  y
                  a  o  e  n  u  v  n  (anne o u v)     o  u  a  n  n  e  v
                  a  a  o  r  d  s  e  (eros a d a)     a  d  a  e  r  o  s
```

해독된 평문 : scorpions still loving you & anne vada eros

단순히 키의 순서에 따라 열 단위로 한번만 위치를 바꾸는 방법은 해독이 너무 용이하기 때문에 다단계 치환법을 사용함으로써 보안성을 높일 수 있다.

2단계 치환법은 다음과 같이 치환한 결과를 한 번 더 치환하는 방법이다.

```
키 :  2   5 | 1   7   4   3   6
평문 :  s   c ↓ o   r   p   i   o
            n   s   s   t   i   l   l
            l   o   v   i   n   g   y
            o   u   a   n   n   e   v
            a   d   a   e   r   o   s
```

1단계 치환 결과 : *osvaasnloailgeopinnrcsoudolyvsrtine*

```
키 :  2   5 | 1   7   4   3   6
평문 :  o   s ↓ v   a   a   s   n
            l   o   a   i   l   g   e
            o   p   i   n   n   r   c
            s   o   u   d   o   l   y
            v   s   r   t   i   n   e
```

암호문 : *vaiurolosvsgrlnalnoisoposnecyeaindt*

예제 17.1

:: 다음 문장은 Scorpions의 "Still loving you"라는 노래의 가사 일부분이다. 아래에 주어진 순열표 (permutation table)에 의해 문자들을 치환하는 방법으로 암호화하라.

평문 : I would try to change the things that killed our love.

| 순열표 |

24	40	7	11	35	19	1	15	3	31	21	42	5	9	22	27	4	33	41	12	8	30
13	44	10	17	32	39	37	14	28	20	6	2	34	18	36	29	38	26	43	16	23	25

풀이 암호문 : *nltoehlnoktvlyhtulocrth.teiroahedwltdausegig*

17.3 DES

DES(Data Encryption Standard)는 1977년에 FIPS PUB 46 "Data Encryption Standard"로 공표되었으며, 보안성에 문제가 제기되고 있지만 널리 사용되고 있는 블록 암호 알고리즘이다.

DES의 특징은 다음과 같다.

- Feistel 구조이다.
- 높은 보안성을 제공한다.
- 보안성은 키에 의해 제공된다.
- 이해하기 쉽고 완벽하게 정의되어 있다.
- 높은 이식성을 제공한다.
- 다양한 응용에의 사용이 가능하다.

DES는 그림 17.1에서 보는 바와 같이 16라운드로 구성되어 있으며, 64비트의 평문 블록을 입력받아 56비트(원래 64비트)의 키를 사용하여 64비트의 블록 암호문을 출력한다.

맨 처음 64비트의 평문은 초기 순열(initial permutation)에 의해 비트들의 위치가 재배치되고, 원래 64비트인 키는 압축 순열(compression permutation)에 의해 56비트의 키로 변환된다.

DES는 16라운드의 과정을 거치는 데 각 라운드에서는 동일한 순열과 대치 동작이 이루어진다. 라운드 16의 출력은 최종 순열(final permutation)에 의해 비트 위치가 재배치되며, 이 결과가 64비트의 암호문이다.

DES의 세부적인 과정은 다음과 같다.

64비트의 평문은 표 17.2의 초기 순열 표에 의해 각각의 비트가 재배치된다. 평문의 58

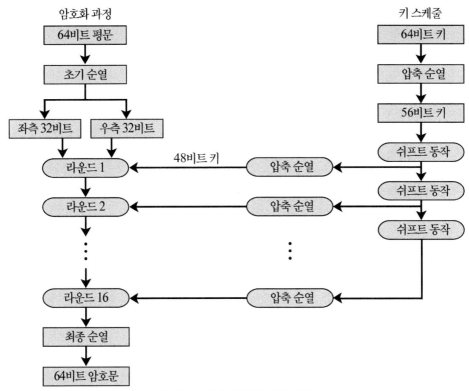

| 그림 17.1 | DES의 기본 구조

번째 비트가 맨 앞에 배치되고, 50번째 비트는 2번째 위치 등의 방식으로 재배치된다. 재배치된 64비트는 왼쪽과 오른쪽 32비트씩 분할되어 라운드 1에 입력된다.

한편, 원래 64비트인 키를 표 17.3의 키 압축 순열1 표에 의해 8번째, 16번째 등 8의 배수 비트를 무시하고, 57번째 비트를 첫 번째 위치로, 49번째 비트를 두 번째 위치 등의

| 표 17.2 | 초기 순열 표

58	50	42	34	26	18	10	2
60	52	44	36	28	20	12	4
62	54	46	38	30	22	14	6
64	56	48	40	32	24	16	8
57	49	41	33	25	17	9	1
59	51	43	35	27	19	11	3
61	53	45	37	29	21	13	5
63	55	47	39	31	23	15	7

| 표 17.3 | 키 압축 순열1 표 |

57	49	41	33	25	17	9
1	58	50	42	34	26	18
10	2	59	51	43	35	27
19	11	3	60	52	44	36
63	55	47	39	31	23	15
7	62	54	46	38	30	22
14	6	61	53	45	37	29
21	13	5	28	20	12	4

방식으로 재배치한다. 64비트의 키를 압축하여 생성한 56비트의 키는 왼쪽과 오른쪽 28비트씩 분할되어 라운드 1의 키로 사용된다.

각 라운드의 세부 과정을 그림 17.2에 나타내었다.

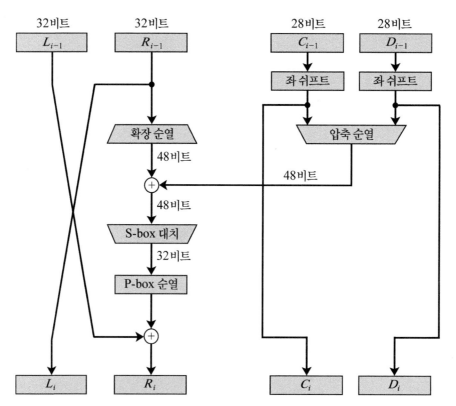

| 그림 17.2 | DES의 각 라운드에서의 기능

| 표 17.4 | 확장 순열 표

32	1	2	3	4	5
4	5	6	7	8	9
8	9	10	11	12	13
12	13	14	15	16	17
16	17	18	19	20	21
20	21	22	23	24	25
24	25	26	27	28	29
28	29	30	31	32	1

64비트의 입력 중 오른쪽 32비트 R_{i-1}은 다음 라운드의 왼쪽 32비트 L_i로 이용될 뿐만 아니라 키와의 연산을 위하여 표 17.4의 확장 순열 표에 의해 32비트가 48비트로 확장된다.

56비트의 키 중 왼쪽 28비트 C_{i-1}과 오른쪽 28비트 R_{i-1}은 표 17.5의 라운드별 쉬프트 표에 의해 해당하는 비트수만큼 좌측으로 쉬프트 되어 각각 다음 라운드의 키 C_i와 D_i로 사용될 뿐만 아니라 재배치된 평문 비트와의 연산을 위해 표 17.6의 키 압축 순열2 표에 의해 48비트로 압축된다.

| 표 17.5 | 라운드별 쉬프트 표

라운드	1	2	3	4	5	6	7	8	9	10	11	12	13	14	15	16
쉬프트 비트수	1	1	2	2	2	2	2	2	1	2	2	2	2	2	2	1

| 표 17.6 | 키 압축 순열2 표

14	17	11	24	1	5
3	28	15	6	21	10
23	19	12	4	26	8
16	7	27	20	13	2
41	52	31	37	47	55
30	40	51	45	33	48
44	49	39	56	34	53
46	42	50	36	29	32

확장된 48비트의 R_{i-1} 평문과 압축된 48비트의 키를 XOR 연산하고, 이 결과를 표 17.7 의 S-box 대치 표에 의해 48비트를 32비트로 축소한다.

S-box에 의한 대치 방법은 다음과 같다.

그림 17.3에서 보는 바와 같이 S-box에 입력되는 48비트를 6비트씩 분할하여 8개의 S_i 를 만든다.

S-box 대치 표에서 각 S_i의 첫 번째와 여섯 번째 2비트의 값(0~3)과 중간 4비트의 값 (0~15)이 교차하는 값으로 대체한다.

대체되는 값은 0~15의 범위이므로 각각의 S_i는 4비트로 표현되고, S-box의 출력은 32 비트가 된다.

S-box의 입력이 "100110011001100110..."인 경우에는 "100001101001..."이 출력된다.

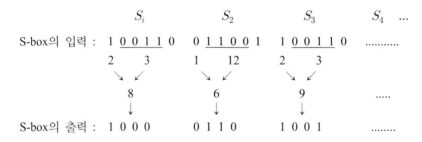

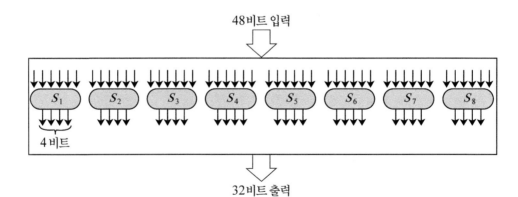

| 그림 17.3 | S-box의 기능

| 표 17.7 | S-box 대치 표

앞 2비트 \ 뒤 4비트		0	1	2	3	4	5	6	7	8	9	10	11	12	13	14	15
S_1	0	14	4	13	1	2	15	11	8	3	10	6	12	5	9	0	7
	1	0	15	7	4	14	2	13	1	10	6	12	11	9	5	3	8
	2	4	1	14	8	13	6	2	11	15	12	9	7	3	10	5	0
	3	15	12	8	2	4	9	1	7	5	11	3	14	10	0	6	13
S_2	0	15	1	8	14	6	11	3	4	9	7	2	13	12	0	5	10
	1	3	13	4	7	15	2	8	14	12	0	1	10	6	9	11	5
	2	0	14	7	11	10	4	13	1	5	8	12	6	9	3	2	15
	3	13	8	10	1	3	15	4	2	11	6	7	12	0	5	14	9
S_3	0	10	0	9	14	6	3	15	5	1	13	12	17	11	4	2	8
	1	13	7	0	9	3	4	6	10	2	8	5	14	12	11	15	1
	2	13	6	4	9	8	15	3	0	11	1	2	12	5	10	14	7
	3	1	10	13	0	6	9	8	7	4	15	14	3	11	5	2	12
S_4	0	7	13	14	3	0	6	9	10	1	2	8	5	11	12	4	15
	1	13	8	11	5	6	15	0	3	4	7	2	12	1	10	14	9
	2	10	6	9	0	12	11	7	13	15	1	3	14	5	2	8	4
	3	3	15	0	6	10	1	13	8	9	4	5	11	12	7	2	14
S_5	0	2	12	4	1	7	10	11	6	8	5	3	15	13	0	14	9
	1	14	11	2	12	4	7	13	1	5	0	15	10	3	9	8	6
	2	4	2	1	11	10	13	7	8	15	9	12	5	6	3	0	14
	3	11	8	12	7	1	14	2	13	6	15	0	9	10	4	5	3
S_6	0	12	1	10	15	9	2	6	8	0	13	3	4	14	7	5	11
	1	10	15	4	2	7	12	9	5	6	1	13	14	0	11	3	8
	2	9	14	15	5	2	8	12	3	7	0	4	10	1	13	11	6
	3	4	3	2	12	9	5	15	0	11	14	1	7	6	0	8	13
S_7	0	4	11	2	14	15	0	8	13	3	12	9	7	5	10	6	1
	1	13	0	11	7	4	9	1	10	14	3	5	12	2	15	8	6
	2	1	4	11	13	12	3	7	14	10	15	6	8	0	5	9	2
	3	6	11	13	8	1	4	10	7	9	5	0	15	14	2	3	12
S_8	0	13	2	8	4	6	15	11	1	10	9	3	14	5	0	12	7
	1	1	15	13	8	10	3	7	4	12	5	6	11	0	14	9	2
	2	7	11	4	1	9	12	14	2	0	6	10	13	15	3	5	8
	3	2	1	14	7	4	10	8	13	15	12	9	0	3	5	6	11

S-box 대치에 의해 생성된 32비트는 표 17.8의 P-box 순열 표에 의해 재배치한 후, 왼쪽 32비트 L_{i-1}과 XOR 연산을 한다. 이 결과는 후속 라운드의 오른쪽 32비트 R_i로 사용된다.

| 표 17.8 | P-box 순열 표

16	7	20	21	29	12	28	17
1	15	23	26	5	18	31	10
2	8	24	14	32	27	3	9
19	13	30	6	22	11	4	25

| 표 17.9 | 최종 순열 표 |

40	8	48	16	56	24	64	32
39	7	47	15	55	23	63	31
38	6	46	14	54	22	62	30
37	5	45	13	53	21	61	29
36	4	44	12	52	20	60	28
35	3	43	11	51	19	59	27
34	2	42	10	50	18	58	26
33	1	41	9	49	17	57	25

라운드 16의 결과를 표 17.9의 최종 순열 표를 이용하여 비트들의 위치를 바꿈으로써 최종적으로 64비트의 블록 암호문을 출력한다.

3DES(triple DES)는 보안성을 향상시키기 위해 그림 17.4에서 보는 바와 같이 키 K_1로 암호화, 키 K_2로 복호화, 키 K_3으로 암호화 하는 방법이며, 삼중으로 DES를 수행하기 때문에 168비트(56비트x3)의 키를 사용하는 것과 같은 효과가 있다.

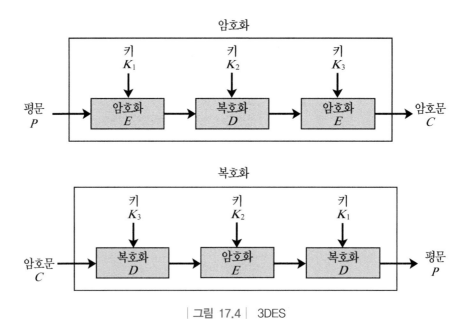

| 그림 17.4 | 3DES

17.4 AES

AES(Advanced Encryption Standard)는 2001년에 FIPS PUB 197 "Advanced Encryption Standard"로 공표되었으며, DES를 대체하여 다양한 응용에 사용하기 위해 개발된 대표적인 블록 암호 알고리즘이다.

AES의 특징은 다음과 같다.

- SPN(Substitution Permutation Network) 구조이다.
- Rijndael 알고리즘이라고도 한다.
- 높은 보안성을 제공한다.
- 보안성은 키에 의해 제공된다.
- 바이트 단위의 연산을 한다.
- 암호화 및 복호화 속도가 빠르다.
- 응용이나 환경에 따라 소프트웨어, 펌웨어, 하드웨어 등으로 구현할 수 있다.

AES는 128비트의 평문 블록을 입력받아 128/192/256비트의 키를 사용하여 128비트의 암호문을 출력한다. 표 17.10에 키 길이(N_k 워드)와 블록 크기(N_b 워드)에 따른 라운드의 수(N_r)의 관계를 나타내었다.

AES는 128비트(4워드)의 평문 블록을 128비트(4워드)의 키로 암호화 하는 경우에는 10라운드를 수행하고, 192비트(6워드)의 키로 암호화 하는 경우에는 12라운드를 수행하며, 256비트(8워드)의 키로 암호화 하는 경우에는 14라운드를 수행한다.

| 표 17.10 | 키–블록–라운드의 조합

	키 길이(N_k 워드)	블록 크기(N_b 워드)	라운드 수(N_r)
AES-128	4	4	10
AES-192	6	4	12
AES-256	8	4	14

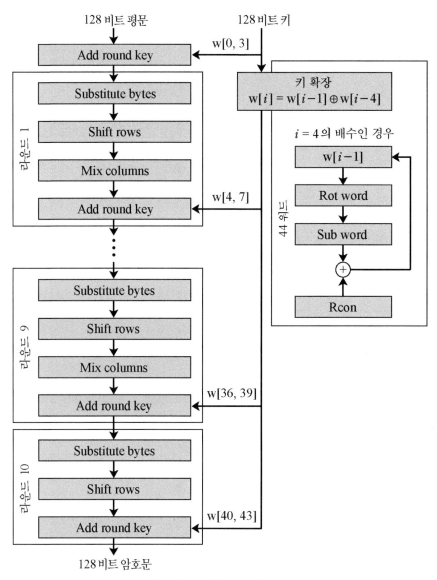

| 그림 17.5 | AES의 구조

AES의 기본적인 구조를 그림 17.5에 나타내었으며, 그림 17.6은 AES의 의사 코드
(pseudo code)이다.

1라운드에서 9라운드까지의 연산에는 다음과 같은 4가지 변환이 수행된다.

- 바이트 대치   SubBytes( )

```
Cipher(byte in[4*Nb], byte out[4*Nb], word w[Nb*(Nr+1)])
begin
    byte state[4, Nb]

    state = in

    AddRoundKey(state, w[0, Nb-1])

    for round = 1 step 1 to Nr-1
        SubBytes(state)
        ShiftRows(state)
        MixColumns(state)
        AddRoundKey(state, w[round*Nb, (round+1)*Nb-1])
    end for

    SubBytes(state)
    ShiftRows(state)
    AddRoundKey(state, w[Nr*Nb, (Nr+1)*Nb-1])

    out = state
end
```

| 그림 17.6 | AES의 의사 코드

- 행 변환　　　　　　　ShiftRows( )
- 열 변환　　　　　　　MixColumns( )
- 라운드 키 XOR　　　AddRoundKey( )

10라운드에서는 SubBytes( ), ShiftRows( ), AddRoundKey( )의 3가지 변환만 수행된다.

바이트 대치 SubBytes( )는 S-box 대치 표를 이용하며, 행 변환 ShiftRows( )는 상태 배열(state array)을 쉬프트 하는 오프셋이 다르다. 열 변환 MixColumns( )는 상태 배열의 각 열 내 데이터를 믹싱하여 새로운 열을 생성하며, 라운드 키 XOR AddRoundKey( )는 상태와 라운드 키를 XOR 연산한다.

AES의 연산은 그림 17. 7에서 보는 바와 같이 상태라고 하는 바이트들의 2차원 배열 상에서 다음과 같이 수행된다.

$$s[r, c] = in[r + 4c] \qquad 0 \le r < 4 \quad 0 \le c < N_b$$
$$out[r + 4c] = s[r, c] \qquad 0 \le r < 4 \quad 0 \le c < N_b$$

(17-1)

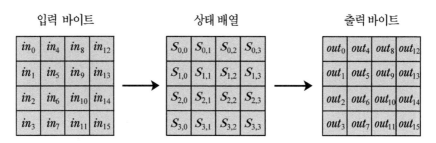

| 그림 17.7 | 상태 배열의 입력과 출력

Affine 변환은 매트릭스의 곱셈에 이어 벡터 덧셈이 수행되는 변환을 말하며, S-box의 Affine 변환 요소들은 식(17-2)와 같이 매트릭스 형태로 나타낼 수 있다.

$$b'_i = b_i \oplus b_{(i+4)\bmod 8} \oplus b_{(i+5)\bmod 8} \oplus b_{(i+6)\bmod 8} \oplus b_{(i+7)\bmod 8} \oplus c_i \qquad c = \{63\}$$

$$
\begin{bmatrix} b'_0 \\ b'_1 \\ b'_2 \\ b'_3 \\ b'_4 \\ b'_5 \\ b'_6 \\ b'_7 \end{bmatrix}
=
\begin{bmatrix}
1 & 0 & 0 & 0 & 1 & 1 & 1 & 1 \\
1 & 1 & 0 & 0 & 0 & 1 & 1 & 1 \\
1 & 1 & 1 & 0 & 0 & 0 & 1 & 1 \\
1 & 1 & 1 & 1 & 0 & 0 & 0 & 1 \\
1 & 1 & 1 & 1 & 1 & 0 & 0 & 0 \\
0 & 1 & 1 & 1 & 1 & 1 & 0 & 0 \\
0 & 0 & 1 & 1 & 1 & 1 & 1 & 0 \\
0 & 0 & 0 & 1 & 1 & 1 & 1 & 1
\end{bmatrix}
\begin{bmatrix} b_0 \\ b_1 \\ b_2 \\ b_3 \\ b_4 \\ b_5 \\ b_6 \\ b_7 \end{bmatrix}
+
\begin{bmatrix} 1 \\ 1 \\ 0 \\ 0 \\ 0 \\ 1 \\ 1 \\ 0 \end{bmatrix}
\qquad (17\text{-}2)
$$

바이트 대치 SubBytes( )는 그림 17.8에서 보는 바와 같이 상태의 각 바이트에 표 17.11의 S-box 대치 표를 적용한다.

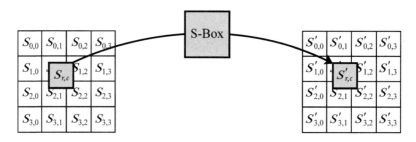

| 그림 17.8 | S-box를 적용한 바이트 대치 SubBytes( ) 변환

| 표 17.11 | S-box 대치 표

		y														
		0	1	2	3	4	5	6	7	8	9	a	b	c	d	e	f
	0	63	7c	77	7b	f2	6b	6f	c7	30	01	67	2b	fe	d7	ab	76
	1	ca	82	c9	7d	fa	59	47	f0	ad	d4	a2	af	9c	a4	72	c0
	2	b7	fd	93	26	36	3f	f7	cc	34	a5	e5	f1	71	d8	31	15
	3	04	c7	23	c3	18	96	05	9a	07	12	80	e2	eb	27	b2	75
	4	09	83	2c	1a	1b	6e	5a	a0	52	3b	d6	b3	29	e3	2f	84
	5	53	d1	00	ed	20	fc	b1	5b	6a	cb	be	39	4a	4c	58	cf
	6	d0	ef	aa	fb	43	4d	33	85	45	f9	02	7f	50	3c	9f	a8
x	7	51	a3	40	8f	92	9d	38	f5	bc	b6	da	21	10	ff	f3	d2
	8	cd	0c	13	ec	5f	97	44	17	c4	a7	7e	3d	64	5d	19	73
	9	60	81	4f	dc	22	2a	90	88	46	ee	b8	14	de	5e	0b	db
	a	e0	32	3a	0a	49	06	24	5c	c2	d3	ac	62	91	95	e4	79
	b	e7	c8	37	6d	8d	d5	4e	a9	6c	56	f4	ea	65	7a	ae	08
	c	ba	78	25	2e	1c	a6	b4	c6	e8	dd	74	1f	4b	bd	8b	8a
	d	70	3e	b5	66	48	03	f6	0e	61	35	57	b9	86	c1	1d	9e
	e	e1	f8	98	11	69	d9	8e	94	9b	1e	87	e9	ce	55	28	df
	f	8c	a1	89	0d	bf	e6	42	68	41	99	2d	0f	b0	54	bb	16

$s_{1,1}=\{53\}$이라면 S-box 대치 표의 행 $x=5$, 열 $y=3$이 교차하는 곳의 값으로 대치되어 $s_{1,1}=\{ed\}$가 된다.

행 변환 ShiftRows( )는 그림 17.9에서 보는 바와 같이 상태의 마지막 세 행을 오프셋의 값만큼 쉬프트 한다.

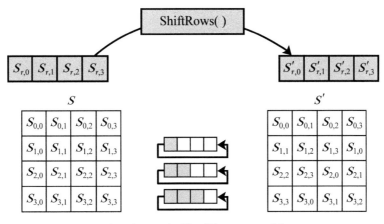

| 그림 17.9 | 행 변환 ShiftRows( )

열 변환 MixColumns( )는 그림 17.10에서 보는 바와 같이 열 대 열 방식으로 동작하며, 각 열을 4항의 다항식으로 취급한다. 열들은 $GF(2^8)$ 상의 다항식으로 간주하며, 고정된 다항식 $a(x)$와 모듈로 $x^4 + 1$ 곱셈을 한다.

$$a(x) = \{03\}x^3 + \{01\}x^2 + \{01\}x + \{02\} \tag{17-3}$$

매트릭스 곱셈 형태로 표현하면 다음과 같다.

$$s'(x) = a(x) \otimes s(x)$$

$$\begin{bmatrix} s'_{0,c} \\ s'_{1,c} \\ s'_{2,c} \\ s'_{3,c} \end{bmatrix} = \begin{bmatrix} 02 & 03 & 01 & 01 \\ 01 & 02 & 03 & 01 \\ 01 & 01 & 02 & 03 \\ 03 & 01 & 01 & 02 \end{bmatrix} \begin{bmatrix} s_{0,c} \\ s_{1,c} \\ s_{2,c} \\ s_{3,c} \end{bmatrix} \qquad 0 \le c < N_b \tag{17-4}$$

곱셈의 결과, 열의 4바이트들은 다음과 같이 대치된다.

$$s'_{0,c} = (\{02\} \bullet s_{0,c}) \oplus (\{03\} \bullet s_{1,c}) \oplus s_{2,c} \oplus s_{3,c}$$

$$s'_{1,c} = s_{0,c} \oplus (\{02\} \bullet s_{1,c}) \oplus (\{03\} \bullet s_{2,c}) \oplus s_{3,c}$$

$$s'_{2,c} = s_{0,c} \oplus s_{1,c} \oplus (\{02\} \bullet s_{2,c}) \oplus (\{03\} \bullet s_{3,c})$$

$$s'_{3,c} = (\{03\} \bullet s_{0,c}) \oplus s_{1,c} \oplus s_{2,c} \oplus (\{02\} \bullet s_{3,c})$$

$$\tag{17-5}$$

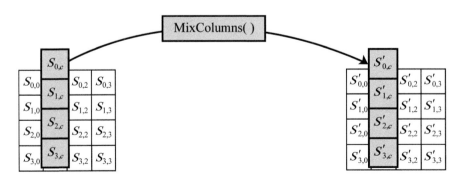

| 그림 17.10 | 열 변환 MixColumns( )

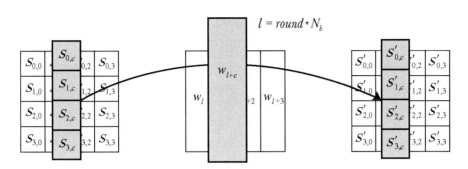

$$l = round * N_b$$

| 그림 17.11 | 라운드 키 XOR AddRoundKey( )

라운드 키 XOR AddRoundKey( )는 그림 17.11에서 보는 바와 같이 상태에 라운드 키
가 비트별로 XOR 연산된다.

$$[s'_{0,c}, s'_{1,c}, s'_{2,c}, s'_{3,c}] = [s_{0,c}, s_{1,c}, s_{2,c}, s_{3,c}] \oplus [w_{round*N_b+c}] \quad 0 \le c < N_b \quad (17\text{-}6)$$

키 확장 과정의 의사 코드를 그림 17.12에 나타내었다.

```
KeyExpansion(byte key[4*Nk], word w[Nb*(Nr+1)], Nk)
begin
    word temp

    i = 0

    while (i < Nk)
        w[i] = word(key[4*i], key[4*i+1], key[4*i+2], key[4*i+3])
        i = i+1
    end while

    i = Nk

    while (i < Nb * (Nr+1))
        temp = w[i-1]
        if (i mod Nk = 0)
            temp = SubWord(RotWord(temp)) xor Rcon[i/Nk]
        else if (Nk > 6 and i mod Nk = 4)
            temp = SubWord(temp)
        end if
        w[i] = w[i-Nk] xor temp
        i = i+1
    end while
end
```

| 그림 17.12 | 키 확장 과정의 의사 코드

암호키 K는 키 스케줄을 생성하는 키 확장 루틴을 수행한다. 키 확장 과정에서 전체 $N_b(N_r + 1)$ 워드를 생성한다.

확장키의 첫 N_k 워드들은 암호키로 채워지며, 후속 모든 워드 $w[i]$는 이전 워드 $w[i-1]$과 이전 N_k 위치의 워드 $w[i-N_k]$를 XOR 한 것과 같다. 단, N_k 배수 위치의 워드들은 XOR 연산을 하기 전에 $w[i-1]$에 RotWord( )와 SubWord( ) 변환을 하고, 라운드 상수 Rcon[i]와 XOR 연산을 한다.

RotWord( )는 입력 워드 $[a_0, a_1, a_2, a_3]$에 순환을 수행하여 워드 $[a_1, a_2, a_3, a_0]$를 반환하며, SubWord( )는 입력 워드의 4바이트 각각을 S-box에 적용하여 출력 워드를 생성한다. 라운드 상수 Rcon[i]는 $[x^{i-1}, \{00\}, \{00\}, \{00\}]$의 값을 포함한다. 여기서, x는 $\{02\}$이다.

표 17.12에 128비트(N_k=4) 암호키를 확장하는 과정의 일부를 예시하였다.

| 암호키 : | 2b 7e 15 16 28 ae d2 a6 ab f7 15 88 09 cf 4f 3c |

w_0 = 2b7e1516 w_1 = 28aed2a6 w_2 = abf71588 w_3 = 09cf4f3c

| 표 17.12 | 키 확장 과정의 일부

i (dec)	temp	After RotWord( )	After SubWord( )	Rcon[i/N_k]	After XOR with Rcon	$w[i-N_k]$	$w[i] =$ temp XOR $w[i-N_k]$
4	09cf4f3c	cf4f3c09	8a84eb01	01000000	8b84eb01	2b7e1516	a0fafe17
5	a0fafe17					28aed2a6	88542cb1
6	88542cb1					abf71588	23a33939
7	23a33939					09cf4f3c	2a6c7605
8	2a6c7605	6c76052a	50386be5	02000000	52386be5	a0fafe17	f2c295f2
9	f2c295f2					88542cb1	7a96b943
10	7a96b943					23a33939	5935807a
11	5935807a					2a6c7605	7359f67f
12	7359f67f	59f67f73	cb42d28f	04000000	cf42d28f	f2c295f2	3d80477d

블록 길이 128비트(N_b=4)이고 암호키 128비트(N_k=4)인 경우의 AES 암호화 과정에서 상태 배열 값의 일부를 그림 17.13에 예시하였다.

| 입력 : | 32 | 43 | f6 | a8 | 88 | 5a | 30 | 8d | 31 | 31 | 98 | a2 | e0 | 37 | 07 | 34 |
| 암호키 : | 2b | 7e | 15 | 16 | 28 | ae | d2 | a6 | ab | f7 | 15 | 88 | 09 | cf | 4f | 3c |

Round Number — input

Start of Round:
```
32 88 31 e0
43 5a 31 37
f6 30 98 07
a8 8d a2 34
```
After SubBytes: (empty)
After ShiftRows: (empty)
After MixColumns: (empty)
Round Key Value:
```
2b 28 ab 09
7e ae f7 cf
15 d2 15 4f
16 a6 88 3c
```

Round 1

Start of Round:
```
19 a0 9a e9
3d f4 c6 f8
e3 e2 8d 48
be 2b 2a 08
```
After SubBytes:
```
d4 e0 b8 1e
27 bf b4 41
11 98 5d 52
ae f1 e5 30
```
After ShiftRows:
```
d4 e0 b8 1e
bf b4 41 27
5d 52 11 98
30 ae f1 e5
```
After MixColumns:
```
04 e0 48 28
66 cb f8 06
81 19 d3 26
e5 9a 7a 4c
```
Round Key Value:
```
a0 88 23 2a
fa 54 a3 6c
fe 2c 39 76
17 b1 39 05
```

⋮

Round 9

Start of Round:
```
ea 04 65 85
83 45 5d 96
5c 33 98 b0
f0 2d ad c5
```
After SubBytes:
```
87 f2 4d 97
ec 6e 4c 90
4a c3 46 e7
8c d8 95 a6
```
After ShiftRows:
```
87 f2 4d 97
6e 4c 90 ec
46 e7 4a c3
a6 8c d8 95
```
After MixColumns:
```
47 40 a3 4c
37 d4 70 9f
94 e4 3a 42
ed a5 a6 bc
```
Round Key Value:
```
ac 19 28 57
77 fa d1 5c
66 dc 29 00
f3 21 41 6e
```

Round 10

Start of Round:
```
eb 59 8b 1b
40 2e a1 c3
f2 38 13 42
1e 84 e7 d2
```
After SubBytes:
```
e9 cb 3d af
09 31 32 2e
89 07 7d 2c
72 5f 94 b5
```
After ShiftRows:
```
e9 cb 3d af
31 32 2e 09
7d 2c 89 07
b5 72 5f 94
```
After MixColumns: (empty)
Round Key Value:
```
d0 c9 e1 b6
14 ee 3f 63
f9 25 0c 0c
a8 89 c8 a6
```

output
```
39 02 dc 19
25 dc 11 6a
84 09 85 0b
1d fb 97 32
```

| 그림 17.13 | AES 암호화 과정에서 상태 배열 값의 일부

17.5 IDEA

IDEA(International Data Encryption Algorithm)는 1990년에 X. Lai와 J. Massey에 의해 개발되었으며, 64비트의 평문을 128비트의 키로 암호화 하여 64비트의 암호문을 생성하는 블록 암호 알고리즘이다.

IDEA는 그림 17.14에서 보는 바와 같이 평문 64비트를 4개의 16비트 서브블록 P_1, P_2, P_3, P_4로 분할하고, 16비트 단위로 XOR 연산, 모듈로 2^{16} 덧셈, 모듈로 $2^{16}+1$ 곱셈들을 수행하는 라운드를 8회 반복한다. 각 라운드의 수행 순서는 다음과 같다.

- 단계 1 : 서브블록 P_1과 서브키 K_1을 모듈로 곱셈한다.
- 단계 2 : 서브블록 P_2와 서브키 K_2를 모듈로 덧셈한다.
- 단계 3 : 서브블록 P_3과 서브키 K_3을 모듈로 덧셈한다.
- 단계 4 : 서브블록 P_4와 서브키 K_4를 모듈로 곱셈한다.
- 단계 5 : 단계 1과 단계 3의 결과를 XOR 연산한다.
- 단계 6 : 단계 2와 단계 4의 결과를 XOR 연산한다.
- 단계 7 : 단계 5의 결과와 서브키 K_5를 모듈로 곱셈한다.
- 단계 8 : 단계 6과 단계 7의 결과를 모듈로 덧셈한다.
- 단계 9 : 단계 8의 결과와 서브키 K_6를 모듈로 곱셈한다.
- 단계 10 : 단계 7과 단계 9의 결과를 모듈로 덧셈한다.
- 단계 11 : 단계 1과 단계 9의 결과를 XOR 연산한다.
- 단계 12 : 단계 3과 단계 9의 결과를 XOR 연산한다.
- 단계 13 : 단계 2와 단계 10의 결과를 XOR 연산한다.
- 단계 14 : 단계 4와 단계 10의 결과를 XOR 연산한다.

각 라운드의 출력(단계 11~14의 결과)은 4개의 16비트 서브블록이며, 후속 라운드에 입력된다. 이때 내부에 있는 두 서브블록들은 서로 교환하여 입력된다. 라운드 8의 연산 결과인 P_1과 P_4는 각각 서브키와 모듈로 곱셈하고, P_2와 P_3은 각각 서브키와 모듈로 덧셈하여 최종적으로 64비트의 암호문을 출력한다.

64 비트 평문

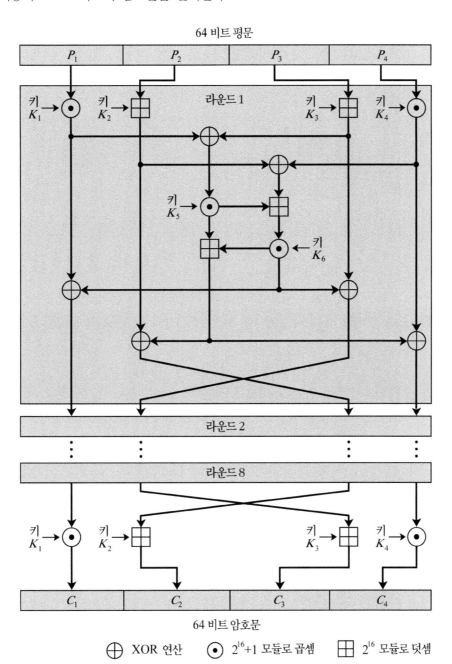

64 비트 암호문

| 그림 17.14 | IDEA의 구조

Data Communication & Computer Network

17.6 블록 암호 운용 모드

DES나 AES와 같은 대칭키 블록 암호를 실제 응용에 도입하기 위해 다음과 같은 5가지 운용 모드가 정의되어 있다.

- ECB 모드
- CBC 모드
- OFB 모드
- CFB 모드
- CTR 모드

ECB(Electronic CodeBook) 모드는 그림 17.15에서 보는 바와 같이 평문을 블록별로 암호화 하고 암호문을 블록별로 복호화 하는 방식이다. ECB 모드는 평문 블록의 내용이 동일하다면 암호문 블록의 내용도 동일한 문제점이 있다.

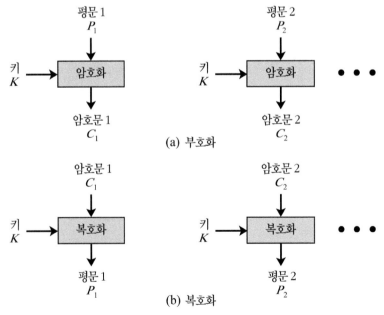

| 그림 17.15 | ECB 모드

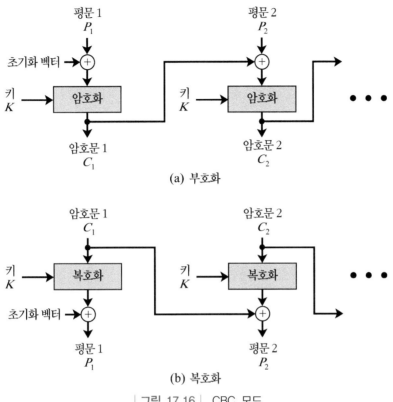

평문 1
P_1

초기화 벡터 →

키
K

암호화

평문 2
P_2

키
K

암호화

암호문 1
C_1

암호문 2
C_2

(a) 부호화

암호문 1
C_1

키
K

복호화

암호문 2
C_2

키
K

복호화

초기화 벡터 →

평문 1
P_1

평문 2
P_2

(b) 복호화

| 그림 17.16 | CBC 모드

CBC(Cipher Block Chaining) 모드는 권장되는 방식이며, 그림 17.16(a)에서 보는 바와 같이 첫 번째 평문 블록을 암호화 할 때에는 초기화 벡터(initialization vector)와 평문 블록을 XOR 연산하고 이 결과를 암호화 하여 암호문 블록을 생성한다. 후속 평문 블록들을 암호화 할 때에는 이전 블록의 암호문 블록과 평문 블록을 XOR 연산하고 이 결과를 암호화 하여 암호문 블록을 생성한다.

CBC 모드의 복호화는 그림 17.16(b)에서 보는 바와 같이 첫 번째 암호문 블록을 복호화 할 때에는 암호문 블록을 복호화 하고 이 결과와 초기화 벡터를 XOR 연산하여 평문 블록을 복원한다. 후속 암호문 블록들을 복호화 할 때에는 암호문 블록을 복호화 하고 이 결과와 이전 블록의 암호문 블록을 XOR 연산하여 평문 블록을 복원한다.

CBC 모드는 평문 블록의 내용이 동일하더라도 암호문 블록의 내용이 다른 장점이 있지만 이전 블록의 오류가 후속 블록에 영향을 미친다.

OFB(Output FeedBack) 모드는 그림 17.17(a)에서 보는 바와 같이 첫 번째 평문 블록을 암호화 할 때에는 초기화 벡터를 암호화 하여 출력 블록을 구하고, 이 출력 블록과 평문 블록을 XOR 연산하여 암호문 블록을 생성한다. 후속 평문 블록들을 암호화 할 때에는 이전 블록의 출력을 암호화 하여 출력 블록을 구하고, 이 출력 블록과 평문 블록을 XOR 연산하여 암호문 블록을 생성한다.

OFB 모드의 복호화는 그림 17.17(b)에서 보는 바와 같이 첫 번째 암호문 블록을 복호화 할 때에는 초기화 벡터를 복호화 하여 출력 블록을 구하고, 이 결과와 암호문 블록을 XOR 연산하여 평문 블록을 복원한다. 후속 암호문 블록들을 복호화 할 때에는 이전 블록의 출력 블록을 복호화 하고 이 결과와 암호문 블록을 XOR 연산하여 평문 블록을 복원한다.

OFB 모드는 암호화와 복호화가 동일한 구조로 되어 있으며, 이전 암호문 블록의 오류가 후속 블록에 영향을 미치지 않는다.

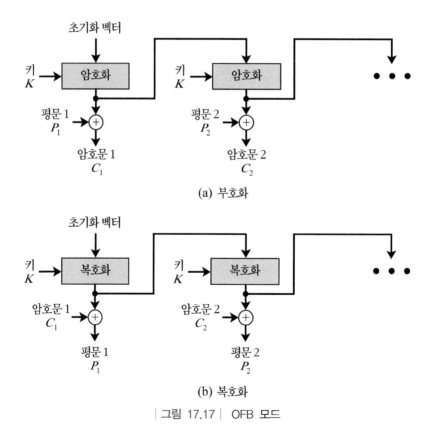

(a) 부호화

(b) 복호화

| 그림 17.17 | OFB 모드

CFB(Cipher FeedBack) 모드는 그림 17.18(a)에서 보는 바와 같이 첫 번째 평문 블록을 암호화 할 때에는 초기화 벡터를 암호화 하여 출력 블록을 구하고, 이 출력 블록과 평문 블록을 XOR 연산하여 암호문 블록을 생성한다. 후속 평문 블록들을 암호화 할 때에는 이전 블록의 암호문 블록을 암호화 하여 출력 블록을 구하고, 이 출력 블록과 평문 블록을 XOR 연산하여 암호문 블록을 생성한다.

CFB 모드의 복호화는 그림 17.18(b)에서 보는 바와 같이 첫 번째 암호문 블록을 복호화 할 때에는 초기화 벡터를 복호화 하여 출력 블록을 구하고, 이 결과와 암호문 블록을 XOR 연산하여 평문 블록을 복원한다. 후속 암호문 블록들을 복호화 할 때에는 이전 블록의 평문 블록을 복호화 하고, 이 결과와 암호문 블록을 XOR 연산하여 평문 블록을 복원한다.

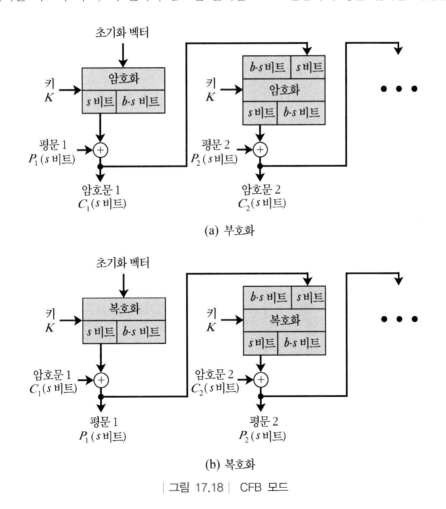

(a) 부호화

(b) 복호화

| 그림 17.18 | CFB 모드

CFB 모드의 블록 길이는 b비트이지만 필요에 따라 평문 블록의 길이를 s비트로 임의로 변경하여 암호화 할 수 있는 장점이 있다.

CTR(CounTeR) 모드는 평문을 블록별로 암호화 하고 암호문을 블록별로 복호화 하는 방식이다. 평문 블록을 암호화 할 때에는 그림 17.19(a)에서 보는 바와 같이 카운터를 암호화 하여 출력 블록을 구하고, 이 출력 블록과 평문 블록을 XOR 연산하여 암호문 블록을 생성한다. 카운터는 암호화 할 때마다 다른 값을 갖는 nounce와 블록 번호로 구성되며, 블록 번호는 1씩 증가한다.

CTR 모드의 복호화는 그림 17.19(b)에서 보는 바와 같이 카운터를 암호화 하여 출력 블록을 구하고, 이 출력 블록과 암호문 블록을 XOR 연산하여 평문 블록을 복원한다.

CTR 모드는 암호화와 복호화가 동일한 구조이지만 평문 블록의 내용이 동일하더라도 암호문 블록의 내용이 다른 장점이 있어 가장 권장되는 방식이다.

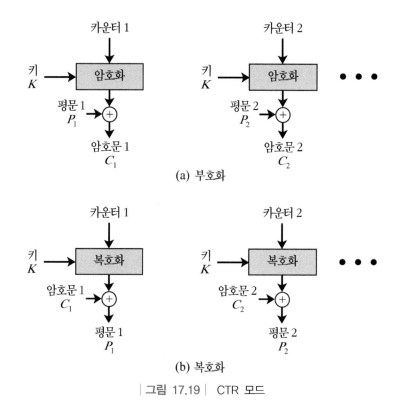

(a) 부호화

(b) 복호화

| 그림 17.19 | CTR 모드

17.7 키 분배

대칭키 암호 기법에서는 동일한 비밀키를 사용하여 전문을 암호화 하고 암호문을 해독하기 때문에 키의 분배가 매우 중요하며, 다음과 같은 방법으로 대칭키를 분배할 수 있다.

- 키의 사전 공유
- 키 분배 센터 이용
- Diffie-Hellman 알고리즘에 의한 키 교환

키를 신뢰할 수 있는 경로로 미리 전달하여 공유할 수도 있으며, 키 분배 센터(key distribution center)를 이용하여 전문을 보낼 때마다 세션키를 분배할 수도 있다. 키 분배 센터를 이용하는 방법은 그림 17.20에서 보는 바와 같이 수행된다.

- 단계 1 : 사용자 A가 키 분배 센터에게 세션키 K_s를 요청하는 메시지를 전송한다.
- 단계 2 : 키 분배 센터는 마스터키 K_a로 암호화 한 응답 메시지를 사용자 A에게 반환한다. 응답 메시지에는 세션키 K_s, 사용자 A가 요청한 메시지, 세션키 K_s와 사용자 A의 ID를 마스터키 K_b로 암호화 한 내용 $E_{K_b}(K_s, ID_A)$이 포함된다.

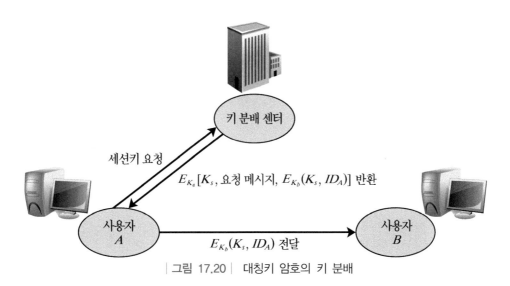

| 그림 17.20 | 대칭키 암호의 키 분배

- 단계 3 : 사용자 A가 $E_{K_b}(K_s, ID_A)$를 사용자 B에게 전달한다.

- 단계 4 : 사용자 B는 마스터키 K_b를 이용하여 암호문을 해독함으로써 세션 키 K_s가 사용자 A로부터 보내온 것임을 알게 된다.

- 단계 5 : 이러한 과정을 수행한 다음 사용자 A와 B는 연결이 설정된 동안 세션키 K_s를 이용하여 전문을 암호화 하여 전송하고 수신한 암호문을 해독한다.

Diffie-Hellman 알고리즘은 이산 대수(discrete logarithm) 계산이 어렵다는 점을 이용하여 보안성을 제공하는 공개키 암호 개념이지만 전문을 암호화 하는 데에는 사용할 수 없으며, 송신 측과 수신 측이 공유하는 비밀키를 계산하는 방법으로 키를 안전하게 분배하는 데에만 사용된다.

Diffie-Hellman 알고리즘을 이용하여 키를 교환하는 방법은 다음과 같다.

- 단계 1 : 전문을 주고받을 사용자 A와 사용자 B가 mod 연산에 사용할 큰 소수 p와 n을 합의한다. p와 n은 비밀을 유지할 필요가 없으므로 보안성이 없는 경로를 통해 합의하여도 상관이 없다.

- 단계 2 : 사용자 A가 큰 난수 x를 선택하여 $a = p^x \bmod n$을 계산하고, 사용자 B에게 a를 전송한다. a는 비밀을 유지할 필요가 없지만 x는 비밀을 유지하여야 한다.

- 단계 3 : 사용자 B가 큰 난수 y를 선택하여 $b = p^y \bmod n$을 계산하고, 사용자 A에게 b를 전송한다. b는 비밀을 유지할 필요가 없지만 y는 비밀을 유지하여야 한다.

- 단계 4 : 사용자 A가 사용자 B로부터 수신한 b를 이용하여 $K_A = b^x \bmod n$을 계산한다.

- 단계 5 : 사용자 B가 사용자 A로부터 수신한 a를 이용하여 $K_B = a^y \bmod n$을 계산한다.

- 단계 6 : 사용자 A가 계산한 키 $K_A (= b^x \bmod n = p^{xy} \bmod n)$와 사용자 B가 계산한 키 $K_B (= a^y \bmod n = p^{xy} \bmod n)$가 같으므로 두 사용자가 동일한 비밀키 $K(= K_A = K_B)$를 공유하게 된다.

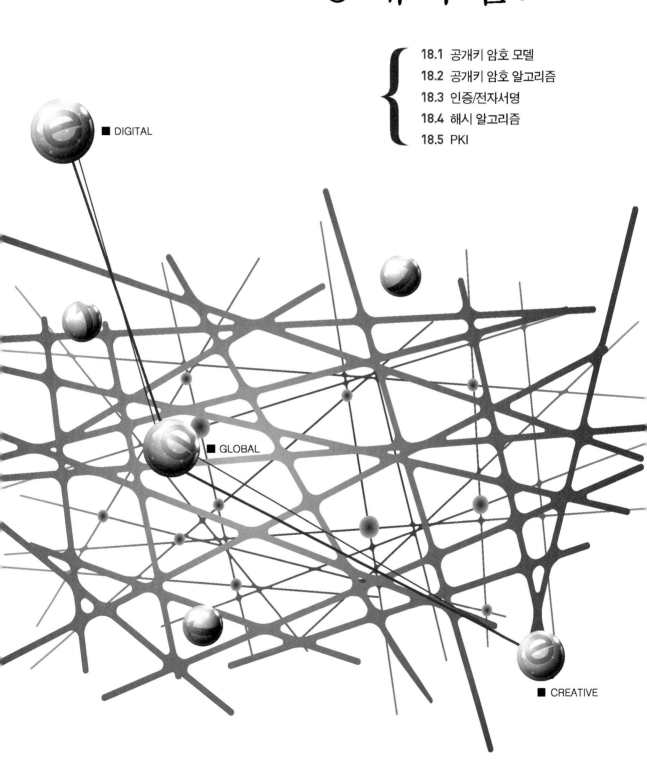

Chapter

18

공개키 암호

■ DIGITAL

■ GLOBAL

■ CREATIVE

18.1 공개키 암호 모델

Data Communication & Computer Network

공개키 암호는 공개키와 개인키(비밀키)의 2가지 키를 사용하는 암호화 기법으로서 1976년에 W. Diffie와 M. Hellman이 처음으로 공개키 암호의 개념을 제안한 이래 다양한 방법들이 발표되었다.

공개키 암호는 다음과 같은 용도로 사용된다.

■ 짧은 전문의 암호화
■ 세션키 분배
■ 인증
■ 전자서명

공개키 암호는 공개키와 개인키를 생성하고, 이를 이용하여 암호화와 복호화를 수행한다. 공개키와 개인키는 하나의 키 쌍이며, 공개키로 암호화 한 암호문은 반드시 쌍이 되는 개인키를 이용하여야 암호문을 복호화 할 수 있다.

공개키 암호는 그림 18.1에서 보는 바와 같이 송신 측은 수신자의 공개키 KU_B로 평문을 암호화 하여 전송하고, 수신 측은 자신의 개인키 KR_B를 이용하여 암호문을 복호화 하여 평문을 복원한다.

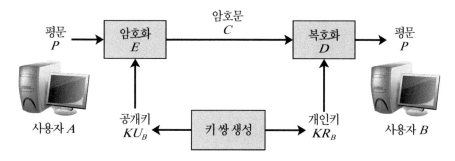

| 그림 18.1 | 공개키 암호 모델

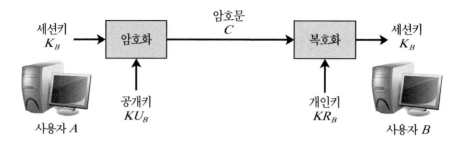

| 그림 18.2 | 공개키를 이용한 세션키 분배

공개키 암호는 그림 18.2에서 보는 바와 같이 송신 측은 수신자의 공개키 KU_B로 세션 키를 암호화 하여 전송하고, 수신 측은 자신의 개인키 KR_B를 이용하여 세션키를 복원하는 방식으로 세션키를 분배하는 데에도 사용될 수 있다.

공개키 암호는 그림 18.3에서 보는 바와 같이 송신 측은 전자서명 알고리즘을 이용하여 전자문서에 자신의 개인키 KR_A로 서명하여 전송하고, 수신 측은 송신자의 공개키 KU_A를 이용하여 전자서명을 검증할 수 있다.

그림 18.4에서 보는 바와 같이 공개키 암호와 대칭키 암호를 혼합한 하이브리드 암호를 이용하여 긴 전문의 기밀성뿐만 아니라 인증 기능을 제공할 수도 있다.

송신 측은 자신의 개인키 KR_A로 서명하고 서명과 전문을 대칭키 암호의 비밀키 K로 암호화 하여 전송하고, 수신 측은 대칭키 암호의 비밀키 K로 암호문을 복호화 한 다음 송신자의 공개키 KU_A를 이용하여 서명을 검증한다.

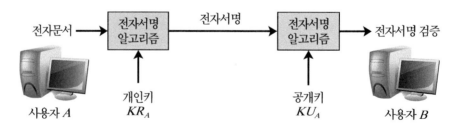

| 그림 18.3 | 공개키 암호를 이용한 전자서명

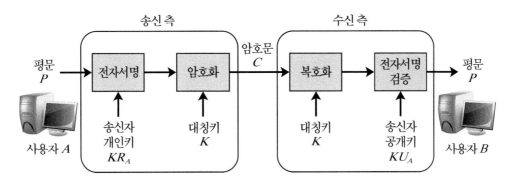

| 그림 18.4 | 하이브리드 암호를 이용한 전문 암호화와 인증

공개키 암호는 다음과 같은 요구사항을 만족하여야 한다.

- 공개키와 개인키를 생성하기 용이할 것.
- 송신자가 평문을 암호화 하기 용이할 것.
- 수신자가 암호문을 복호화 하기 용이할 것.
- 해커가 공개키를 알더라도 개인키를 알아내기 어려울 것.
- 해커가 공개키와 암호문을 알더라도 해독하기 어려울 것.

공개키의 신뢰성을 확보하기 위해 그림 18.5와 같이 증명서 발행기관이 발행한 증명서를 이용하여 통신 당사자들이 서로 공개키를 교환할 수 있다.

사용자 A가 증명서 발행기관에게 증명서를 요청한다. 증명서 발행기관은 사용자 A의 ID_A, 공개키 KU_A, 타임스탬프 T를 비밀키 KR_{auth}로 암호화 한 증명서 C_A를 사용자 A에게 발행한다.

사용자 A는 다음과 같은 증명서 C_A를 사용자 B에게 전달한다.

$$C_A = E_{KR_{auth}}(T, ID_A, KU_A) \qquad (18\text{-}1)$$

사용자 B는 증명서 발행기관의 공개키 KU_{auth}를 이용하여 수신한 증명서 C_A를 해독함으로써 사용자 A의 공개키를 알아낸다. 이를 수학적으로 표현하면 식 (18-2)와 같다.

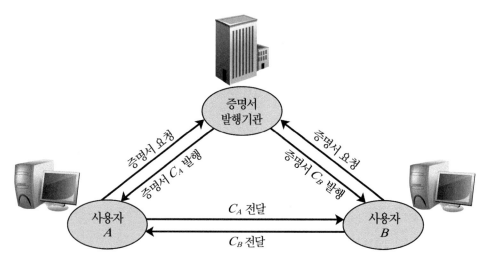

| 그림 18.5 | 증명서 발행기관을 이용한 공개키 분배

$$D_{KU_{auth}}(C_A) = D_{KU_{auth}}[E_{KR_{auth}}(T,\ ID_A,\ KU_A)] = (T,\ ID_A,\ KU_A) \qquad (18\text{-}2)$$

공개키 암호는 수학적으로 계산하기 난해한 소인수 분해 문제나 이산 대수 문제 등을 기반으로 하며, 공개키 암호 알고리즘은 다음과 같이 분류할 수 있다.

◉ 소인수 분해 문제를 이용한 공개키 암호

- RSA

◉ 이산 대수 문제를 이용한 공개키 암호

- ElGamal
- ECC(Elliptic Curve Cryptosystem)

◉ 기타 공개키 암호

- Knapsack(배낭) 알고리즘

공개키 암호는 대칭키 암호에 비해 키의 길이가 매우 길어야 하고, 수학적 연산으로 인해 암호화와 복호화 시간이 느린 문제점이 있기 때문에 주로 짧은 전문을 암호화 하거나 전자서명이나 인증의 용도로 사용되고 있다.

18.2 공개키 암호 알고리즘

○ RSA

RSA 알고리즘은 1978년에 R. Rivest, A. Shamir, L. Adleman에 의해 개발되었으며, 소인수 분해 문제의 난해성을 이용한 대표적인 공개키 암호이다. RSA 알고리즘은 1024비트나 2048비트의 긴 키를 사용하여야 하고, 큰 소수의 곱셈 연산을 수행하여야 하므로 암호화와 복호화 속도가 느리지만 짧은 전문을 암호화 하거나 전자서명 등에 널리 사용되고 있다.

RSA 알고리즘을 이용한 공개키 암호 방식을 그림 18.6에 나타내었다.

공개키와 개인키를 생성하는 과정은 다음과 같다.

- 매우 큰 소수 p, q를 선택한다.
- n을 계산한다.

$$n = p \times q \tag{18-3}$$

- $(p\text{-}1)(q\text{-}1)$과 서로소인 e를 선택하여 공개키로 사용한다.
- 공개키 e를 이용하여 개인키 d를 계산한다.

$$ed = 1 \bmod [(p - 1)(q - 1)] \tag{18-4}$$

- e와 n은 공개키로 사용하고, d는 개인키로 사용한다.

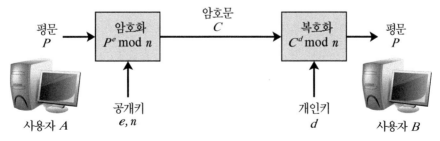

| 그림 18.6 | RSA 암호

암호화와 복호화 방법은 다음과 같다.

■ 공개키 e와 n을 이용하여 평문 P를 암호문 C로 암호화 한다.

$$C = P^e \bmod n \tag{18-5}$$

■ 개인키 d를 이용하여 암호문 C를 복호화 하여 평문 P로 복원한다.

$$P = C^d \bmod n \tag{18-6}$$

예제 18.1

:: 평문 15를 RSA 알고리즘으로 암호화 및 복호화 하는 과정을 기술하라. 단, 두 소수 p, q는 매우 커야 하지만 편의상 13, 17로 선정한다.

풀이 1. 두 소수 p, q로부터 n을 계산한다.

$n = p \times q = 13 \times 17 = 221$

2. 공개키 e를 선택한다.

$(p - 1)(q - 1) = (13 - 1)(17 - 1) = 12 \times 16 = 192$

$\gcd[e, (p - 1)(q - 1)] = 1 \rightarrow \gcd(e, 192) = 1$

192와 서로소인 7을 공개키 e로 선택한다.

3. 개인키 d를 계산한다.

$ed = 1 \bmod [(p - 1)(q - 1)] \rightarrow 7d = 1 \bmod 192$

개인키 d로 55를 선택한다.

4. 송신 측에서는 공개키 $e = 7$을 이용하여 평문 15를 암호화 한다.

$C = P^e \bmod n$

$\rightarrow C = 15^7 \bmod 221 = 17085375 \bmod 221 = 76$

평문 15는 76으로 암호화 된다.

5. 수신 측에서는 개인키 $d = 55$를 이용하여 암호문 76을 복호화 한다.

$P = C^d \bmod n$

$\rightarrow P = 76^{55} \bmod 221 = 2.7845 \times 10^{103} \bmod 221 = 15$

암호문 76은 평문 15로 복원된다.

● ElGamal

ElGamal 알고리즘은 1985년에 T. ElGamal에 의해 개발되었으며, 이산 대수 문제의 난해성을 이용한 대표적인 공개키 암호이다. ElGamal 알고리즘은 짧은 전문을 암호화 하거나 전자서명에 이용되며, 암호문은 평문 길이의 2배가 된다.

ElGamal 알고리즘을 이용한 공개키 암호 방식을 그림 18.7에 나타내었다.

공개키와 개인키를 생성하는 과정은 다음과 같다.

- 소수 n을 선택한다.
- n보다 작은 난수 e와 d를 선택하고, a를 계산한다.

$$a = e^d \bmod n \tag{18-7}$$

- a와 e는 공개키, d는 개인키로 사용한다.

암호화와 복호화 방법은 다음과 같다.

- $n-1$과 서로소인 난수 k를 선택하고, 공개키 a와 e를 이용하여 평문 P를 암호문 C_1과 C_2로 암호화 한다.

$$C_1 = e^k \bmod n$$
$$C_2 = a^k P \bmod n \tag{18-8}$$

- 개인키 d를 이용하여 암호문 $C_1 \parallel C_2$를 평문 P로 복원한다.

$$P = C_2 / C_1^d \bmod n \tag{18-9}$$

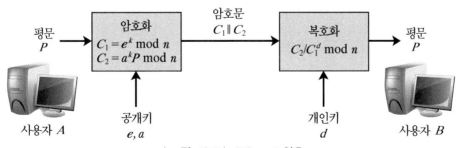

| 그림 18.7 | ElGamal 암호

◉ 타원 곡선 암호

타원 곡선 암호(ECC : Elliptic Curve Cryptosystem)는 1985년에 N. Koblitz와 V. Miller에 의해 제안되었으며, 타원 곡선에서의 이산 대수 문제의 난해성을 이용한 공개키 암호 알고리즘이다. ECC 알고리즘은 주로 전자서명에 이용된다.

ECC 알고리즘은 식 (18-10)과 같은 타원 곡선 군에서의 연산에 근거하여 보안성을 유지한다.

$$y^2 = x^3 + ax + b \qquad (18\text{-}10)$$

여기서, a와 b는 타원 곡선을 지정하는 상수이다.

공개키와 개인키를 생성하는 과정은 다음과 같다.

▪ [1, $n-1$] 영역에서 랜덤하게 정수 d를 선택한다. n은 타원 곡선 기본점의 위수이다.
▪ Q를 계산한다.

$$Q = (x_Q, \, y_Q) = dG \qquad (18\text{-}11)$$

   여기서, G는 타원 곡선상의 점이다.
▪ Q는 공개키, d는 개인키로 사용한다.

ECC 알고리즘을 이용한 사용자 A의 전자서명 과정은 다음과 같다.

▪ 단계 1 : 난수 $k(1 \leq k \leq n-1)$를 선택한다.
▪ 단계 2 : $kG = (x_1, \, y_1)$을 계산하고, x_1을 정수 $x_1^{'}$로 변환한다.
▪ 단계 3 : r을 계산한다. $r = 0$이면 단계 1로 간다.

$$r = x_1^{'} \bmod n \qquad (18\text{-}12)$$

▪ 단계 4 : $k^{-1} \bmod n$을 계산한다.
▪ 단계 5 : SHA-1과 같은 해시 알고리즘에 메시지 m을 입력하여 해시값을 구하고, 해시값의 비트 스트림을 정수 e로 변환한다.
▪ 단계 6 : s를 계산한다. $s = 0$이면 단계 1로 간다.

$$s = k^{-1}(e + dr) \bmod n \qquad (18\text{-}13)$$

- 단계 7 : (r, s)가 사용자 A의 전자서명이며, 메시지 m과 함께 전송된다.

사용자 A의 전자서명을 검증하는 과정은 다음과 같다.

- 단계 1 : 전자서명 r과 s가 $[1, n-1]$ 영역의 정수인지 검사한다.
- 단계 2 : SHA-1과 같은 해시 알고리즘에 수신한 메시지 m을 입력하여 해시값을 구하고, 해시값의 비트 스트림을 정수 e로 변환한다.
- 단계 3 : $w = s^{-1} \bmod n$을 계산한다.
- 단계 4 : $u_1 = ew \bmod n$과 $u_2 = rw \bmod n$을 계산한다.
- 단계 5 : X를 계산한다.

$$X = u_1 G + u_2 Q \tag{18-14}$$

- 단계 6 : $X = O$이면 사용자 A의 전자서명이 무효한 것으로 판정한다.
- 단계 7 : X의 x좌표 x_1을 정수 x_1'로 변환한다.
- 단계 8 : $v = x_1' \bmod n$을 계산한다.
- 단계 9 : $v = r$이면 사용자 A의 전자서명이 유효한 것으로 판정한다.

ECC 알고리즘은 160비트의 키로 1024비트의 RSA 알고리즘이나 ElGamal 알고리즘 정도의 보안성을 유지하고 암호화와 복호화 속도가 빠르며, 하드웨어적이나 소프트웨어적으로 구현하기 용이하므로 무선 및 모바일 환경이나 스마트카드 등에 활용되고 있다.

● Knapsack 알고리즘

Knapsack(배낭) 알고리즘은 1978년에 R. Merkle과 M. Hellman에 의해 개발되었으며, 그림 18.8에서 보는 바와 같이 배낭의 무게가 W라면 배낭에는 어떤 물건들이 들어 있는지를 알아내는 방법과 유사한 개념을 활용하고 있다. 물건들의 무게가 W_i라면 배낭의 무게는 다음과 같다.

$$W = a_1 W_1 + a_2 W_2 + \cdots + a_n W_n \tag{18-15}$$

여기서, a_i는 무게 W_i인 물건이 배낭에 들어 있으면 1, 들어 있지 않으면 0이다.

| 그림 18.8 | knapsack 알고리즘

Knapsack 알고리즘은 다음과 같은 2가지 알고리즘을 사용한다.

■ 과중가 knapsack 시퀀스
■ 정상 knapsack 시퀀스

과중가 knapsack 시퀀스란 {1, 3, 5, 11, 23, 47, ...}과 같이 모든 항들 각각이 첫 번째 항부터 바로 앞의 항까지를 전부 더한 것보다 큰 시퀀스를 말한다.

정상 knapsack 시퀀스란 과중가 knapsack 시퀀스의 각 항에 특정한 수 n을 곱한 다음 모든 항을 합한 값보다 큰 수 m(n과 서로소)으로 모듈로 나눗셈을 한 결과를 말한다.

Knapsack 알고리즘에서는 과중가 knapsack 시퀀스를 개인키로 사용하고, 정상 knapsack 시퀀스를 공개키로 사용한다.

예제 18.2

:: 평문의 비트 스트림 '010110100011001100'를 knapsack 알고리즘으로 암호화 및 복호화 하는 과정을 기술하라. 단, 정상 knapsack 시퀀스에 사용될 m과 n은 각각 95, 29로 선정한다.

풀이 1. 개인키로 사용할 과증가 knapsack 시퀀스 {1, 3, 5, 11, 23, 47}을 선택한다.

2. 공개키로 사용할 정상 knapsack 시퀀스를 구한다. $m=95$, $n=29$를 선택한다.

$$1 \times 29 \mod 95 = 29$$
$$3 \times 29 \mod 95 = 87$$
$$5 \times 29 \mod 95 = 50$$
$$11 \times 29 \mod 95 = 34$$
$$23 \times 29 \mod 95 = 2$$
$$47 \times 29 \mod 95 = 33$$

$$\rightarrow \text{공개키} : \{29, 87, 50, 34, 2, 33\}$$

3. 평문의 비트 스트림 '010110100011001100'을 다음과 같이 암호화 한다.

```
공개키 : 29 87 50 34  2 33    29 87 50 34  2 33    29 87 50 34  2 33
평문  :  0  1  0  1  1  0      1  0  0  0  1  1      0  0  1  1  0  0
            ↓     ↓  ↓         ↓              ↓  ↓            ↓  ↓
           87  + 34 +2        29 +          2 +33           50 + 34
           └──────┬──────┘    └──────┬──────┘    └─────┬─────┘
암호문 :        123                64                 84
```

4. 암호문에 $n^{-1} (nn^{-1} = 1 \mod m)$을 곱하고 $\mod m$ 나눗셈을 하여 얻은 값을 개인키인 과증가 knapsack 시퀀스의 항들로 분해한다.

$$nn^{-1} = 1 \mod m \rightarrow 29n^{-1} = 1 \mod 95 \rightarrow n^{-1} = 59$$

암호문 :　　$123 \times 59 \mod 95 = 37$
　　　　　　$64 \times 59 \mod 95 = 71$
　　　　　　$84 \times 59 \mod 95 = 16$

```
개인키 :                        1   3   5  11  23  47
복호화 :  37 = 23 + 11 + 3   →  0   1   0   1   1   0
          71 = 47 + 23 + 1   →  1   0   0   0   1   1
          16 = 11 + 5        →  0   0   1   1   0   0
```

5. 암호문 '123 64 84'는 원래의 평문 '010100 100011 001100'으로 복원된다.

18.3 인증/전자서명

인증(authentication)이란 다음과 같은 다양한 공격을 방지하여 보안성을 유지하는 기능을 말한다.

- 전문 내용의 변조(content modification)
- 사용자를 위장한 전문 위조(masquerade)
- 전문의 순서 변조(sequence modification)
- 전문의 길이, 통신 빈도 등의 트래픽 분석(traffic analysis)

◎ 메시지 인증

메시지 인증 코드(MAC : Message Authentication Code)는 메시지(전문) 내용의 변조 여부를 검출하기 위해 사용되며, MAC을 생성하는 알고리즘은 임의 길이의 메시지를 입력받아 고정된 길이의 메시지 인증 코드를 출력한다. 그림 18.9에서 보는 바와 같이 송신 측은 메시지와 MAC을 전송하고, 수신 측은 수신한 메시지로부터 송신 측과 동일한 방법으로 MAC을 생성하고 수신된 MAC과 비교함으로써 메시지의 변조 여부를 검출한다.

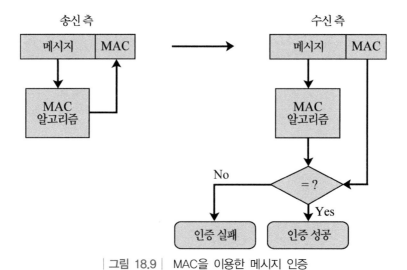

| 그림 18.9 | MAC을 이용한 메시지 인증

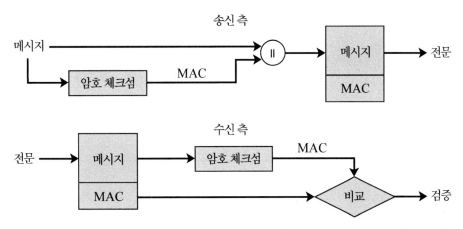

MAC : Message Authentication Code

| 그림 18.10 | 암호 체크섬을 이용한 메시지 인증

메시지 인증은 다음과 같은 방법을 이용하여 수행할 수 있다.

■ 암호 체크섬
■ 해시 함수

암호 체크섬(cryptographic checksum)을 이용한 메시지 인증은 그림 18.10에서 보는 바와 같이 송신 측에서는 메시지를 암호화 하는 방법과 동일하게 암호 체크섬인 MAC을 생성하고, MAC을 메시지에 추가하여 전송한다. 수신 측에서는 수신한 메시지로부터 동일한 방법으로 MAC을 생성하여 수신한 MAC과 비교함으로써 메시지의 변조 여부를 검증한다.

암호 체크섬에는 DES나 AES와 같은 대칭키 블록 암호의 CBC 모드가 사용되며, 메시지 전체를 암호화 하고, 최종 암호 블록을 MAC으로 사용한다.

해시 함수(hash function)를 이용한 메시지 인증은 그림 18.11에서 보는 바와 같이 송신 측에서는 메시지를 입력받아 해시 함수를 이용하여 HMAC(Hash MAC)인 메시지 다이제스트(MD : Message Digest)를 생성하고, MD를 메시지에 추가하여 전송한다. 수신 측에서는 수신한 메시지로부터 동일한 방법으로 MD를 생성하여 수신한 MD와 비교함으로써 메시지의 변조 여부를 검증한다.

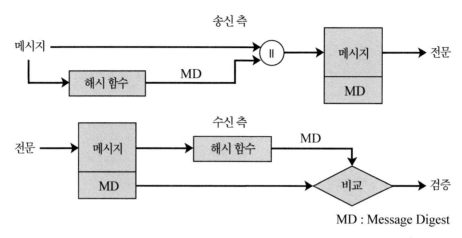

| 그림 18.11 | 해시 함수를 이용한 메시지 인증

● 전자서명

전자서명(digital signature)은 전자문서를 작성한 사용자의 신원을 확인하고 전자문서의 변조 여부를 확인하기 위한 전자적 형태의 서명이며, 전자상거래, 공문서 유통 등 다양한 분야에 활용되고 있다.

전자서명에서는 전자문서의 축약문인 메시지 다이제스트를 생성하는 데에는 해시 함수를 이용하며, 메시지 다이제스트에 서명하고 서명을 검증하는 데에는 공개키 암호 방식을 사용한다. 전자서명에서는 그림 18.12에서 보는 바와 같이 서명을 작성할 때에는 작성자의 개인키를 사용하고, 서명을 검증할 때에는 서명 작성자의 공개키를 사용하는 점이 공개키 암호와는 반대 개념이다.

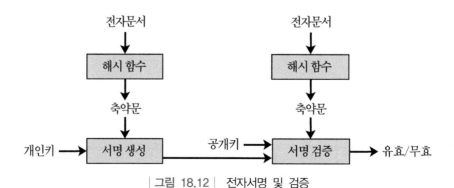

| 그림 18.12 | 전자서명 및 검증

전자서명은 그림 18.13과 같이 송신 측에서는 해시 함수를 이용하여 전자문서의 축약문인 MD를 생성하고, MD를 송신자의 개인키 KR_A로 암호화 하여 서명을 생성한 다음 메시지에 추가하여 전송한다. 수신 측에서는 수신한 메시지로부터 동일한 방법으로 MD를 생성하고, 서명을 송신자의 공개키 KU_A로 복호화 한 결과와 비교함으로써 메시지의 변조 여부뿐만 아니라 사용자의 신원도 확인할 수 있다.

전자서명에는 다음과 같은 알고리즘이 사용된다.

- RSA
- ElGamal
- ECC
- DSS
- KCDSA

DSS(Digital Signature Standard)는 2013년에 FIPS 186-4로 공표된 전자서명 표준이며, KCDSA(Korean Certificate based Digital Signature Algorithm)는 한국형 전자서명 알고리즘이다.

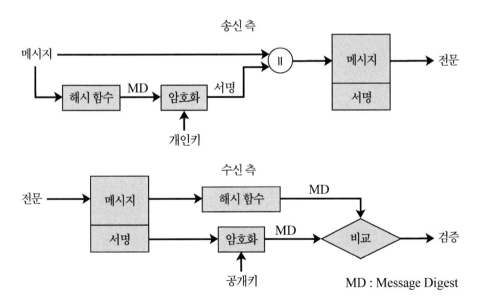

| 그림 18.13 | 해시 함수와 공개키 암호를 이용한 전자서명

18.4 해시 알고리즘

◉ 해시 함수

해시 함수는 메시지 블록을 입력받아 해시값을 출력하는 함수이며, 전자서명, 메시지 인증, 일회용 패스워드 등 다양한 분야에 활용되고 있다.

해시 함수 $H(x)$는 다음과 같은 요구 사항을 만족하여야 한다.

- 임의 길이의 메시지 블록에 적용될 수 있어야 한다.
- 고정 길이의 출력을 생성하여야 한다.
- 어떠한 x에 대해서도 $H(x)$의 계산이 용이하여야 한다.
- 주어진 x에 대해 $H(x) = H(y)$를 만족하는 임의의 y를 찾는 것이 불가능하여야 하며, 이 조건을 충돌 회피성이라고 한다.
- 해시값 m이 주어지더라도 $H(x) = m$인 x를 계산하는 것이 불가능하여야 하며, 이 조건을 일방향성이라고 한다.

메시지 인증에 사용되는 해시 알고리즘은 다음과 같은 유형이 있다.

- MD5
- SHA-1
- HAS160

MD(Message Digest)5 알고리즘은 512비트의 메시지 블록을 입력하여 128비트의 해시값을 출력한다. SHA(Secure Hash Algorithm)-1은 512비트의 메시지 블록을 입력하여 160비트의 해시값을 출력한다.

HAS(Hash function Algorithm Standard)-160은 한국형 전자서명인 KCDSA(Korean Certificate based Digital Signature Algorithm)에 사용하기 위해 개발되었으며, 512비트의 메시지 블록을 입력하여 160비트의 해시값을 출력한다.

● MD5

MD(Message Digest)5 알고리즘은 1990년에 R. Rivest가 MD4를 개선한 것으로 일방향 해시 함수를 이용하여 메시지 인증 코드인 메시지 다이제스트를 생성하는 알고리즘이며, 임의 길이의 메시지를 입력받아 그림 18.14와 같이 512비트 단위로 처리하여 128비트의 메시지 다이제스트를 출력한다.

MD5 알고리즘에 메시지를 입력하기 전에 패딩한 메시지의 길이가 512비트의 배수보다 64비트 적도록 패딩한다.

패딩이란 첫 비트만 1이고 나머지 비트들은 0을 삽입하는 것을 말하며, 패딩 과정을 거치고 나면 메시지의 길이는 512비트의 배수보다 64비트가 적게 된다. 64비트는 메시지의 길이를 나타내는 데 사용되며, 메시지의 전체 길이는 512비트의 배수가 된다.

512비트의 블록을 처리하는 MD5 알고리즘은 그림 18.15에서 보는 바와 같이 4라운드로 구성되며, 해시값을 저장하기 위해 4개의 32비트 레지스터 A, B, C, D로 구성된 128비트 버퍼가 사용된다. 레지스터의 초기값은 다음과 같다.

$$A = 0x01234567$$
$$B = 0x89abcdef$$
$$C = 0xfedcba98$$
$$D = 0x76543210$$

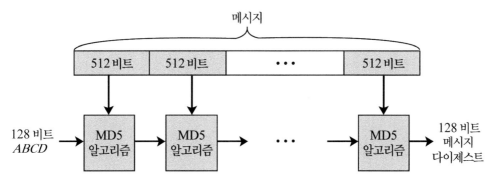

| 그림 18.14 | MD5 알고리즘을 이용한 메시지 다이제스트 생성

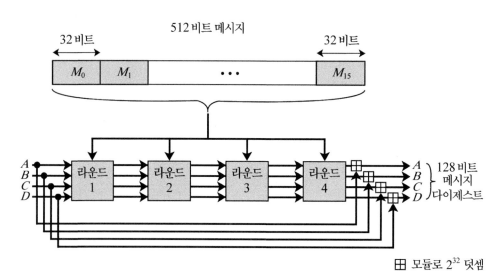

| 그림 18.15 | MD5 알고리즘

각 라운드는 512비트의 메시지 블록을 32비트씩 16개로 분할한 소블록 M_0, M_1, ..., M_{15}에 대하여 16회의 다른 연산을 수행하며, 각 연산은 그림 18.16에서 보는 바와 같은 과정을 수행한다. 연산을 수행하기 전에 레지스터 $ABCD$의 내용물을 $abcd$에 복사한다.

■ 단계 1 : b, c, d에 대하여 다음과 같은 논리 함수의 연산을 수행한다.

$$F(b,c,d) = (b \cdot c) + (\overline{b} \cdot d)$$
$$G(b,c,d) = (b \cdot c) + (c \cdot \overline{d})$$
$$H(b,c,d) = b \oplus c \oplus d$$
$$I(b,c,d) = c \oplus (b + \overline{d})$$

여기서, $\cdot$는 AND, $+$는 OR, $\overline{x}$는 NOT, $\oplus$는 XOR 연산이다.

■ 단계 2 : 단계 1의 결과와 a를 모듈로 2^{32} 덧셈한다.
■ 단계 3 : 단계 2의 결과와 메시지 소블록 M_i를 모듈로 2^{32} 덧셈한다.
■ 단계 4 : 단계 3의 결과와 상수 T_i를 모듈로 2^{32} 덧셈한다.

T_i는 $2^{32} \times abs(sin(i))$의 정수부이며, i는 레디안 값이다.

■ 단계 5 : s비트 좌측으로 쉬프트한다.
■ 단계 6 : 단계 5의 결과와 b를 모듈로 2^{32} 덧셈한다.
■ 단계 7 : $abcd$를 $dabc$로 대체한다.

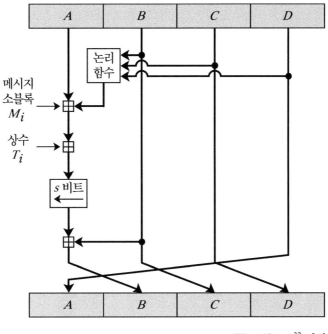

| 그림 18.16 | MD5 알고리즘의 기본 연산 과정

라운드 별 연산 과정은 다음과 같이 표현할 수 있다.

1 라운드 : $FF(a,b,c,d,M_i,T_i,s)$: $a = b + [(a + F(b,c,d) + M_i + T_i) \lll s]$

2 라운드 : $GG(a,b,c,d,M_i,T_i,s)$: $a = b + [(a + G(b,c,d) + M_i + T_i) \lll s]$

3 라운드 : $HH(a,b,c,d,M_i,T_i,s)$: $a = b + [(a + H(b,c,d) + M_i + T_i) \lll s]$

4 라운드 : $II(a,b,c,d,M_i,T_i,s)$: $a = b + [(a + I(b,c,d) + M_i + T_i) \lll s]$

여기서, F, G, H, I는 논리 함수, M_i는 32비트의 메시지 소블록, T_i는 32비트 상수, s는 좌로 쉬프트 할 비트수이며, +는 모듈로 2^{32} 덧셈을 의미한다.

4라운드의 연산을 수행한 후 a, b, c, d를 레지스터 A, B, C, D와 모듈로 2^{32} 덧셈하고, 이 결과를 후속 메시지 블록의 연산에 사용한다. 마지막 메시지 블록에 대한 모든 연산이 완료되었을 때의 $ABCD$ 값이 128비트의 메시지 다이제스트로 출력된다.

◯ SHA

SHA(Secure Hash Algorithm) 알고리즘은 일방향 해시 함수를 이용하여 메시지 인증 코드인 메시지 다이제스트를 생성하는 알고리즘으로 NIST가 전자서명 표준인 DSS (Digital Signature Standard)에 사용하기 위해 1993년에 제안하였으며, SHA-1은 1995년에 FIPS 180-1로 공표되었다.

SHA-1은 메시지의 전체 길이가 2^{64}비트보다 작아야 하는 제한이 있지만 그림 18.17에서 보는 바와 같이 임의 길이의 메시지를 입력받아 512비트 단위로 처리하여 160비트의 메시지 다이제스트를 출력한다. SHA-1 알고리즘의 메시지 패딩 과정은 MD5 알고리즘과 동일하며, 메시지의 전체 길이는 512비트의 배수가 된다.

512비트의 블록을 처리하는 SHA-1 알고리즘은 그림 18.18에서 보는 바와 같이 4라운드로 구성되며, 해시값을 저장하기 위해 5개의 32비트 레지스터 A, B, C, D, E로 구성된 160비트 버퍼가 사용된다. 레지스터의 초기값은 다음과 같다.

$$A = \text{0x67452301}$$
$$B = \text{0xefcdab89}$$
$$C = \text{0x98badcfe}$$
$$D = \text{0x10325476}$$
$$E = \text{0xc3d2e1f0}$$

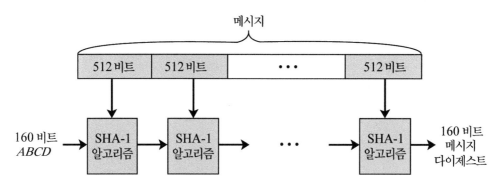

| 그림 18.17 | SHA-1 알고리즘을 이용한 메시지 다이제스트 생성

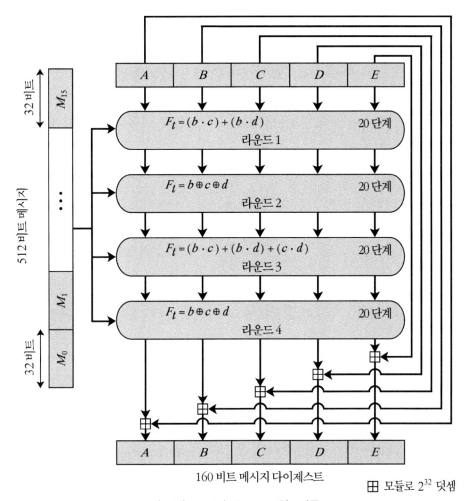

| 그림 18.18 | SHA-1 알고리즘

각 라운드는 512비트의 메시지 블록을 32비트씩 16개로 분할한 소블록 M_0, M_1, ..., M_{15}에 대하여 20회의 다른 연산을 수행하며, 각 연산은 그림 18.19에서 보는 바와 같은 과정을 수행한다. 연산을 수행하기 전에 레지스터 $ABCDE$의 내용물을 $abcde$에 복사한다.

■ 단계 1 : b, c, d에 대하여 다음과 같은 논리 함수의 연산을 수행한다.

$$1 \text{ 라운드} : F_t(b,c,d) = (b \cdot c) + (\bar{b} \cdot d) \qquad 0 \leq t \leq 19$$

$$2 \text{ 라운드} : F_t(b,c,d) = b \oplus c \oplus d \qquad 20 \leq t \leq 39$$

$$3 \text{ 라운드} : F_t(b,c,d) = (b \cdot c) + (b \cdot d) + (c \cdot d) \qquad 40 \leq t \leq 59$$

$$4 \text{ 라운드} : F_t(b,c,d) = b \oplus c \oplus d \qquad 60 \leq t \leq 79$$

여기서, • 는 AND, +는 OR, $\bar{x}$는 NOT, $\oplus$는 XOR 연산이다.

■ 단계 2 : 단계 1의 결과와 e를 모듈로 2^{32} 덧셈한다.

■ 단계 3 : a를 좌측으로 5비트 쉬프트한다.

■ 단계 4 : 단계 3의 결과와 단계 2의 결과를 모듈로 2^{32} 덧셈한다.

■ 단계 5 : 단계 4의 결과와 W_t를 모듈로 2^{32} 덧셈한다.

$$W_t = M_t, \qquad\qquad\qquad\qquad\qquad\qquad 0 \leq t \leq 15$$

$$W_t = [W_{t-3} \oplus W_{t-8} \oplus W_{t-14} \oplus W_{t-16}] \lll 1, \qquad 16 \leq t \leq 79$$

16개의 메시지 소블록 M은 80개의 32비트 워드 W로 변환된다.

■ 단계 6 : 단계 5의 결과와 상수 K_t를 모듈로 2^{32} 덧셈한다.

1 라운드 : K_t = 0x5a827999 $0 \leq t \leq 19$

2 라운드 : K_t = 0x6ed9eba1 $20 \leq t \leq 39$

3 라운드 : K_t = 0x8f1bbcdc $40 \leq t \leq 59$

4 라운드 : K_t = 0xca62c1d6 $60 \leq t \leq 79$

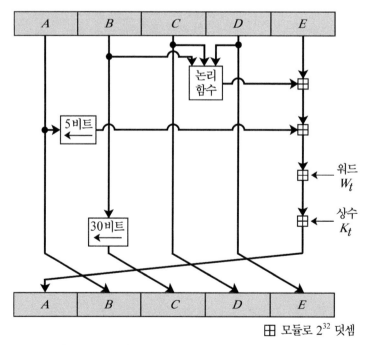

| 그림 18.19 | SHA-1 알고리즘의 기본 연산 과정

- 단계 7 : a를 단계 6의 결과로 대체한다.
- 단계 8 : b를 좌측으로 30비트 쉬프트한다.
- 단계 9 : c를 단계 8의 결과로 대체한다.
- 단계 10 : b를 a로, d를 c로, e를 d로 대체한다.

4라운드의 연산을 수행한 후 a, b, c, d, e를 레지스터 A, B, C, D, E와 모듈로 2^{32} 덧셈을 하고, 이 결과를 후속 메시지 블록의 연산에 사용한다. 마지막 메시지 블록에 대한 모든 연산이 완료되었을 때의 $ABCDE$ 값이 160비트의 메시지 다이제스트로 출력된다.

SHA-1을 보완하여 SHA-2인 SHA-256, SHA-384, SHA-512 등의 방법이 제안되었고, 2012년에 FIPS 180-4 "SHS(Secure Hash Standard)"로 공표되었다. 표 18.1에 SHA 알고리즘의 특징을 비교하였다.

SHA-1과 SHA-256은 메시지의 전체 길이가 2^{64}비트 이하이며, 메시지 블록의 크기는 512비트이고 32비트의 소블록 16개로 분할하여 처리한다. SHA-1는 160비트의 메시지 다이제스트를 출력하지만 SHA-256은 256비트의 메시지 다이제스트를 출력한다.

SHA-384와 SHA-512는 메시지의 전체 길이가 2^{128}비트 이하이며, 메시지 블록의 크기는 1024비트이고 64비트의 소블록 16개로 분할하여 처리한다. SHA-384는 384비트의 메시지 다이제스트를 출력하지만 SHA-512는 512비트의 메시지 다이제스트를 출력한다.

SHA-512/224와 SHA-512/256은 SHA-512와 동일하지만 메시지 다이제스트의 출력이 각각 224비트, 256비트인 점이 다르다.

| 표 18.1 | SHA 알고리즘의 특징 비교

	SHA-1	SHA-256	SHA-384	SHA-512
메시지 전체 길이	$< 2^{64}$	$< 2^{64}$	$< 2^{128}$	$< 2^{128}$
블록 크기	512비트	512비트	1024비트	1024비트
워드 크기	32비트	32비트	64비트	64비트
라운드 수	4라운드 80단계	4라운드 64단계	4라운드 80단계	4라운드 80단계
메시지 다이제스트	160비트	256비트	384비트	512비트

SHA-256은 SHA-1과 마찬가지로 4라운드로 구성되지만 256비트의 해시값을 저장하기 위해 8개의 32비트 레지스터 A, B, C, D, E, F, G, H로 구성된 256비트 버퍼가 사용된다.

각 라운드는 512비트의 메시지 블록을 32비트씩 16개로 분할한 소블록 M_0, M_1, ..., M_{15}에 대하여 16회의 다른 연산을 수행한다. 4라운드(64단계)의 연산을 수행한 후 a, b, c, d, e, f, g, h를 레지스터 A, B, C, D, E, F, G, H와 모듈로 2^{32} 덧셈을 하고, 이 결과를 후속 메시지 블록의 연산에 사용한다. 마지막 메시지 블록에 대한 모든 연산이 완료되었을 때의 $ABCDEFGH$의 값이 256비트의 메시지 다이제스트로 출력된다.

SHA-256의 연산에는 다음과 같은 6개의 논리 함수가 사용된다.

$$F_1(x,y,z) = (x \cdot y) \oplus (\overline{x} \cdot z)$$
$$F_2(x,y,z) = (x \cdot y) \oplus (x \cdot z) \oplus (y \cdot z)$$
$$F_3(x) = ROTR^2(x) \oplus ROTR^{13}(x) \oplus ROTR^{22}(x)$$
$$F_4(x) = ROTR^6(x) \oplus ROTR^{11}(x) \oplus ROTR^{25}(x)$$
$$F_5(x) = ROTR^7(x) \oplus ROTR^{18}(x) \oplus SHR^3(x)$$
$$F_6(x) = ROTR^{17}(x) \oplus ROTR^{19}(x) \oplus SHR^{10}(x)$$

여기서, $\cdot$ 는 AND, $+$는 OR, $\overline{x}$는 NOT, $\oplus$는 XOR 연산이며, $ROTR^n(x)$는 n비트 우측 순환 쉬프트, $SHR^n(x)$는 n비트 우측 쉬프트 연산이다.

해시값 계산의 t단계에서 사용되는 상수 K_t의 값은 다음과 같다.

428a2f98	71374491	b5c0fbcf	e9b5dba5	3956c25b	59f111f1	923f82a4	ab1c5ed5
d807aa98	12835b01	243185be	550c7dc3	72be5d74	80deb1fe	9bdc06a7	c19bf174
e49b69c1	efbe4786	0fc19dc6	240ca1cc	2de92c6f	4a7484aa	5cb0a9dc	76f988da
983e5152	a831c66d	b00327c8	bf597fc7	c6e00bf3	d5a79147	06ca6351	14292967
27b70a85	2e1b2138	4d2c6dfc	53380d13	650a7354	766a0abb	81c2c92e	92722c85
a2bfe8a1	a81a664b	c24b8b70	c76c51a3	d192e819	d6990624	f40e3585	106aa070
19a4c116	1e376c08	2748774c	34b0bcb5	391c0cb3	4ed8aa4a	5b9cca4f	682e6ff3
748f82ee	78a5636f	84c87814	8cc70208	90befffa	a4506ceb	bef9a3f7	c67178f2

그림 18-20에 SHA-256의 해시값을 계산하는 과정을 나타내었으며, 계산에 사용되는 파라미터와 연산 기호는 다음과 같다.

- H^i는 i번째 해시값, H^i_j는 i번째 해시값의 j번째 워드
- M^i는 i번째 메시지 블록, M^i_j는 i번째 메시지 블록의 j번째 워드
- N은 메시지의 소블록의 수
- T는 해시값 계산에 사용되는 임시 워드
- W_t는 메시지 스케줄의 t번째 워드
- +는 모듈로 2^{32} 덧셈

Each message block, $M^1, M^2, \cdots, M^N$, is processed in order, using the following steps :

For $i = 1$ to N :
{

    1. Prepare the message schedule, $\{W_t\}$:

$$W_t = M^i_t \qquad\qquad\qquad\qquad\qquad 0 \le t \le 15$$
$$W_t = F_6(W_{t-2}) + W_{t-7} + F_5(W_{t-15}) + W_{t-16} \quad 16 \le t \le 63$$

    2. Initialize the eight working variables, $a, b, c, d, e, f, g,$ and h,
       with the $(i-1)$th hash value :

$$a = H^{i-1}_0$$
$$b = H^{i-1}_1$$
$$c = H^{i-1}_2$$
$$d = H^{i-1}_3$$
$$e = H^{i-1}_4$$
$$f = H^{i-1}_5$$
$$g = H^{i-1}_6$$
$$h = H^{i-1}_7$$

| 그림 18.20 | SHA-256 알고리즘의 해시값 계산 과정

3. For $t = 0$ to 63 :

$\{$

$$T_1 = h + F_4(e) + F_1(e,f,g) + K_t + W_t$$

$$T_2 = F_3(a) + F_2(a,b,c)$$

$$h = g$$

$$g = f$$

$$f = e$$

$$e = d + T_1$$

$$d = c$$

$$c = b$$

$$b = a$$

$$a = T_1 + T_2$$

$\}$

4. Compute the ith intermediate hash value H^i :

$$H_0^i = a + H_0^{i-1}$$

$$H_1^i = b + H_1^{i-1}$$

$$H_2^i = c + H_2^{i-1}$$

$$H_3^i = d + H_3^{i-1}$$

$$H_4^i = e + H_4^{i-1}$$

$$H_5^i = f + H_5^{i-1}$$

$$H_6^i = g + H_6^{i-1}$$

$$H_7^i = h + H_7^{i-1}$$

$\}$

After repeating steps one through four a total of N times (i.e., after processing M^N), the resulting 256bit message digest of the message, M, is

$$H_0^N \parallel H_1^N \parallel H_2^N \parallel H_3^N \parallel H_4^N \parallel H_5^N \parallel H_6^N \parallel H_7^N$$

| 그림 18.20 (계속) | SHA-256 알고리즘의 해시값 계산 과정

18.5 PKI

PKI(Public Key Infrastructure)는 공개키 암호 시스템과 공인기관에 의해 발행되는 인증서를 기반으로 사용자 인증, 통신 내용의 기밀성과 무결성 보장, 부인 방지 기능을 제공하는 공개키 기반의 보안 구조이다.

PKI는 전자상거래를 비롯하여 다양한 분야에서 안전한 통신이 가능하도록 다음과 같은 방법으로 보안 서비스를 보장하여야 한다.

- 인증 : 인증서에 의한 사용자나 거래자의 신원 확인
- 기밀성 : 공개키 암호에 의한 정보나 거래 내역의 암호화
- 무결성 : 해시 알고리즘에 의한 정보나 거래 내역의 변조 여부 확인
- 부인 방지 : 전자서명에 의한 송수신 사실이나 거래 사실 자체의 부인 방지

PKI는 그림 18.21에서 보는 바와 같이 4가지 구성 요소로 이루어져 있다.

- 인증기관
- 등록기관
- 디렉터리 서버
- 사용자

인증기관(CA : Certificate Authority)은 인증서의 발급 및 폐지, 인증서 폐지 목록(CRL : Certificate Revocation List) 관리, 인증서의 갱신 및 재발급, 인증서와 소유자 관련 정보 DB 관리, 감사 파일 보관 등의 기능을 수행한다.

인증기관은 계층 구조로 되어 있으며, 최상위 인증기관 간의 상호 인증은 가능하지만 하위 인증기관 간의 상호 인증은 원칙적으로는 허용되지 않는다.

공인전자서명의 인증 체계인 국가 공개키 기반 구조 NPKI(National Public Key

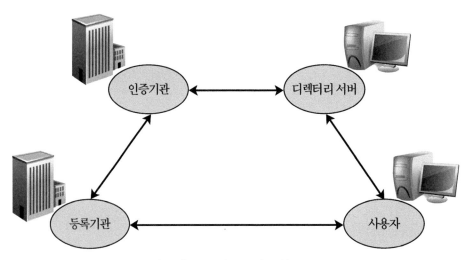

| 그림 18.21 | PKI의 구성 요소

Infrastructure)의 최상위 인증기관은 KISA(한국인터넷진흥원)이며, 정부에서 지정한 공인 인증기관으로는 금융결제원, 코스콤, 한국정보인증 등이 있다. 행정전자서명의 인증 체계인 정부 공개키 기반 구조 GPKI(Government Public Key Infrastructure)의 최상위 인증기관 은 행정전자서명인증관리센터이며, 인증기관으로는 교육부, 행정자치부, 국방부 등이 있다.

등록기관(RA : Registration Authority)은 은행, 증권사 등과 같이 인증기관과 사용자의 중간에 위치하여 인증기관의 인증서 발급 업무를 대행한다. 등록기관은 사용자가 인증서를 신청하면 사용자의 신원을 확인하고 인증기관에게 인증서 발급을 요청하며, 발급된 인증서 를 사용자에게 전달한다.

디렉터리 서버(directory server)는 인증서와 사용자 관련 정보, 상호 인증서, 인증서 폐 지 목록 등을 저장하고 검색하는 기능을 수행한다. 디렉터리 서버는 인증기관에서 관리하 며, LDAP(Lightweight Directory Access Protocol)을 이용하여 ITU-T X.500 디렉터리 서비스를 제공한다.

사용자(user/client)는 자신의 공개키와 개인키를 생성하여 공개키를 인증기관에 등록하 고 인증서를 발급 받는다. 사용자는 자신의 개인키를 이용하여 메시지에 전자서명을 하거 나 다른 사용자의 공개키를 이용하여 전자서명을 검증한다.

사용자가 공인인증서를 발급받고 거래 정보에 전자서명 하는 절차를 그림 18.22에 나타내었다.

- 단계 1 : 사용자가 등록기관에 인증서 발급을 신청한다.
- 단계 2 : 등록기관은 사용자의 신원을 확인한다.
- 단계 3 : 등록기관은 인증기관에 신청 정보를 등록한다.
- 단계 4 : 인증기관은 등록기관에게 발급한 인증서를 송부한다.
- 단계 5 : 등록기관은 사용자에게 인증서를 발급한다.
- 단계 6 : 전자거래업체에서 사용자에게 거래 정보의 전자서명을 요청한다.
- 단계 7 : 사용자가 인증서를 이용하여 전자서명을 한다.
- 단계 8 : 전자거래업체는 인증기관에 의해 사용자의 인증서를 검증한다.
- 단계 9 : 전자거래업체는 전자서명이 검증되면 거래를 완료한다.

공인인증서는 다음과 같이 다양한 분야에 널리 활용되고 있다.

- 전자상거래 : 인터넷/모바일 쇼핑, 인터넷 예약, 기업 간 유통 등
- 금융 분야 : 인터넷/모바일 뱅킹, 온라인 증권 거래, 전자 결제 등
- 공공 분야 : 공문서 유통, 전자정부 민원서비스, 전자입찰/조달 등

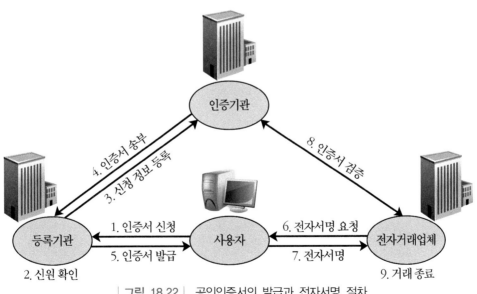

| 그림 18.22 | 공인인증서의 발급과 전자서명 절차

Chapter 19

네트워크 보안

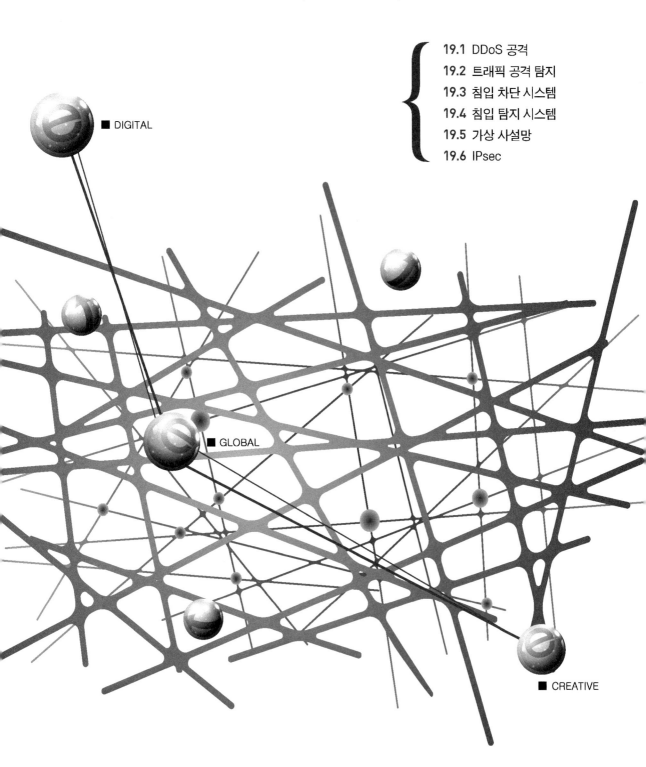

■ DIGITAL

■ GLOBAL

■ CREATIVE

19.1 DDoS 공격

Data Communication & Computer Network

DoS(Denial of Service) 공격은 TCP/IP 프로토콜의 취약점 등을 이용하여 공격 대상 시스템으로 대량의 트래픽을 전송함으로써 시스템을 다운시키거나 정상적인 서비스를 제공하지 못하게 하는 트래픽 폭주 공격이다.

DDoS(Distributed DoS) 공격은 그림 19.1에서 보는 바와 같이 수많은 마스터(master)와 에이전트(agent)들을 동원하여 공격 대상 시스템을 집중적으로 공격하는 매우 강력한 분산 DoS 공격이다.

21세기의 주요 해킹 사건들을 살펴보면 영향력이 매우 심각했던 DDoS 트래픽 폭주 공격이 대부분이었다.

- 2003년 1. 25 : 슬래머 웜에 의한 인터넷 대란
- 2009년 7. 7 : 청와대, 농협 등을 공격한 DDoS 대란
- 2011년 3. 4 : 국방부, KISA 등을 공격한 DDoS 대란
- 2013년 3. 20 : 방송사, 금융기관 등을 공격한 사이버 테러

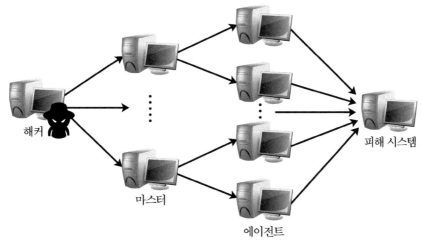

| 그림 19.1 | DDoS 공격

DDoS 트래픽 공격에 동원되는 마스터는 해커의 명령을 받아 여러 에이전트들을 제어하는 시스템이며, 마스터 역할을 수행하는 프로그램을 핸들러(handler)라고 한다. 에이전트는 공격 대상 시스템을 직접 공격하는 시스템(좀비 PC)이며, 에이전트 역할을 수행하는 프로그램을 디몬(daemon)이라고 한다.

해커가 DDoS 공격을 준비하는 절차는 다음과 같다.

■ 일반 사용자 계정을 획득하여 시스템에 접근하고 소프트웨어의 취약점을 이용하거나 스니핑(sniffing) 공격 등으로 루트(root) 권한을 획득한다.
■ 네트워크를 스캐닝(scanning)하여 취약한 시스템을 탐색한다.
■ 취약한 시스템을 선택하고 취약점 공격을 위한 exploit을 작성한다.
■ 루트 권한을 획득한 시스템에 침투하여 exploit을 설치한다.
■ 특정 날짜에 exploit으로 공격한다.

해커는 DDoS 공격을 하는 데 다양한 공격 툴(tool)들을 이용하고 있다. DDoS 공격 툴들은 TCP 27444번 포트, TCP 16660번 포트 등과 같은 특정 포트를 사용하기 때문에 이러한 포트가 열려있는 지 검사함으로써 마스터나 디몬이 설치되어 있는 에이전트를 찾아낼 수 있다.

DDoS 공격의 대응 방법은 다음과 같다.

■ 방화벽을 설치한다.
■ 침입 탐지 시스템을 설치한다.
■ 침입 방지 시스템을 설치한다.

DDoS 공격은 계속 진화하고 있기 때문에 DDoS 공격을 완벽하게 차단할 수는 없지만 내부 네트워크로 들어오는 유해 트래픽을 차단하기 위해 다음과 같은 필터링 원칙을 활용할 수 있다.

■ 해킹에 사용되는 포트를 비롯하여 사용하지 않는 서비스의 포트를 닫는다.
■ 들어오는 패킷의 IP 주소가 내부 네트워크의 IP 주소이면 차단한다.
■ 명시적인 서비스 이외의 모든 서비스를 금지한다.

⚪ DDoS 공격 툴

DDoS 공격에 사용되는 툴에는 다음과 같은 유형이 있다.

- Trinoo
- TFN
- Stacheldraht

Trinoo 공격은 그림 19.2에서 보는 바와 같이 해커와 마스터 간에는 TCP 27665번 포트를 사용하여 통신하며, 마스터는 에이전트에게 TCP 27444번 포트를 사용하여 명령을 내리고 에이전트는 TCP 31335번 포트를 사용하여 응답한다.

Trinoo 공격의 경우, 해커의 명령이 하달되면 에이전트는 피해 시스템으로 UDP 플러딩 (flooding) 공격을 하여 피해 시스템을 마비시킨다.

TFN(Tribe Flood Network) 공격은 그림 19.3에서 보는 바와 같이 해커와 마스터 간에는 *telnet*을 이용하여 통신하며, 마스터는 에이전트에게 ICMP Echo Reply 메시지로 명령을 내리고 에이전트는 ICMP Echo Reply 메시지로 응답한다.

TFN 공격의 경우, 해커의 명령이 하달되면 에이전트는 피해 시스템으로 TCP 플러딩 공격, UDP 플러딩 공격, ICMP 플러딩 공격 등을 하여 피해 시스템을 마비시킨다.

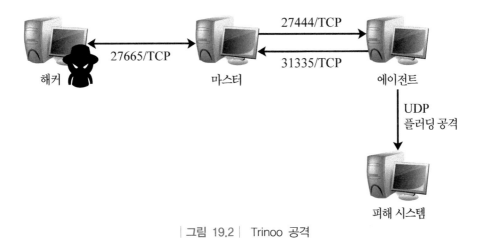

| 그림 19.2 | Trinoo 공격

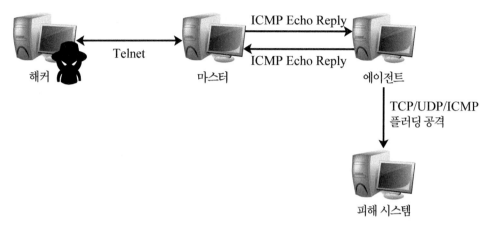

| 그림 19.3 | TFN 공격

Stacheldraht 공격은 그림 19.4에서 보는 바와 같이 해커와 마스터 간에는 TCP 16660 번 포트를 사용하여 통신하며, 마스터는 에이전트에게 ICMP Echo Reply 메시지로 명령을 내리고 에이전트는 ICMP Echo Reply 메시지로 응답한다.

Stacheldraht 공격도 TFN 공격과 마찬가지로 해커의 명령이 하달되면 에이전트는 피해 시스템으로 TCP 플러딩 공격, UDP 플러딩 공격, ICMP 플러딩 공격 등을 하여 피해 시스템을 마비시킨다.

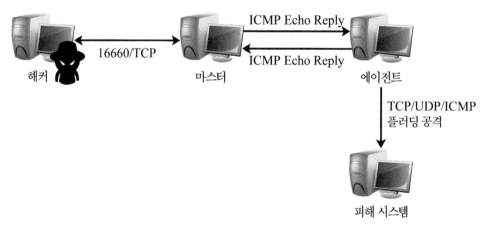

| 그림 19.4 | Stacheldraht 공격

19.2 트래픽 공격 탐지

Data Communication & Computer Network

○ 트래픽 공격의 유형

보안 관리자는 유해 트래픽을 분석하여 공격을 탐지하고, 문제의 원인을 정확하게 파악하여 트래픽 공격으로 인한 피해의 확산을 차단하고 시스템을 신속하게 정상 상태로 복구하여야 한다.

DDoS 공격과 같은 트래픽 폭주 공격에는 해커들이 주로 TCP, UDP, ICMP 프로토콜의 취약점을 이용하고 있으며, 트래픽 공격의 유형은 다음과 같다.

- TCP 플러딩 공격
- UDP 플러딩 공격
- ICMP 플러딩 공격

TCP 플러딩(flooding) 공격에는 SYN 플러딩 공격, ACK 플러딩 공격, RST 플러딩 공격 등이 있으며, 연결형 프로토콜인 TCP의 취약점을 이용한다.

TCP SYN 플러딩 공격은 3방향 핸드쉐이크 절차에 의해 연결을 설정하는 TCP 프로토콜의 취약점을 이용한 공격이며, 공격 대상 시스템의 동시 가용 사용자 수를 점유하여 정당한 사용자가 공격 대상 시스템에 접속할 수 없게 함으로써 서비스를 받을 수 없게 한다. 그림 19.5에 TCP SYN 플러딩 공격을 예시하였다.

- 단계 1 : 해커가 시스템 A의 IP 주소로 위장하여 피해 시스템으로 SYN를 보내 연결을 요청한다.
- 단계 2 : 피해 시스템이 시스템 A에게 연결을 허락한다.
- 단계 3 : 연결을 요청하지 않은 시스템 A는 응답하지 않는다.
- 단계 4 : 이 과정이 계속 반복되면서 피해 시스템은 오버플로우가 발생한다.
- 단계 5 : 서비스를 원하는 시스템 B가 피해 시스템에 연결을 요청한다.
- 단계 6 : 피해 시스템이 시스템 B의 연결 요청에 응답하지 못한다.

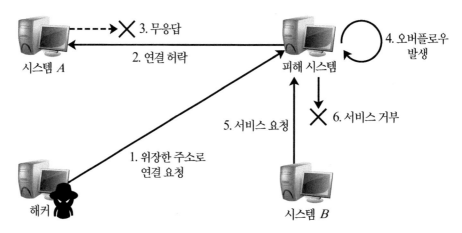

| 그림 19.5 | TCP SYN 플러딩 공격의 헤더

TCP SYN 플러딩 공격에 사용되는 TCP 헤더는 그림 19.6과 같다.

ACK 플러딩 공격은 ACK 플래그를 1로 세팅한 TCP 메시지를 대량으로 전송하여 공격 대상 시스템이 RST 메시지로 응답하면서 과부하가 초래되게 하는 공격이며, RST 플러딩 공격은 RST 플래그를 1로 세팅한 TCP 메시지를 대량으로 전송하여 실제 서비스 되고 있는 TCP 연결들을 종료시키는 공격이다.

근원지 포트 번호			목적지 포트 번호 (27665, 27444, 12754)		
순서 번호					
확인 번호					
헤더 길이	예약	U R G A C K P S H R S T S Y N F I N	윈도우 크기		
체크섬			긴급 포인터		
DATA G0rave, |44ads|, >, <,					

| 그림 19.6 | TCP SYN 플러딩 공격의 헤더

근원지 포트 번호	목적지 포트 번호 (6338, 10498, 31335)
UDP 길이	체크섬
데이터 (Hello, newserver, strea/)	

| 그림 19.7 | UDP 플러딩 공격의 헤더

UDP 플러딩 공격은 비연결형 UDP 프로토콜의 취약점을 이용한 DDoS 공격의 일종으로 그림 19.7에서 보는 바와 같이 응용에 할당되지 않은 UDP 31335번 포트 등을 사용하여 공격한다.

UDP 플러딩 공격은 공격 대상 시스템의 유효하지 않은 목적지 포트를 이용하여 대량의 UDP 메시지를 전송하면 공격 대상 시스템이 ICMP Destination Unreachable 메시지로 응답하면서 과부하가 초래되어 정당한 사용자가 서비스를 받을 수 없게 한다.

ICMP 플러딩 공격은 공격 대상 시스템으로 대량의 ICMP 메시지를 전송하여 트래픽이 폭주되게 함으로써 사용자에게 정상적인 서비스를 하지 못하게 하는 공격이다.

ICMP 플러딩 공격에는 그림 19.8에서 보는 바와 같이 유형(type) 필드가 0이고, 코드(code) 필드가 0인 ICMP Echo Reply 메시지가 사용된다.

유형(0)	코드(0)	체크섬
식별자(123, 456, 1000, 6666)		순서 번호
데이터 (ficken, gesundheit, skillz)		

| 그림 19.8 | ICMP 플러딩 공격의 헤더

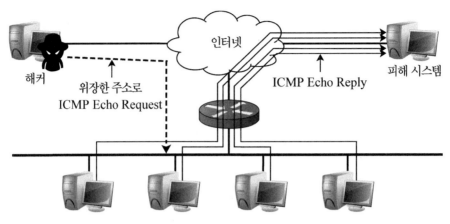

| 그림 19.9 | Smurf 공격

Smurf 공격은 ICMP 브로드캐스트 공격의 일종으로 그림 19.9에서 보는 바와 같이 해커가 공격 대상 시스템의 IP 주소로 위장하여 좀비 PC들에게 ICMP Echo Request 메시지를 보내면 좀비 PC들은 공격 대상 시스템으로 ICMP Echo Reply 메시지를 대량으로 전송하여 공격 대상 시스템을 마비시키는 공격이다.

● 공격 탐지

트래픽 공격을 탐지하는 절차는 그림 19.10에서 보는 바와 같이 다음과 같은 단계들로 수행된다.

- 단계 1 : 트래픽 수집
- 단계 2 : 트래픽 분석
- 단계 3 : 공격 판정

트래픽 수집 단계에서는 패킷 캡처 라이브러리인 Libpcab(Library for packet capture), Winpcap을 이용하거나 SNMP(Simple Network Management Protocol)를 이용하여 네트워크상의 트래픽을 수집한다.

트래픽 분석 단계에서는 Winpcab 기반의 Wireshark를 이용하여 수집한 패킷을 분석하거나 SNMP MIB(Management Information Base)를 이용하여 프로토콜 및 포트별로 트래픽을 분석한다. 트래픽을 분석하는 데에는 시스템 로그 파일도 활용한다.

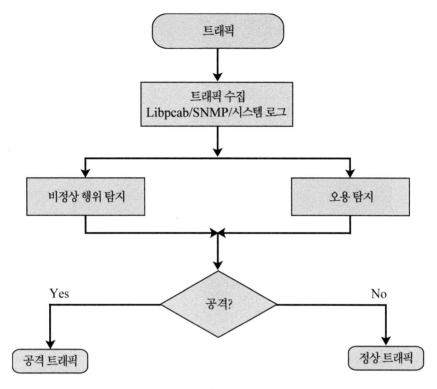

| 그림 19.10 | 공격 탐지 절차

공격 판정 단계에서는 공격 트래픽인지의 여부를 판단하기 위해 비정상 행위를 탐지하는 통계적 방법이나 오용 탐지를 하는 시그너처(signature)를 이용한다.

통계적 방법은 임계치를 설정하고 트래픽의 양이 임계치를 초과하면 공격이라고 판정하며, 시그너처를 이용하는 방법은 비정상 트래픽의 패턴과 시그너처를 정의하고 트래픽의 패턴이 시그너처와 일치하면 공격이라고 판정한다.

트래픽 공격이라고 판정되면 경보(alarm)를 올리거나 관리자에게 E_mail이나 문자 메시지를 보내어 시스템이 공격당하였음을 통보하고, 트래픽 공격에 사용된 IP와 포트 및 세션을 차단하여 더 이상의 공격을 방지하고 시스템을 정상 상태로 복구한다.

일반적으로 트래픽 공격을 완벽하게 탐지할 수는 없으므로 오탐이 발생한다. 오탐으로 인해 경고가 너무 빈번하게 발생하면 오히려 방해가 되기 때문에 오탐율을 낮추어야 한다.

트래픽 공격에서의 오탐은 다음과 같이 2가지로 구분된다.

- false negative
- false positive

false negative는 실제로는 공격을 당하고 있지만 공격이 아니라고 판정하는 오탐의 경우이며, false positive는 실제로는 정상적인 트래픽이지만 공격이라고 판정하는 오탐의 경우이다.

○ SNMP MIB

SNMP MIB을 이용하여 트래픽 공격을 탐지하기 위해서는 먼저 그림 19.11에서 보는 바와 같이 SNMP 매니저가 SNMP 에이전트로부터 트래픽 정보를 수집하는 과정을 수행한다.

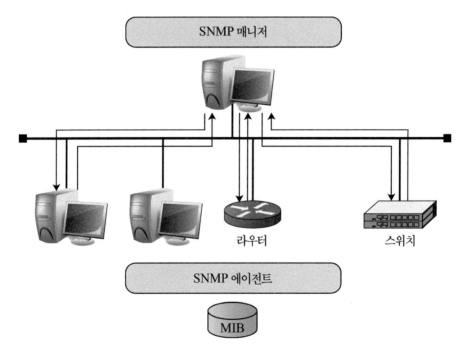

| 그림 19.11 | SNMP를 이용한 트래픽 수집

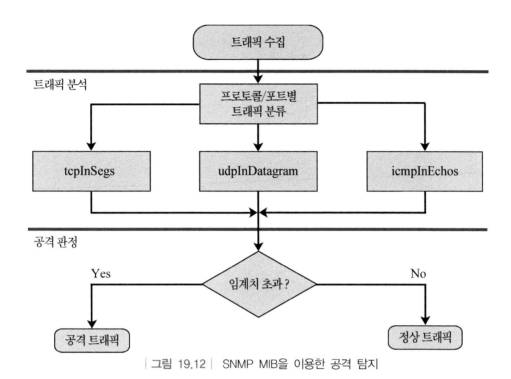

| 그림 19.12 | SNMP MIB을 이용한 공격 탐지

수집한 트래픽을 프로토콜과 포트별로 분류하고, 트래픽을 분석한 결과, 그림 19.12에서 보는 바와 같이 MIB 객체인 tcpInSegs, udpInDatagram, icmpInEchos 등의 수가 임계치보다 크면 공격이라고 판정하고, 임계치보다 작으면 정상 트래픽으로 판정한다.

트래픽 공격 탐지에 관련된 MIB 객체들은 다음과 같다.

- icmpInMsgs : 수신한 ICMP 메시지의 수
- icmpInEchos : 수신한 ICMP Echo Request 메시지의 수
- icmpInEchoReps : 수신한 ICMP Echo Reply 메시지의 수
- icmpOutMsgs : 송신한 ICMP 메시지의 수
- tcpInSegs : 수신한 TCP 메시지의 수
- tcpOutSegs : 송신한 TCP 메시지의 수
- udpInDatagrams : 수신한 UDP 메시지의 수
- udpOutDatagrams : 송신한 UDP 메시지의 수
- udpNoPorts : 목적지 포트에 없는 응용으로 수신한 UDP 메시지의 수

19.3 침입 차단 시스템

○ 방화벽

침입 차단 시스템은 방화벽(firewall)이라고 하며, 그림 19.13에서 보는 바와 같이 외부 네트워크와 내부 네트워크 사이에 위치하여 외부로부터의 불법적인 접근이나 해커의 공격을 차단하여 내부 네트워크의 컴퓨팅 자원을 보호하기 위한 정책과 하드웨어 및 소프트웨어를 말한다.

방화벽은 다음과 같은 기능을 수행한다.

- 패킷 필터링
- 네트워크 주소 변환
- 로깅

패킷 필터링(packet filtering)은 미리 설정한 규칙에 따라 패킷을 검사하여 접근 허용 여부를 결정하는 기능이며, 네트워크 주소 변환(NAT : Network Address Translation)은 내부에서 사용되는 사설 IP 주소를 공인 IP 주소로 변환하는 기능이다. 로깅(logging)은 모든 패킷에 대하여 접속 정보와 자원의 사용에 관한 내용을 기록하는 기능이며, 로그 기록은 보안 감사 자료로 활용될 수 있다.

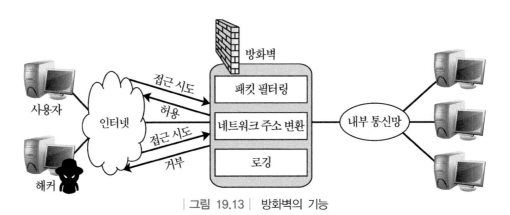

| 그림 19.13 | 방화벽의 기능

◯ 방화벽의 유형

방화벽은 기능에 따라 다음과 같이 분류할 수 있다.

◯ 패킷 필터링 방화벽
- 패킷 필터링 라우터

◯ 프록시 방화벽
- 응용 레벨 게이트웨이
- 회로 레벨 게이트웨이

◯ 혼합형 방화벽

패킷 필터링 방화벽인 패킷 필터링 라우터(packet filtering router)는 3계층인 네트워크 계층과 4계층인 전송 계층에서 동작하며, 패킷의 헤더를 분석하여 미리 설정한 규칙, 즉 접근 제어 목록(ACL : Access Control List)에 따라 패킷의 접근 허용 여부를 결정한다.

패킷을 필터링 하기 위한 접근 제어 목록에는 다음과 같은 사항이 포함된다.

- 근원지 IP 주소
- 근원지 포트 번호
- 목적지 IP 주소
- 목적지 포트 번호
- 프로토콜(TCP/UDP/ICMP)
- 접근 허용 여부(허용/거부)

프록시(proxy) 방화벽은 외부 네트워크의 클라이언트가 내부 네트워크에 있는 서버의 HTTP, FTP, Telnet 등과 같은 응용에의 접근을 시도할 때 프록시 서버를 이용하여 응용 서비스를 필터링 한다. 중개 역할을 하는 프록시 서버는 외부 네트워크의 클라이언트에 대해서는 서버로 동작하며, 내부 네트워크에 있는 서버에 대해서는 클라이언트로 동작한다.

프록시 방화벽에는 응용 레벨 게이트웨이(application level gateway)와 회로 레벨 게이트웨이(circuit level gateway)의 2가지 유형이 있다.

응용 레벨 게이트웨이는 7계층인 응용 계층에서 동작하며, 그림 19.14(a)에서 보는 바와 같이 외부 네트워크의 클라이언트가 요청한 HTTP, FTP, Telnet 등과 같은 응용에 대하여 각각의 프록시 서버 프로세스가 실행된다.

회로 레벨 게이트웨이는 5계층인 세션 계층과 7계층인 응용 계층 사이에서 동작하며, 그림 19.14(b)에서 보는 바와 같이 모든 응용에 대하여 하나의 프록시 서버 프로세스만 실행된다.

혼합형 방화벽은 패킷 필터링 방화벽과 프록시 방화벽을 복합적으로 구성한 방식으로 응용 서비스의 유형에 따라 선택적으로 보안 정책을 설정할 수 있다.

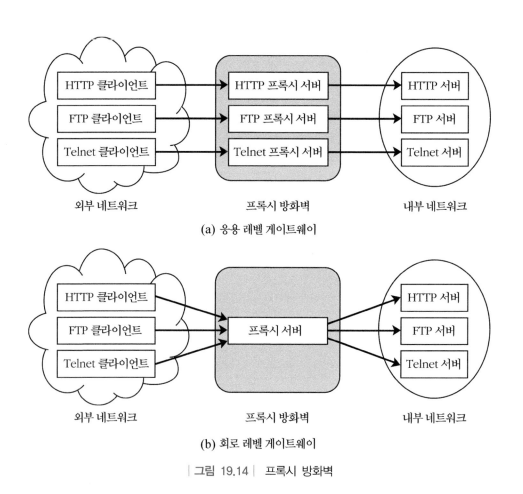

(a) 응용 레벨 게이트웨이

(b) 회로 레벨 게이트웨이

| 그림 19.14 | 프록시 방화벽

● 방화벽의 구조

방화벽은 다음과 같은 형태로 구축할 수 있다.

- 스크리닝 라우터
- 듀얼 홈드 게이트웨이
- 스크린드 호스트 게이트웨이
- 스크린드 서브넷 게이트웨이

스크리닝 라우터(screening router) 구조는 그림 19.15에서 보는 바와 같이 일반 라우터에 패킷 필터링 방화벽의 기능을 추가하여 구축한 방화벽이며, 외부 네트워크에서 내부 네트워크로의 접근을 시도하는 패킷의 헤더를 분석하여 근원지 IP 주소와 포트 번호, 목적지의 IP 주소와 포트 번호, 프로토콜을 기반으로 접근 허용 여부를 결정한다.

스크리닝 라우터 구조는 라우터를 사용하므로 방화벽의 구축에 추가 비용이 들지 않는 장점이 있지만 라우터에 부담을 주게 되고 실패한 접근에 대한 로깅 기능이 지원되지 않는 단점이 있다.

듀얼 홈드 게이트웨이(dual-homed gateway) 구조는 그림 19.16에서 보는 바와 같이 2개의 네트워크 인터페이스를 갖는 배스천 호스트(bastion host)이다. 배스천 호스트란 관리자에 의해 침입 차단 시스템으로 지정된 시스템이며, 외부 네트워크와 내부 네트워크 사이에 위치하여 게이트웨이 역할을 수행한다.

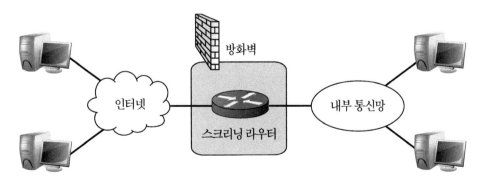

| 그림 19.15 | 스크리닝 라우터 구조

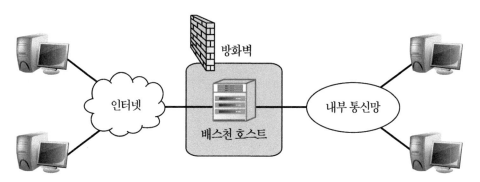

| 그림 19.16 | 듀얼 홈드 게이트웨이 구조

듀얼 홈드 게이트웨이 구조는 외부와 내부 네트워크로 들어오고 나가는 모든 패킷이 배스천 호스트를 경유하므로 로그 관리가 용이하고 내부 네트워크가 노출되지 않는 장점이 있지만 배스천 호스트가 손상되면 내부 네트워크를 보호할 수 없는 단점이 있다.

스크린드 호스트 게이트웨이(screened host gateway) 구조는 그림 19.17에서 보는 바와 같이 스크리닝 라우터와 듀얼 홈드 게이트웨이를 혼합하여 구축한 방화벽이다.

스크린드 호스트 게이트웨이 구조는 외부 네트워크에서 내부 네트워크로의 접근을 시도하는 패킷을 스크리닝 라우터에서 필터링 하고, 스크리닝 라우터를 통과한 패킷에 대해서는 프록시 방화벽의 기능을 하는 배스천 호스트에서 사용자와 응용 서비스에 대한 인증을 수행한다.

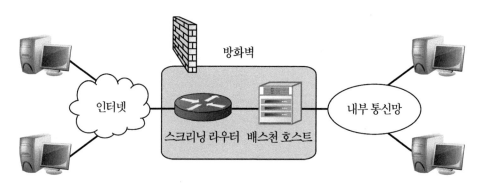

| 그림 19.17 | 스크린드 호스트 게이트웨이 구조

스크린드 호스트 게이트웨이 구조는 스크리닝 라우터와 배스천 호스트에서 2단계로 침입을 방어하므로 보안성이 좋을 뿐만 아니라 로그 관리가 용이하고 내부 네트워크가 노출되지 않는 장점이 있지만 배스천 호스트가 손상되면 내부 네트워크를 보호할 수 없는 단점이 있다.

스크린드 서브넷 게이트웨이(screened subnet gateway) 구조는 그림 19.18에서 보는 바와 같이 스크리닝 라우터 사이에 배스천 호스트를 설치하여 구축한 방화벽으로 외부 네트워크와 내부 네트워크 사이에 DMZ(De Militarized Zone)라는 서브넷을 운영한다.

외부 네트워크의 사용자들이 자유롭게 접근할 필요가 있는 웹 서버, E_mail 서버, DNS 서버와 같은 공개 서버들은 DMZ 서브넷에 배치하고, DB 서버와 같은 중요한 시스템들은 내부 네트워크에 배치함으로써 일반 사용자들에게 원활한 서비스를 제공하면서도 내부 네트워크를 보다 효과적으로 보호할 수 있다.

스크린드 서브넷 게이트웨이 구조는 로그 관리가 용이하고 내부 네트워크가 노출되지 않을 뿐만 아니라 외부의 침입으로부터 매우 안전하지만 구축 비용이 많이 들고 서비스 속도가 느린 단점이 있다.

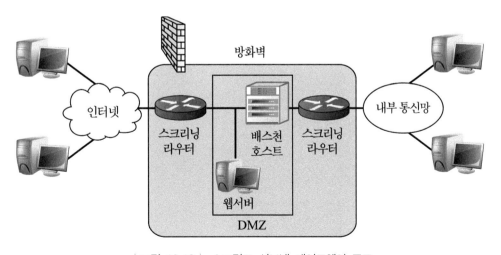

| 그림 19.18 | 스크린드 서브넷 게이트웨이 구조

19.4 침입 탐지 시스템

해커의 침입을 탐지하는 데에는 다음과 같은 방법이 사용될 수 있다.

- 계정 소프트웨어 활용
- 침입 검출 전용 소프트웨어 설치
- 침입 탐지 시스템 설치

사용자의 활동에 대한 정보를 수집하는 계정 소프트웨어가 모든 운영체제에 포함되어 있으므로 이를 감사 기록으로 활용하여 해커의 침입을 탐지할 수 있다.

사용자 ID, 수행한 동작, 동작 대상, 사용한 자원의 내용, 동작이 발생한 시간 등에 관한 상세한 감사 기록을 제공하는 침입 검출 전용 소프트웨어를 설치하고 이를 이용하여 해커의 침입을 탐지할 수 있다.

방화벽을 이용하여 외부 네트워크로부터의 불법적인 접근을 1차적으로 차단하고, 침입 탐지 시스템을 설치하여 방화벽을 통과한 트래픽을 분석함으로써 보다 효과적으로 해커의 침입을 탐지할 수 있을 뿐만 아니라 내부 사용자에 의한 공격도 탐지할 수 있다.

◯ IDS

침입 탐지 시스템(IDS : Intrusion Detection System)은 침입을 탐지하고 그에 대한 적절한 조치를 취하기 위해 다음과 같은 절차로 동작한다.

- 데이터 수집
- 데이터 가공 및 축약
- 데이터 분석 및 침입 탐지
- 보고 및 대응

데이터 수집 단계에서는 시스템의 로그 기록과 네트워크상의 패킷 등 감사 자료를 수집하고, 데이터 가공 및 축약 단계에서는 수집한 자료를 데이터 분석 과정에 활용할 수 있도록 정형화하고 중복된 자료를 삭제하는 등의 기능을 한다.

데이터 분석 및 침입 탐지 단계에서는 비정상 행위를 탐지하거나 오용 탐지를 위해 수집한 감사 자료를 분석하거나 프로토콜과 포트별로 패킷을 분석하여 최종적으로 침입 여부를 판정한다.

보고 및 대응 단계에서는 침입을 탐지하면 경보(alarm)를 울리거나 관리자에게 E_mail이나 문자 메시지를 보내어 시스템이 공격당하였음을 통보하고, 침입에 사용된 IP와 포트 및 세션을 차단하는 등의 조치를 한다.

침입 탐지 시스템은 다음과 같이 분류할 수 있다.

◎ 데이터 소스(source)에 의한 분류
- 호스트 기반 IDS
- 네트워크 기반 IDS

◎ 탐지 모델에 의한 분류
- 비정상 행위 탐지
- 오용 탐지
- 혼합형

IDS는 그림 19.19에서 보는 바와 같이 데이터를 수집하는 형태에 따라 호스트 기반 IDS와 네트워크 기반의 IDS로 구분할 수 있으며, 침입을 탐지하는 모델에 따라 비정상 행위 탐지 방법과 오용 탐지 방법으로 구분할 수 있다.

호스트 기반 IDS(HIDS : Host based IDS)는 각각의 시스템에 직접 침입 탐지 소프트웨어를 설치하여 로그 기록과 특정 행위의 감사 자료를 분석함으로써 침입을 탐지한다.

네트워크 기반 IDS(NIDS : Network based IDS)는 내부 네트워크 내의 한 시스템에만 침입 탐지 소프트웨어를 설치하거나 침입 탐지 전용 시스템을 사용하며, 네트워크상의 패킷과 트래픽 등을 분석함으로써 침입을 탐지한다.

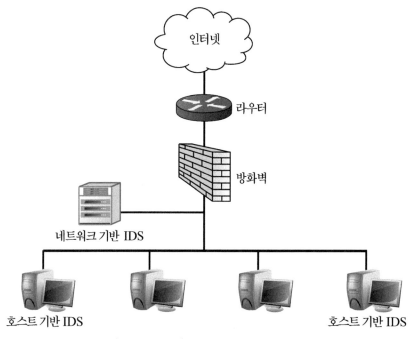

| 그림 19.19 | IDS에 의한 침입 탐지

비정상 행위 탐지(abnormality detection) 방법은 정상적인 행위에 대한 프로파일을 생성하고, 트래픽의 양과 임계치(threshold)를 비교하여 침입을 탐지한다. 비정상 행위 탐지에는 통계적 방법, 데이터 마이닝(data mining) 방법, 신경망(neural network) 방법 등이 사용된다.

비정상 행위 탐지 방법은 알려지지 않은 새로운 공격을 탐지할 수 있는 장점이 있지만 false positive 오탐율이 높은 단점이 있다.

오용 탐지(misuse detection) 방법은 공격이라고 알려져 있는 행위나 비정상 행위 패턴을 정의하고, 트래픽 패턴이 미리 정의된 패턴과 일치하는 지의 여부를 판단하여 침입을 탐지한다. 오용 탐지에는 시그너처(signature) 방법, 상태 천이 분석(state transition analysis) 방법, 신경망 방법 등이 사용된다.

오용 탐지 방법은 이미 알려져 있는 공격을 완벽하게 탐지할 수 있지만 패턴에 없는 새로운 공격을 탐지하지 못하는 단점이 있다.

혼합형 모델은 비정상 행위 탐지 방법과 오용 탐지 방법을 이용하여 침입을 탐지하는 방법으로 이미 알려져 있는 공격과 새로운 공격을 모두 탐지할 수 있으며, false positive와 false negaive 오탐율을 낮출 수 있는 장점이 있다.

○ IPS

방화벽이나 침입 탐지 시스템인 IDS를 설치하는 것 이외에도 침입 방지 시스템인 IPS(Intrusion Prevention System)를 설치하여 신속하게 침입을 탐지하고 공격을 차단할 수 있다.

침입 방지 시스템은 내부 네트워크로 유입되는 유해 트래픽이나 다양한 형태의 공격을 사전에 예방할 뿐만 아니라 실시간으로 침입을 탐지하고 차단하는 기능을 수행하는 능동형 보안 솔루션(solution)이다.

침입 탐지 시스템인 IDS는 침입을 당하고 사후 조치를 하는 데 비해 침입 방지 시스템인 IPS는 예방적이고 사전 조치를 취하며, 침입을 당했을 경우에는 대응 조치까지 수행하는 점에서 차이가 있다.

침입 방지 시스템은 다음과 같이 분류할 수 있다.

- 호스트 기반 IPS
- 네트워크 기반 IPS

호스트 기반 IPS(HIPS : Host based IPS)는 각각의 시스템에 침입 방지 소프트웨어를 설치하여 시스템의 오용, 이상 징후, 공격 등을 탐지하고 차단하는 기능을 수행한다. HIPS는 각각의 시스템에 침입 방지 소프트웨어를 설치하고 관리하여야 하는 단점이 있다.

네트워크 기반 IPS(NIPS : Network based IPS)는 내부 네트워크에 하나의 침입 방지 전용 시스템을 사용하며, 그림 19.20에서 보는 바와 같이 방화벽의 후단에 설치되어 네트워크상의 패킷과 트래픽 등을 분석함으로써 침입을 탐지하고 공격 시도와 유해 트래픽을 차단하는 기능을 수행한다.

침입 방지 시스템의 특징은 다음과 같다.

- 실시간으로 침입을 탐지하여 공격으로 의심되는 세션을 차단한다.
- DDoS 공격을 차단할 수 있다.
- 신종 공격이나 변형된 공격도 탐지할 수 있다.
- 오탐율이 낮다.

이외에도 네트워크 보안을 위한 통합 위협 관리(UTM : United Threat Management) 시스템이 있다. 통합 위협 관리 시스템은 방화벽과 IDS 및 IPS를 비롯하여 VPN(Virtual Private Network), 웹 필터링(web filtering), anti-virus, anti-spam 등의 다양한 보안 기능을 하나로 통합한 네트워크 보안 장비이다. UTM은 강력한 보안 기능뿐만 아니라 각각의 보안 시스템을 구축하는 것보다 비용이 절감될 수 있으며, 단일 시스템이므로 관리가 용이하고 일관성 있는 보안 정책을 직용힐 수 있는 장점이 있다.

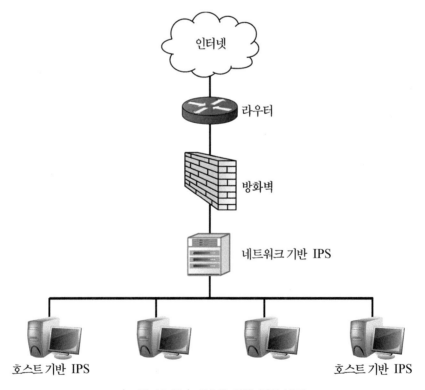

| 그림 19.20 | IPS에 의한 침입 방지

19.5 가상 사설망

가상 사설망 VPN(Virtual Private Network)은 전용선 대신 인터넷을 이용하여 구축한 가상의 기업 전용 네트워크이며, IPsec(IP Security)와 같은 보안 기능이 있는 프로토콜과 터널링(tunneling) 기법을 이용하여 전용선과 같은 서비스 품질(QoS : Quality of Service)과 보안성을 제공한다.

VPN에서는 사용자의 위치에 상관없이 인터넷 서비스 제공업체인 ISP(Internet Service Provider)의 인터넷 접속점인 POP(Point Of Presence)에 접속함으로써 VPN 서비스를 제공받을 수 있으므로 재택 근무자나 이동 근무자의 접속이 용이하고 네트워크의 확장성이 좋을 뿐만 아니라 통신비 등 네트워크 관리 비용이 절감되는 장점이 있다.

VPN은 다음과 같이 분류할 수 있다.

○ **구성 형태에 의한 분류**
- 인트라넷 VPN
- 엑스트라넷 VPN
- 원격 접속 VPN

○ **구현 방법에 의한 분류**
- 방화벽 방식
- 라우터 방식
- VPN 전용 시스템

인트라넷(intranet) VPN은 그림 19.21(a)에서 보는 바와 같이 기업의 본사 및 지사의 내부 네트워크를 ISP의 접속점인 POP까지 연결하고 인터넷을 통해 구축한 VPN이다.

엑스트라넷(extranet) VPN은 협력업체와 고객사가 기업의 내부 네트워크에 접근할 수 있도록 허용하기 위해 그림 19.21(b)에서 보는 바와 같이 기업의 본사 및 지사, 협력업체, 고객사를 포함하여 인터넷을 통해 구축한 VPN이다.

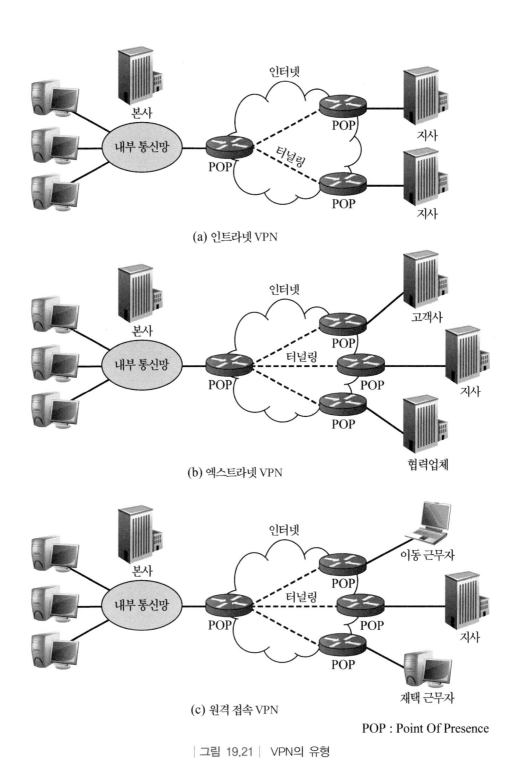

(a) 인트라넷 VPN

(b) 엑스트라넷 VPN

(c) 원격 접속 VPN

POP : Point Of Presence

| 그림 19.21 | VPN의 유형

원격 접속(remote access) VPN은 그림 19.21(c)에서 보는 바와 같이 원격지의 재택 근무자나 이동 근무자가 기업의 내부 네트워크에 접속할 수 있도록 인터넷을 통해 구축한 VPN이다.

VPN은 방화벽에 VPN 기능을 추가하는 방식, 라우터나 접속 서버에 VPN 기능을 추가하는 방식, VPN 전용 시스템을 설치하는 방식으로 구현할 수 있다.

VPN의 터널링 기법을 지원하는 프로토콜에는 다음과 같은 유형이 있다.

◎ 2계층 기반의 터널링 지원 프로토콜
- L2F
- PPTP
- L2TP

◎ 3계층 기반의 터널링 지원 프로토콜
- MPLS
- IPsec

2계층 기반의 터널링 지원 프로토콜은 원격 사용자가 공중망을 통해 VPN에 접속할 수 있게 지원하는 기능을 제공한다.

L2F(Layer 2 Forwarding)는 시스코에서 개발하였고, PPTP(Point to Point Tunneling Protocol)는 마이크로소프트에서 개발하였으며, L2TP(Layer 2 Tunneling Protocol)는 L2F와 PPTP의 장점을 통합한 프로토콜이다.

MPLS(Multi-Protocol Label Swithing)는 인터넷의 경계 라우터에서 유입되는 패킷에 레이블을 부가하고, 이 레이블에 의해 패킷을 스위칭하는 방식으로 터널링 기능을 지원하지만 보안 기능이 취약한 단점이 있다.

IPsec는 IP의 약점인 보안 기능을 보완하기 위해 개발된 프로토콜 모음으로서 차세대 인터넷에서의 보안 서비스를 제공하는 데에 사용될 뿐만 아니라 VPN에서 암호화와 인증 기능을 제공하는 데에도 널리 활용되고 있다.

19.6 IPsec

IPsec(Internet Protocol Security)는 인터넷 계층에서 보안 서비스를 제공하기 위한 프로토콜 모음(protocol suite)이며, 가상 사설망에서의 보안 서비스나 차세대 인터넷에서의 보안 서비스를 지원하는 데 사용된다.

IPsec는 IPv4와 IPv6의 상호연동, 고 품질, 암호 기반의 보안 기능을 제공하도록 설계되었으며, 1998년에 RFC 2401 "Security Architecture for the Internet Protocol"로 채택되었고, 2005년에 RFC 4301로 갱신되었다.

● IPsec의 보안 구조

IPsec에 의해 지원되는 보안 서비스는 다음과 같다.

- 접근 통제(access control)
- 비연결형 무결성(connectionless integrity)
- 데이터 근원지 인증(data origin authentication)
- 재전송 공격 탐지 및 차단(detection and rejection of replays)
- 암호화에 의한 기밀성(confidentiality via encryption)
- 제한적인 트래픽 흐름 기밀성(limited traffic flow confidentiality)

이러한 보안 서비스들은 인터넷 계층에서 제공되므로 IP 패킷에 의해 운반되는 모든 프로토콜(IP 자체도 포함)에도 보안성을 제공할 수 있다.

IPsec의 보안 구조는 다음과 같은 4가지 구성 요소로 되어 있다.

- 보안 프로토콜
- 보안 연관
- 키 관리
- 인증 및 암호 알고리즘

IPsec의 보안 서비스를 제공하기 위한 보안 프로토콜(security protocol)에는 AH (Authentication Header) 프로토콜과 ESP(Encapsulating Security Payload) 프로토콜이 있다.

AH 프로토콜은 무결성, 근원지 인증, 재전송 공격 방지 기능을 제공하며, ESP 프로토콜은 기밀성, 트래픽 흐름 기밀성 등의 기능을 제공한다.

보안 연관(SA : Security Association)이란 개체들이 안전하게 통신하기 위해 보안 서비스를 이용하는 방법을 기술하는 통신 객체들 간의 관계를 말하며, 이 관계는 인증 및 암호 알고리즘, 운용 모드, 키 등 AH와 ESP의 헤더에 필요한 정보로 표현되고, 보안 연관 DB인 SAD(Security Association Database)에 저장된다.

통신하려는 두 개체는 보안 서비스를 제공하기 위한 SA를 미리 협상하여야 하며, SA는 응용마다 독립적으로 설정되고 관리된다.

SA는 보안 서비스를 제공하는 단방향 연결이므로 양방향 통신에는 2개의 SA가 필요하다. 여러 SA들이 생성되므로 보안 파라미터 인덱스 SPI(Security Parameters Index), 목적지 IP 주소, 보안 프로토콜을 결합한 식별자로 SA를 식별한다.

키 관리(key management)는 인증과 암호화에 필요한 키를 생성하고 분배하기 위한 기능이며, 수동 방식과 자동 방식이 있다.

수동 방식의 키 관리는 시스템 관리자가 수동으로 키와 SAD를 설정하는 방식이며, 사이트의 수가 비교적 적은 소규모 VPN 등에 사용될 수 있다. 자동 방식은 IKE(Internet Key Exchange) 프로토콜을 사용하여 키 관리를 한다.

키 분배에는 공개키 암호인 RSA를 이용하여 랜덤하게 생성된 세션키를 공개키로 암호화 하여 전송하고, 수신 측에서는 개인키로 복호하는 방법으로 분배할 수 있으며, Diffie-Hellman 알고리즘을 이용하여 세션키를 공유할 수도 있다.

IPsec에는 인증과 암호화를 위한 알고리즘(cryptographic algorithms for authentication and encryption)이 필요하다.

메시지의 무결성과 사용자 인증을 위한 인증 알고리즘으로는 HMAC(Hash MAC)-SHA-1, HMAC-MD5 등의 해시 알고리즘을 사용하거나 대칭 암호인 DES를 이용한 MAC(Message Authentication Code)을 사용할 수 있으며, 메시지의 기밀성을 위한 암호 알고리즘으로는 대칭키 암호인 3중 DES나 AES의 CBC(Cipher Block Chaing) 모드를 사용할 수 있다.

◉ IPsec의 구현

IPsec는 호스트에 구현하거나 보안 게이트웨이를 구축하기 위해 라우터나 방화벽에 구현할 수도 있고 독립적인 시스템으로 구현할 수도 있다. IPsec를 구현하는 방법은 다음과 같다.

- IP 프로토콜 스택에 통합
- BITS 방식
- BITW 방식

그림 19.22에서 보는 바와 같이 기존의 IP 프로토콜 스택(stack)에 통합하여 IPsec를 구현하는 방법은 호스트와 보안 게이트웨이에 모두 적용될 수 있으나 IP 소스 코드(source code)를 수정할 필요가 있다.

BITS(Bump-In-The-Stack) 방식은 그림 19.23에서 보는 바와 같이 기존의 IP 프로토콜

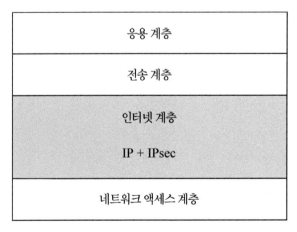

| 그림 19.22 | IP 프로토콜 스택에 통합하는 방식

| 그림 19.23 | BITS 방식

스택 아래, 즉 인터넷 계층과 네트워크 액세스 계층 사이에 IPsec를 구현한다. BITS 방식의 IPsec 구현 방법은 대부분의 호스트에 적용되며, IP 소스 코드를 수정할 필요가 없다.

BITW(Bump-In-The-Wire) 방식은 그림 19.24에서 보는 바와 같이 인라인(inline) 보안 프로토콜 전용 프로세서를 이용하여 IPsec를 구현하며, 호스트와 게이트웨이에 모두 적용될 수 있다.

BITW 장치는 IP 주소 지정이 가능하며, 단일 호스트를 지원하면 BITS 방식과 유사하고, 라우터나 방화벽을 지원하면 보안 게이트웨이처럼 동작한다.

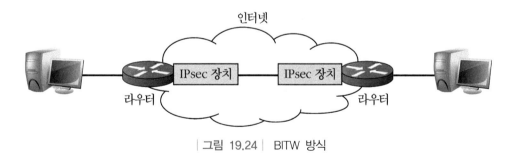

| 그림 19.24 | BITW 방식

● IPsec의 동작 모드

IPsec의 보안 프로토콜은 다음과 같은 2가지 모드로 동작하며, 이는 2가지 형태의 보안 연관으로 정의되어 있다.

- 전송 모드
- 터널 모드

전송 모드(transport mode)는 그림 19.25(a)에서 보는 바와 같이 단대단(end-to-end) 보안 서비스를 제공하기 위해 보안 호스트 간에 사용하는 방식이며, TCP와 같은 상위 계층 프로토콜에 대해서만 보안 서비스를 제공한다.

터널 모드(tunnel mode)는 그림 19.25(b)에서 보는 바와 같이 한쪽 또는 양쪽 시스템이 모두 보안 게이트웨이일 경우에 사용하는 방식이며, IP 패킷 전체에 대해 보안 서비스를 제공한다.

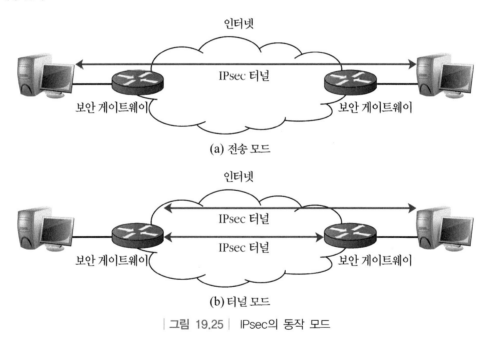

| 그림 19.25 | IPsec의 동작 모드

◎ AH 프로토콜

AH(Authentication Header) 프로토콜은 IP 패킷에 대한 무결성, 근원지 인증, 재전송 공격 방지 등의 보안 서비스를 제공하기 위해 사용되며, 2005년에 RFC 4302 "IP Authentication Header"로 채택되었다.

AH 헤더의 포맷은 그림 19.26과 같으며, 각 필드의 기능은 다음과 같다.

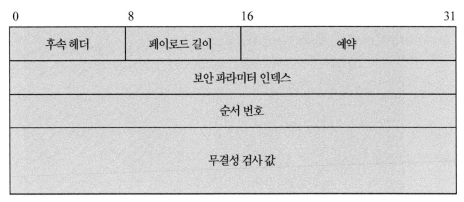

0	8	16	31
후속 헤더	페이로드 길이	예약	
보안 파라미터 인덱스			
순서 번호			
무결성 검사 값			

│ 그림 19.26 │ AH 헤더의 포맷

- 후속 헤더(next header) : AH 헤더 뒤에 오는 페이로드의 유형, 즉 후속 헤더를 식별 하는 데 사용된다. 이 필드의 값은 IPv4인 경우에는 4, IPv6인 경우에는 41, TCP인 경우에는 6이다.

- 페이로드 길이(payload length) : 32비트 워드 단위로 나타낸 AH 헤더의 길이에서 2를 뺀 값이다. 예를 들어, 128비트의 인증 값(MAC 또는 HMAC)을 생성하는 인증 알고리즘을 사용하는 경우, 이 필드의 값은 AH 헤더의 고정 필드의 길이를 32비트 워드로 나타낸 3에 무결성 검사 값인 ICV(Integrity Check Value) 필드의 길이를 32 비트 워드로 나타낸 4를 더하고 2를 뺀 5가 된다.

- 예약(reserved) : 차후 사용을 위한 필드이며, 이 필드의 값은 0이다.

- 보안 파라미터 인덱스(SPI : Security Parameters Index) : 유입되는 패킷에 설정된 보안 연관 SA를 식별하기 위해 수신 측에서 사용하는 임의의 32비트 값이다.

- 순서 번호(sequence number) : 보안 연관 SA 당 패킷의 순서 번호이며, 패킷이 전 송될 때마다 1씩 증가하는 카운터 값을 포함한 32비트의 무부호(unsigned) 정수이 다. SA를 설정할 때에는 송신 측과 수신 측의 카운터 값이 0이며, SA가 설정되고 전송되는 첫 패킷의 순서 번호는 1이다. 재전송 공격을 방지하기 위해 순서 번호는 다시 반복되지 않아야 하며, 한 SA를 통해 2^{32}번째의 패킷을 전송하기 전에 새로운 SA를 설정하여 송신 측과 수신 측의 카운터를 0으로 리세트하여야 한다. 고속의 IPsec 구현을 지원하기 위해 64비트의 확장 순서 번호를 사용할 수 있지만 확장 순서 번호의 사용은 반드시 SA 관리 프로토콜에 의해 협상되어야 한다.

■ 무결성 검사 값(ICV : Integrity Check Value) : 해당 패킷에 대한 무결성 검사 값인
ICV를 포함하는 가변 길이의 필드이다. 이 필드의 길이는 반드시 32비트 워드의 정수
배이어야 하며, AH 헤더의 길이가 IPv4의 경우에는 32비트의 정수배, IPv6인 경우에
는 64비트의 정수배가 되도록 패딩이 지원되어야 한다.

AH가 전송 모드로 동작하는 경우에는 그림 19.27에서 보는 바와 같이 IPv4 환경에서는
AH 헤더가 IP 헤더의 뒤와 TCP, UDP 등의 상위 계층 프로토콜이나 이미 삽입되어 있는
IPsec 프로토콜의 헤더 앞에 삽입된다. IPv6 환경에서는 AH 헤더가 확장 헤더인 홉-바이-
홉(hop-by-hop) 헤더, 라우팅 헤더, 단편화 헤더의 뒤에 삽입되며, 목적지 헤더는 상황에
따라 AH 헤더의 앞이나 뒤에 삽입된다.

AH가 터널 모드로 동작하는 경우에는 보안 게이트웨이의 주소를 포함한 새로운 외부 IP
헤더를 사용하며, 근원지와 목적지의 IP 주소를 포함한 원래의 IP 헤더는 내부에 삽입

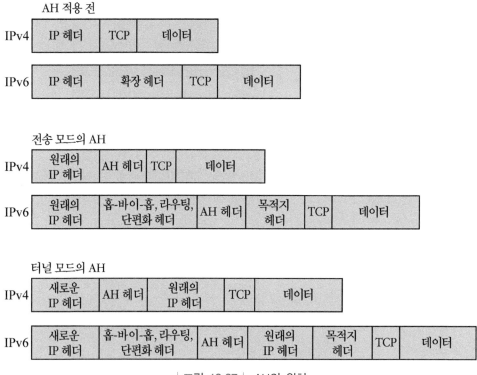

| 그림 19.27 | AH의 위치

한다. 터널 모드에서의 AH 헤더의 위치는 전송 모드와 동일하다. 터널 모드의 AH 프로토콜은 내부의 IP 주소를 포함하여 IP 패킷 전체에 대하여 보안 서비스를 제공한다.

○ ESP 프로토콜

ESP(Encapsulating Security Payload) 프로토콜은 기밀성, 트래픽 흐름 기밀성 등의 보안 서비스를 제공하기 위해 사용되며, 2005년에 RFC 4303 "IP Encapsulating Security Payload"로 채택되었다.

ESP 패킷의 포맷은 그림 19.28과 같으며, 각 필드의 기능은 다음과 같다.

- 보안 파라미터 인덱스(SPI : Security Parameters Index) : 유입되는 패킷에 설정된 보안 연관 SA를 식별하기 위해 수신 측에서 사용하는 임의의 32비트 값이다.
- 순서 번호(sequence number) : SA 당 패킷의 순서 번호이며, 패킷이 전송 될 때마다 1씩 증가하는 카운터 값을 포함한 무부호(unsigned) 32비트 필드이다. 이 필드의 기능은 AH 헤더의 순서 번호와 동일하다.
- 페이로드 데이터(payload data) : 후속 헤더 필드에 의해 지정된 데이터를 포함하는 가변 길이 필드이다. 이 필드는 필수적이며, 길이는 바이트의 정수배이다. 암호화에 사

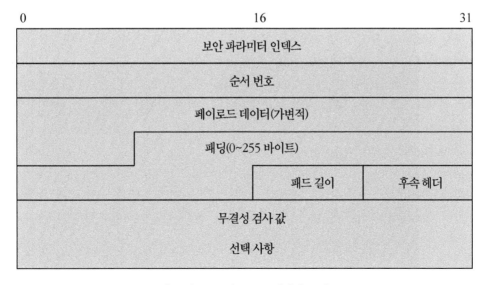

| 그림 19.28 | ESP 패킷의 포맷

용되는 알고리즘에 초기화 벡터 IV(Initialization vector)와 같은 동기화 데이터가 필요한 경우에는 이 데이터를 명시적으로 포함할 수 있다.

■ 패딩(padding) : 블록 암호를 사용하는 경우, 암호 알고리즘에 요구되는 평문 블록의 크기에 맞추기 위해 패딩하거나 생성된 암호문 블록의 크기가 32비트 워드의 정수배가 아닐 경우에 패딩한다. 암호화는 페이로드 데이터, 패딩, 패드 길이, 후속 헤더의 범위에 대하여 수행된다.

■ 패드 길이(pad length) : 패딩 필드의 패드 바이트 수를 나타내며, 0~255사이의 값이다.

■ 후속 헤더(next header) : 페이로드 데이터 필드에 포함되어 있는 데이터의 유형을 식별하는 데 사용된다. 이 필드의 값은 AH 헤더의 후속 헤더 필드의 값과 동일하다.

■ 무결성 검사 값(ICV : Integrity Check Value) : ESP 프로토콜로 무결성 및 인증 서비스를 제공할 경우에만 사용되는 선택 사항이며, ESP 헤더, 페이로드 데이터, ESP 트레일러에 대한 무결성 검사 값인 ICV를 포함하는 가변 길이의 필드이다. 이 필드의 길이는 SA를 설정할 때 선택한 인증 알고리즘에 의해 결정된다.

ESP 패킷은 ESP 헤더, 페이로드 데이터, ESP 트레일러로 구성되어 있으며, ESP 헤더에는 보안 파라미터 인덱스 SPI 필드와 순서 번호 필드가 포함되어 있고, ESP 트레일러에는 패딩 필드, 패드 길이 필드, 후속 헤더 필드가 포함되어 있다.

ESP 프로토콜은 기밀성을 제공하기 위해 페이로드 데이터와 ESP 트레일러에 대하여 암호화를 수행하며, 무결성 및 인증 기능을 제공하기 위해서는 ESP 헤더, 페이로드 데이터, ESP 트레일러 모두에 대하여 무결성 계산을 한다.

ESP 프로토콜로 트래픽 흐름 기밀성의 기능을 제공하기 위해서는 페이로드 데이터 필드와 패딩 필드 사이에 선택 사항인 가변 길이의 TFC(Traffic Flow Confidentiality) 패딩 필드를 추가하여 패딩할 수도 있다.

ESP가 전송 모드로 동작하는 경우에는 그림 19.29에서 보는 바와 같이 IPv4 환경에서는 ESP가 IP 헤더의 뒤와 TCP, UDP 등의 상위 계층 프로토콜 앞에 삽입된다.

IPv6 환경에서는 ESP 헤더가 확장 헤더인 홉-바이-홉 헤더, 라우팅 헤더, 단편화 헤더의 뒤에 삽입되며, 목적지 헤더는 상황에 따라 ESP 헤더의 앞이나 뒤에 삽입된다.

ESP가 터널 모드로 동작하는 경우에는 보안 게이트웨이의 주소를 포함한 새로운 외부 IP 헤더를 사용하며, 근원지와 목적지의 IP 주소를 포함한 원래의 IP 헤더는 내부에 삽입한다. 터널 모드에서의 ESP의 위치는 전송 모드와 동일하다.

터널 모드의 ESP 프로토콜은 내부의 IP 헤더를 포함하여 IP 패킷 전체에 대하여 보안 서비스를 제공한다.

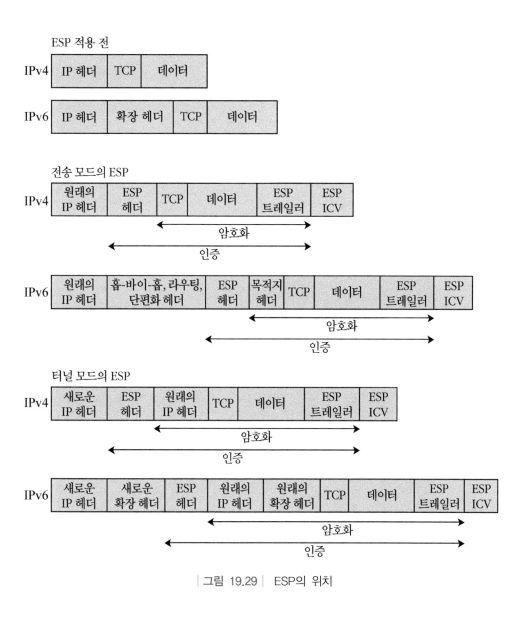

| 그림 19.29 | ESP의 위치

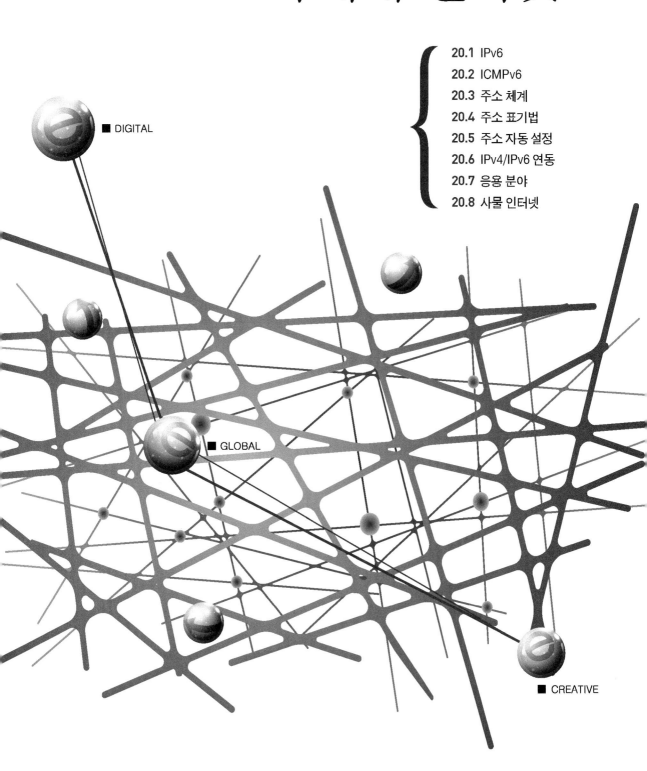

■ DIGITAL

■ GLOBAL

■ CREATIVE

20.1 IPv6

차세대 인터넷은 IPng(IP Next Generation)라고도 하며, 차세대 인터넷 프로토콜로는 128비트 주소 체계의 IPv6(Internet Protocol version 6)를 사용한다.

⚫ IPv6의 특징

IPv6의 특징은 다음과 같다.

- 무한한 주소 공간
- 헤더 포맷의 단순화
- 멀티캐스트/애니캐스트 주소 도입
- 서비스 품질 보장
- 단말 이동성 제공
- 보안성 제공

IPv6는 2^{128}개의 무한한 IP 주소를 사용할 수 있기 때문에 컴퓨터와 단말기뿐만 아니라 가전제품이나 모든 사물에 IP 주소를 할당할 수 있으므로 사물 인터넷의 구축에 필수적으로 사용될 수 있다.

IPv6는 기본 헤더의 길이가 40바이트이지만 옵션을 확장 헤더에 포함시키는 등 헤더 포맷의 필드를 8개로 단순화 하여 라우터의 처리 속도를 향상시켰다.

IPv6는 멀티캐스트 주소에 범위 개념을 도입하여 그룹의 관리를 단순화 하였고, 애니캐스트 주소를 도입하여 그룹 내 임의의 한 호스트로만 패킷을 전송할 수 있게 하였다.

IPv6는 화상 회의와 같은 실시간 서비스, 데이터 전송과 같은 비실시간 서비스 등 트래픽의 특성에 따라 차등 서비스를 지원하고, 근원지 주소, 목적지 주소, 요구되는 서비스 품질에 따라 패킷 흐름별로 QoS(Quality of Service)를 보장한다.

IPv6는 단말기가 이동할 때에도 IP 주소를 재설정할 필요가 없는 단말 이동성을 제공할 뿐만 아니라 인증 기능 등 보안성을 제공한다.

◉ IPv6 헤더

IPv6 패킷의 헤더는 그림 20.1과 같은 기본 헤더 부분과 선택 사항인 확장 헤더 부분으로 구성되어 있으며, 각 필드의 기능은 다음과 같다.

- 버전(version) : IP 프로토콜의 버전을 나타내며, IPv6는 이 필드의 값이 6이다.
- 트래픽 클래스(traffic class) : 근원지 노드나 라우터에서 IPv6 패킷의 등급이나 우선 순위를 식별하기 위해 사용한다. 이 필드는 IPv4 환경에서 차등 서비스(differentiated service)를 지원하기 위한 IPv4 헤더의 서비스 유형 필드와 유사한 기능을 한다.
- 흐름 레이블(flow label) : IPv6 패킷이 속하는 흐름에 대한 특성, 즉 서비스 품질 보장, 실시간 서비스 등 라우터에서 특별하게 처리될 수 있도록 근원지 노드에서 연속되는 패킷에 레이블링 하기 위해 사용된다.
- 페이로드 길이(payload length) : 바이트 단위로 나타낸 IPv6 기본 헤더의 다음에 있는 확장 헤더와 상위 계층 데이터의 길이이며, IPv6 패킷의 최대 길이는 2^{16}(65,535) 바이트이다.

0			31
버전 (4비트)	트래픽 클래스 (8비트)	흐름 레이블 (20비트)	
페이로드 길이 (16비트)		후속 헤더 (8비트)	홉 상한선 (8비트)
근원지 주소 (128비트)			
목적지 주소 (128비트)			

| 그림 20.1 | IPv6 패킷의 헤더

- 후속 헤더(next header) : 기본 헤더 다음에 위치하는 확장 헤더와 상위 계층 프로토콜의 유형을 나타낸다. 이 필드는 IPv4 헤더의 프로토콜 필드와 동일한 기능을 하며, IANA(Internet Assigned Numbers Authority)에서 프로토콜과 IPv6의 확장 헤더에 표 20.1과 같이 프로토콜 번호를 할당하고 있다.
- 홉 상한선(hop limit) : 경유하는 라우터 수의 상한선으로 IPv4 헤더의 TTL(Time To Live) 필드와 동일한 기능을 한다. 패킷을 포워딩 하는 각 노드에서 1씩 감소시키며, 이 필드의 값이 0이 되면 패킷을 폐기한다.
- 근원지 주소(source address) : 근원지의 128비트 IPv6 주소이다.
- 목적지 주소(destination address) : 목적지의 128비트 IPv6 주소이다.

| 표 20.1 | 프로토콜 번호

번호	프로토콜 및 IPv6 확장 헤더	번호	프로토콜 및 IPv6 확장 헤더
0	홉-바이-홉 옵션 헤더	43	라우팅 헤더
2	ICMP	44	단편화 헤더
4	IPv4	50	ESP
6	TCP	51	AH
8	EGP	58	ICMPv6
17	UDP	59	IPv6의 후속 헤더 없음
41	IPv6	60	목적지 옵션 헤더

● IPv6 확장 헤더 포맷

IPv6에서는 IPv6의 기본 헤더와 상위 계층 프로토콜의 헤더 사이에 선택 사항인 인터넷 계층의 정보가 별개의 후속 헤더에 포함된다.

예를 들어, IPv6의 상위 계층 프로토콜이 TCP인 경우, 확장 헤더가 포함된 IPv6 패킷 형태를 그림 20.2에 예시하였다.

그림 20.3은 IPv6 확장 헤더의 기본 포맷이며, 각 필드의 기능은 다음과 같다.

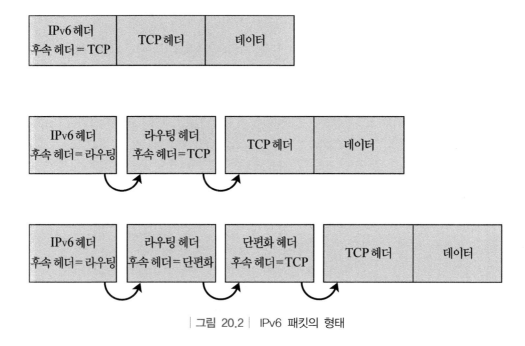

| 그림 20.2 | IPv6 패킷의 형태

- 후속 헤더(next header) : 바로 다음에 오는 확장 헤더의 유형을 나타내며, IANA에서 확장 헤더에 할당한 값이다.
- 확장 헤더 길이(extension header length) : 바이트 단위로 나타낸 첫 8바이트를 제외한 확장 헤더의 길이이다.
- 헤더 관련 데이터(header specific data) : 확장 헤더의 유형에 따라 처리할 옵션 정보나 관련 데이터이며, 가변 길이의 필드이다.

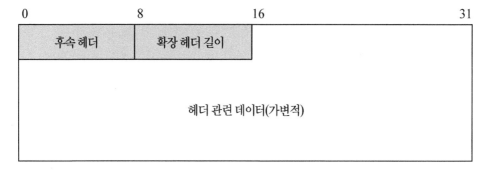

| 그림 20.3 | IPv6 확장 헤더의 기본 포맷

● IPv6 확장 헤더의 유형

IPv6의 확장 헤더에는 다음과 같은 유형이 있다.

- 홉-바이-홉 옵션 헤더
- 라우팅 헤더
- 단편화 헤더
- AH 인증 헤더
- ESP 암호화 헤더
- 목적지 옵션 헤더

홉-바이-홉 옵션(hop-by-hop options header) 헤더는 패킷이 포워딩되는 경로 상에 있는 모든 라우터에서 처리할 라우터 경고(router alert)나 점보 페이로드(jumbo payload)와 같은 옵션 정보를 포함한다.

라우터 경고 옵션은 RSVP(Resource reSerVation Protocol)의 제어 패킷과 같이 경유하는 라우터에서 검사되고 갱신될 필요가 있는 패킷에 대하여 라우터가 좀 더 면밀하게 검사하도록 경고하기 위해 사용된다.

점보 페이로드 옵션은 16비트의 페이로드 길이 필드로 나타낼 수 있는 2^{16}(65,535) 바이트보다 큰 페이로드, 즉 점보그램(jumbogram)을 전송하기 위해 사용된다. 점보 페이로드 옵션은 32비트의 페이로드 길이 필드를 사용한다.

라우팅(routing) 헤더는 패킷이 목적지까지 가는 동안 경유하는 중간 라우터들을 지정하기 위해 근원지에서 사용한다.

그림 20.4는 라우팅 헤더의 포맷이며, 각 필드의 기능은 다음과 같다.

- 후속 헤더(next header) : 바로 다음에 오는 확장 헤더의 유형을 나타내며, IANA에서 확장 헤더에 할당한 값이다.
- 확장 헤더 길이(extension header length) : 바이트 단위로 나타낸 첫 8바이트를 제외한 확장 헤더의 길이이다.

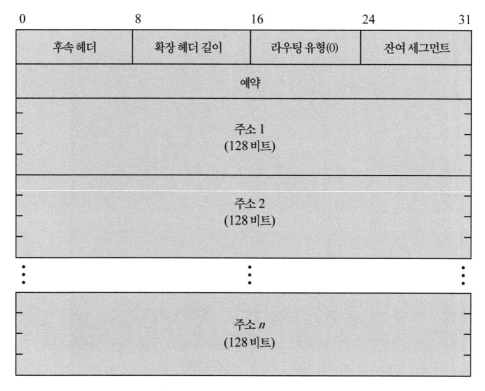

0	8	16	24	31

후속 헤더 / 확장 헤더 길이 / 라우팅 유형(0) / 잔여 세그먼트

예약

주소 1
(128 비트)

주소 2
(128 비트)

주소 *n*
(128 비트)

| 그림 20.4 | 라우팅 헤더의 포맷

- 라우팅 유형(routing type) : 현재 사용되는 라우팅 유형은 0이다.
- 잔여 세그먼트(segment left) : 최종 목적지에 도달하기 위해 경유해야 할 아직 남아 있는 루트 세그먼트(route segment), 즉 중간 노드의 수이다.
- 예약(reserved) : 송신할 때 0으로 초기화 하며, 수신 측은 무시한다.
- 주소(address) : 경유할 라우터들의 128비트 IPv6 주소이다.

단편화(fragmentation) 헤더는 근원지에서부터 목적지까지의 경로 MTU(Maximum Transmission Unit)보다 큰 패킷을 단편화하기 위해 근원지 노드에서 사용한다. 근원지 노드는 패킷을 단편화 하고, 각 단편들을 별개의 패킷처럼 전송하며, 수신 측에서는 단편들을 원래의 패킷으로 재조립한다.

그림 20.5는 단편화 헤더의 포맷이며, 각 필드의 기능은 다음과 같다.

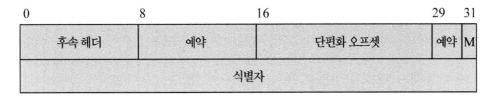

| 그림 20.5 | 단편화 헤더의 포맷

- 후속 헤더(next header) : 바로 다음에 오는 확장 헤더의 유형을 나타내며, IANA에서 확장 헤더에 할당한 값이다.
- 예약(reserved) : 송신할 때 0으로 초기화 하며, 수신 측은 무시한다.
- 단편화 오프셋(fragment offset) : 13비트의 무부호(unsigned) 정수이며, 바이트 단위로 나타낸 원래의 패킷 처음에서부터 이 단편까지의 오프셋이다.
- M 플래그(More flag) : more 비트는 마지막 단편이 아닌 경우에 1, 마지막 단편인 경우에는 0으로 세팅한다.
- 식별자(identification) : 단편화되는 모든 패킷을 식별하기 위해 사용되며, 식별자의 값은 근원지 노드에서 생성한다.

AH(Authentication Header) 프로토콜은 19.6절에서 기술한 바와 같이 패킷에 대한 무결성, 근원지 인증, 재전송 공격 방지 등의 보안 서비스를 제공하기 위해 사용되며, IANA에서 할당한 프로토콜 번호는 51이다. AH 인증 헤더의 포맷은 그림 19.26과 같다.

ESP(Encapsulating Security Payload) 프로토콜은 19.6절에서 기술한 바와 같이 기밀성, 트래픽 흐름 기밀성, 인증 등의 보안 서비스를 제공하기 위해 사용되며, IANA에서 할당한 프로토콜 번호는 50이다. ESP 암호화 헤더의 포맷은 그림 19.28과 같다.

목적지 옵션(destination options) 헤더는 확장 헤더의 가장 뒤에 위치하며, 패킷의 목적지 노드에서만 검사할 필요가 있는 옵션 정보를 운반하는 데 사용된다.

목적지 옵션 헤더에는 후속 헤더를 정렬하고 헤더의 길이가 8바이트의 배수가 되도록 패딩하는 패딩 옵션과 모바일 IPv6의 바인딩 업데이트 옵션이 포함된다.

목적지 옵션 헤더와 홉-바이-홉 옵션 헤더와 같은 옵션 헤더는 그림 20.6과 같은 TLV (Type-Length-Value) 형식으로 인코딩된 옵션들을 운반한다.

헤더 내에 연속적으로 포함된 옵션들은 반드시 나타나는 순서대로 처리하여야 한다.

TLV 형식에서 각 필드의 기능은 다음과 같다.

- 옵션 유형(option type) : 옵션의 유형을 나타내는 8비트의 식별자이다.
- 옵션 데이터 길이(option data length) : 8비트의 무부호(unsigned) 정수이며, 바이트 단위로 나타낸 옵션 데이터 필드의 길이이다.
- 옵션 데이터(option data) : 옵션 유형에 따른 관련 데이터이며, 가변 길이 필드이다.

처리 중인 IPv6 노드가 옵션 유형을 식별하지 못하는 경우에 다음과 같은 조치를 취할 수 있도록 옵션 유형 필드의 상위 2비트가 인코딩되어 있다.

- 00 : 이 옵션을 생략하고, 헤더 처리를 계속한다.
- 01 : 패킷을 폐기한다.
- 10 : 패킷을 폐기하고, 목적지 주소가 멀티캐스트 주소인지의 여부에 상관없이 근원지로 ICMPv6 Parameter Problem 코드 2 메시지를 보낸다.
- 11 : 패킷을 폐기하고, 목적지 주소가 멀티캐스트 주소가 아닌 경우에만 근원지로 ICMPv6 Parameter Problem 코드 2 메시지를 보낸다.

옵션 유형 필드의 3번째 상위 비트는 다음과 같이 인코딩된다.

- 0 : 옵션 데이터가 목적지까지의 경로를 변경할 수 없다.
- 1 : 옵션 데이터가 목적지까지의 경로를 변경할 수 있다.

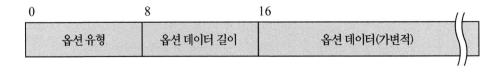

0	8	16	
옵션 유형	옵션 데이터 길이	옵션 데이터(가변적)	

| 그림 20.6 | 옵션 헤더의 TLV 형식

20.2 ICMPv6

Data Communication & Computer Network

ICMPv6(Internet Control Message Protocol version 6)는 IPv6 노드(라우터, 호스트)가 패킷을 처리하는 중에 발생한 오류를 통보하거나 진단(ICMPv6 ping)과 인접 노드 탐색 (neighbor discovery) 등과 같은 인터넷 계층의 다른 기능을 수행하는 데 사용하는 프로토콜이다.

ICMPv6는 IPv6에 필수적인 프로토콜이므로 모든 IPv6 노드에 반드시 구현되어야 하며, ICMPv6 메시지는 IPv6 패킷에 실려 운반되고, IANA에서 할당한 프로토콜 번호는 58이다.

패킷을 처리하거나 전달하는 도중에 오류가 발생하면 이를 통보하기 위해 라우터는 근원지 호스트로 ICMPv6 오류 메시지(error message)를 반환하며, 연결성 시험, 멀티캐스트 청취자 탐색, 인접 노드 탐색 등을 하거나 주소 재설정 정보 등이 필요한 경우에는 정보 메시지(information message)를 주고받는다.

ICMPv6에서는 표 20.2에 열거한 바와 같이 다양한 유형의 오류 메시지와 정보 메시지를 사용한다.

표 20.2에서 보는 바와 같이 오류 메시지는 메시지 유형 필드의 상위 비트가 0, 즉 0 ~ 127의 정수이며, 정보 메시지는 128 ~ 255의 정수이다.

ICMPv6 오류 메시지에는 다음과 같은 유형이 있다.

- 목적지 도달 불능(Destination Unreachable) : 네트워크 폭주(congestion)가 아닌 다른 원인으로 인해 목적지 주소까지 패킷이 전달될 수 없음을 통보하기 위해 사용된다.
- 너무 큰 패킷(Packet Too Big) : 패킷이 라우터에서 나가는 링크의 MTU(Maximum Transmission Unit)보다 커서 패킷을 포워딩 할 수 없음을 통보하기 위해 사용된다.
- 시간 초과(Time Exceeded) : 홉 상한선 필드가 0이 되어 더 이상 패킷을 포워딩할

수 없음을 통보하기 위해 사용된다.

■ 부적절한 파라미터(Parameter Problem) : IPv6 헤더나 확장 헤더의 필드에 문제가 있어 패킷을 처리할 수 없음을 통보하기 위해 사용된다.

ICMPv6 정보 메시지에는 다음과 같은 유형이 있다.

■ 반향 요청/응답(Echo Request/Reply) : 목적지 노드까지의 연결성 여부를 확인하기 위해 사용된다.
■ 멀티캐스트 청취자 질의/통보/종료(Multicast Listener Query/Report/Done) : 직접 연결되어 있는 링크 상에서 멀티캐스트 패킷을 수신하고자 하는 노드, 즉 멀티캐스트 청취자의 존재 여부를 확인하기 위해 사용된다.

| 표 20.2 | ICMPv6 메시지의 유형

유형	코드	기능
1		목적지 도달 불능(Destination Unreachable)
	0	no route to destination
	1	communication with destination administration prohibited
	2	beyond scope of source address
	3	address unreachable
	4	port unreachable
	5	source address failed ingress/egress policy
	6	reject route to destination
	7	error in source routing header
2	0	너무 큰 패킷(Packet Too Big)
3		시간 초과(Time Exceeded)
	0	hop limit exceeded in transit
	1	fragment reassembly time exceeded
4		부적절한 파라미터(Parameter Problem)
	0	erroneous header field encountered
	1	unrecognized next header type encounter
	2	unrecognized IPv6 option encountered

유형	코드	기능
128	0	반향 요청(Echo Request)
129	0	반향 응답(Echo Reply)
130	0	멀티캐스트 청취자 질의(Multicast Listener Query)
131	0	멀티캐스트 청취자 통보(Multicast Listener Report)
132	0	멀티캐스트 청취자 종료(Multicast Listener Done)
133	0	라우터 요청(Router Solicitation)
134	0	라우터 광고(Router Advertisement)
135	0	이웃 요청(Neighbor Solicitation)
136	0	이웃 광고(Neighbor Advertisement)
137	0	재경로(Redirect)
138		라우터 주소 재지정(Router Renumbering)
	0	router renumbering command
	1	router renumbering result
	255	sequence number reset
139		ICMP 노드 정보 질의(ICMP Node Information Query)
	0	data field contains IPv6 address which is the subject of this query
	1	data field contains a name which is the subject of this query
	2	data field contains IPv4 address which is the subject of this query
140		ICMP 노드 정보 응답(ICMP Node Information Reply)
	0	successful reply. reply data field may or may not empty
	1	responder refuses to supply answer. reply data field will be empty
	2	Qtype of the query is unknown to the responder reply data field will be empty
141	0	역 이웃 탐색 요청(Inverse Neighbor Discovery Solicitation)
142	0	역 이웃 탐색 광고(Inverse Neighbor Discovery Advertisement)
144	0	홈 에이전트 주소 탐색 요청(Home Agent Address Discovery Request)
145	0	홈 에이전트 주소 탐색 응답(Home Agent Address Discovery Reply)
146	0	모바일 프리픽스 요청(Mobile Prefix Solicitation)
147	0	모바일 프리픽스 광고(Mobile Prefix Advertisement)
200		Private Experimental
201		Private Experimental
255		Reserved for expansion of ICMPv6 international message

- 인접 라우터 탐색(Router Solicitation/Advertisement) : 직접 연결되어 있는 이웃 라우터의 존재 여부를 확인하기 위해 사용된다.
- 인접 노드 탐색(Neighbor Solicitation/Advertisement) : 직접 연결되어 있는 이웃 노드의 존재 여부를 확인하기 위해 사용된다.
- 재경로(Redirect) : 근원지에서 목적지까지의 링크 상에서 최소 MTU인 경로 MTU를 탐색하는 데 사용된다.
- 라우터 주소 재지정(Router Renumbering) : 라우터의 주소 프리픽스를 재설정하기 위해 사용된다.

ICMPv6 메시지 포맷의 공통 필드는 그림 20.7과 같으며, 각 필드의 기능은 다음과 같다.

- 유형(type) : ICMP 메시지의 유형을 나타낸다. 연결성 시험에 사용되는 Echo Request 메시지인 경우에는 이 필드의 값이 128이며, Echo Reply 메시지인 경우에는 129이다. 인접 라우터 탐색에 사용되는 Router Solicitation 메시지인 경우에는 이 필드의 값이 133이며, Router Advertisement 메시지인 경우에는 134이다.
- 코드(code) : ICMP 메시지에 대한 추가적인 정보를 제공한다. Destination Unreachable 메시지인 경우, 목적지로의 경로가 없다면 이 필드의 값이 0, 도달할 수 없는 목적지 주소이면 3, 도달할 수 없는 포트이면 4, 패킷 필터링 정책에 의해 차단된 근원지 주소이면 5, 근원지에서 설정한 라우팅 헤더에 오류가 있다면 7이다.
- 체크섬(checksum) : 전체 메시지에 대한 오류를 검사하는 데 사용하며, 16비트 단위로 1의 보수 합을 계산한 것이다.

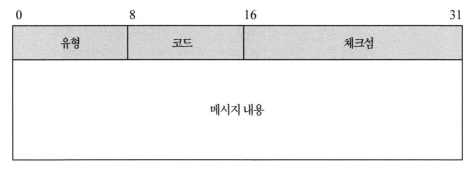

| 그림 20.7 | ICMPv6 메시지 포맷의 공통 필드

20.3 주소 체계

인터넷에서는 IP 주소로 호스트를 식별하는 반면에 차세대 인터넷에서는 IPv6 주소로 네크워크에 연결된 인터페이스를 식별한다.

그림 20.8에서 보는 바와 같이 노드와 인터페이스를 다음과 같이 정의한다.

- 노드 : IPv6를 구현하는 장비(라우터, 호스트)
- 인터페이스 : 링크에의 노드 연결 장비

패킷을 포워딩(forwarding) 하는 노드를 라우터, 라우터가 아닌 노드를 호스트, 동일한 링크에 연결된 노드를 이웃(neighbor)이라고 한다.

IPv6에서는 인터페이스나 인터페이스들의 집합을 식별하기 위해 다음과 같은 3가지 유형의 IPv6 주소를 사용한다.

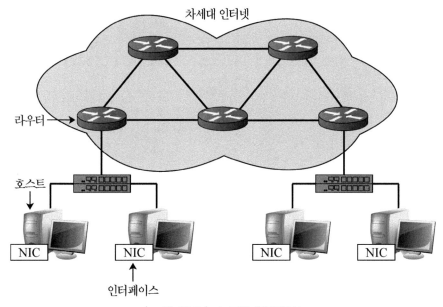

| 그림 20.8 | 노드와 인터페이스

- 유니캐스트 주소
- 애니캐스트 주소
- 멀티캐스트 주소

유니캐스트(unicast) 주소는 그림 20.9(a)와 같이 하나의 인터페이스에 대한 식별자이며, 지정한 해당 인터페이스로만 패킷이 전달된다.

애니캐스트(anycast) 주소는 그림 20.9(b)와 같이 다른 노드에 속한 인터페이스의 집합에 대한 식별자이며, 지정한 인터페이스들 중 하나로 패킷이 전달된다.

멀티캐스트(multicast) 주소는 그림 20.9(c)와 같이 다른 노드에 속한 인터페이스의 집합에 대한 식별자이며, 지정한 모든 인터페이스로 패킷이 전달된다.

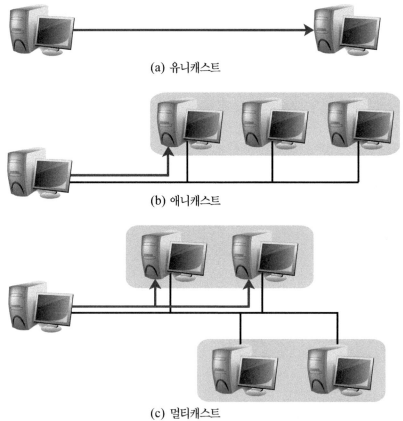

(a) 유니캐스트

(b) 애니캐스트

(c) 멀티캐스트

| 그림 20.9 | IPv6 주소의 유형

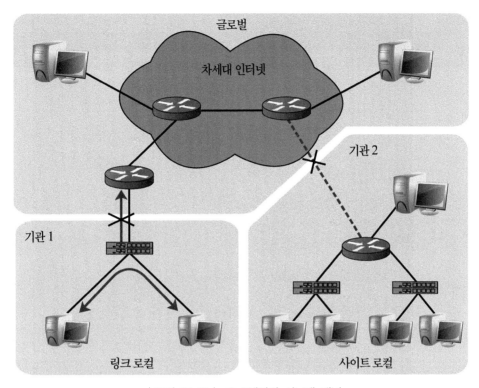

| 그림 20.10 |　IPv6에서의 서브넷 개념

IPv6는 그림 20.10에서 보는 바와 같이 링크가 연결되어 있는 서브넷 개념을 다음과 같이 구분하고 있다.

- 글로벌 : 공인된 IPv6 주소를 사용하는 네트워크
- 사이트 로컬 : 인터넷에 연결되지 않은 기관 내부의 네트워크
- 링크 로컬 : 라우터를 경유하지 않는 네트워크

○ 유니캐스트 주소

유니캐스트 주소는 그림 20.11에서 보는 바와 같이 서브넷 프리픽스(subnet prefix)와 인터페이스 ID로 구성되며, 그 기능은 다음과 같다.

- 서브넷 프리픽스 : 노드가 연결되어 있는 링크에 대한 서브넷을 식별한다.
- 인터페이스 ID : 링크에 연결되어 있는 인터페이스를 식별한다.

n비트	128-n비트
서브넷 프리픽스	인터페이스 ID

| 그림 20.11 | 유니캐스트 주소의 일반 형식

링크 로컬 주소와 사이트 로컬 주소, IPv4/IPv6 터널링에 사용되는 IPv4-호환 IPv6 주소와 IPv4-매핑 IPv6 주소인 임베디드 IPv4 주소의 형식은 그림 20.12와 같다.

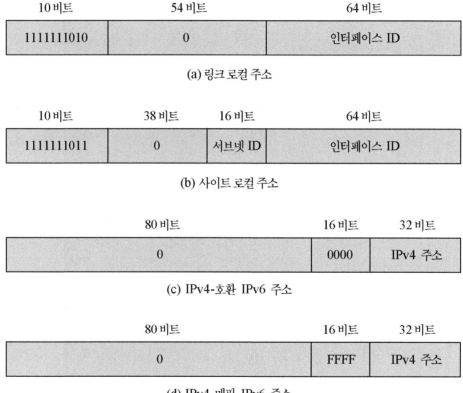

10비트	54비트	64비트
1111111010	0	인터페이스 ID

(a) 링크 로컬 주소

10비트	38비트	16비트	64비트
1111111011	0	서브넷 ID	인터페이스 ID

(b) 사이트 로컬 주소

80비트	16비트	32비트
0	0000	IPv4 주소

(c) IPv4-호환 IPv6 주소

80비트	16비트	32비트
0	FFFF	IPv4 주소

(d) IPv4-매핑 IPv6 주소

| 그림 20.12 | 다양한 유니캐스트 주소의 형식

● 애니캐스트 주소

애니캐스트 주소는 그림 20.13에서 보는 바와 같이 서브넷 프리픽스와 인터페이스 ID로 구성되며, 그 기능은 다음과 같다.

- 애니캐스트 주소는 주로 라우터들의 집합을 식별하는 데 사용한다.
- 애니캐스트 주소는 패킷의 근원지 주소로 사용할 수 없다.

n비트	$128-n$비트
서브넷 프리픽스	0

| 그림 20.13 | 애니캐스트 주소의 일반 형식

○ 멀티캐스트 주소

멀티캐스트 주소의 일반 형식은 그림 20.14와 같다.

- 멀티캐스트 주소는 FF(11111111)로 시작

- 플랙(flag) : '000T'의 4비트
  - T = 0인 경우 : 공인된 멀티캐스트 주소
  - T = 1인 경우 : 임시 멀티캐스트 주소

- 범위(scope) : 멀티캐스트 그룹의 범위를 제한하는 데 사용되는 4비트
  - 0 : 예약
  - 1 : 노드 로컬(node local)
  - 2 : 링크 로컬(link local)
  - 5 : 사이트 로컬(site local)
  - 8 : 조직 로컬(organization local)
  - 14 : 글로벌(global)

8비트	4비트	4비트	112비트
11111111	플랙	범위	그룹 ID

| 그림 20.14 | 멀티캐스트 주소의 일반 형식

20.4 주소 표기법

Data Communication & Computer Network

IPv6는 그림 20.15에서 보는 바와 같이 128비트의 주소를 16진 4자리 수 8개 그룹을 콜론(:)으로 구분하여 표기한다.

$$x:x:x:x:x:x:x:x$$
$$\downarrow$$
$$FEDC:BA98:7654:3210:FEDC:BA98:7654:3210$$

16진 4자리 수 중 앞부분의 0은 생략할 수 있지만 뒷부분의 0은 생략할 수 없다.

$$1080:\underline{0000}:\underline{0000}:\underline{0000}:\underline{0008}:\underline{0}800:200C:417A$$
$$\downarrow$$
$$1080:\underline{0}:\underline{0}:\underline{0}:\underline{8}:\underline{800}:200C:417A \qquad (올바른\ 표기)$$

$$1080:\underline{0000}:\underline{0000}:\underline{0000}:\underline{0008}:\underline{0800}:200C:417A$$
$$\downarrow$$
$$1080:0:0:0:8:\underline{08}:200C:417A \qquad (잘못된\ 표기)$$

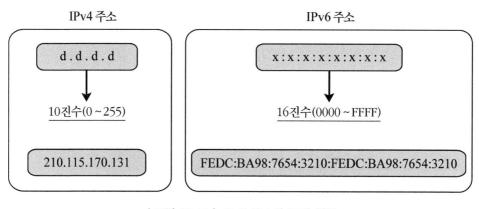

| 그림 20.15 | IPv6 주소의 표기 방법

연속되는 0들을 한번만 2개의 콜론(::)으로 축약하여 표기한다.

■ 유니캐스트 주소의 예

                  1080:0:0:0:8:800:200C:417A   →   1080::8:800:200C:417A

■ 멀티캐스트 주소의 예

                  FF01:0:0:0:0:0:0:101   →   FF01::101

■ 루프백 주소

                  0:0:0:0:0:0:0:1   →   ::1

■ 미지정 주소

                  0:0:0:0:0:0:0:0   →   ::

IPv4와 IPv6 노드가 공존하는 경우에는 IPv4 주소를 IPv6 주소에 표기한다.

          0:0:0:0:0:0:210.115.170.131   →   ::210.115.170.131

IPv6 주소 뒤에 '/프리픽스 길이' 형태로 표기한다.

          12AB:0000:0000:CD30:0000:0000:0000:0000/60

                          ↓

              12AB::CD30:0:0:0:0/60   (올바른 표기)

              12AB:0:0:CD30::/60   (올바른 표기)

              12AB::CD30/60   (잘못된 표기)

표 20.3에 IPv6의 주소 유형, 프리픽스, IPv6 주소 표기 방법을 나타내었다.

| 표 20.3 | 주소 유형의 프리픽스와 IPv6 표기

주소 유형	프리픽스	IPv6 주소 표기
미지정	00 … 0(128비트)	::/128
루프백	00 … 1(128비트)	::1/128
링크 로컬 유니캐스트	1111111010(10비트)	FE80::/10
사이트 로컬 유니캐스트	1111111011(10비트)	FEC0::/10
멀티캐스트	11111111(8비트)	FF00::/8

20.5 주소 자동 설정

차세대 인터넷에서는 이동 단말기가 어디서나 인터넷에 연결될 수 있게 주소를 자동 설정하는 기능이 제공된다.

IPv6 주소를 자동 설정하는 방법에는 상태 보존형과 비상태형 방법이 있다. 상태 보존형 방법은 호스트가 DHCP(Dynamic Host Configuration Protocol) 서버에게 주소를 요청하고, DHCP 서버가 호스트의 IPv6 주소를 할당한다.

비상태형 방법은 그림 20.16과 같이 호스트가 라우터로부터 얻은 서브넷 프리픽스 정보와 자신의 MAC 주소를 이용하여 IPv6 주소를 직접 생성한다.

- 단계 1 : 라우터로부터 서브넷 프리픽스를 얻는다.
  서브넷 프리픽스 : 12AB:0:0:CD30::/64
- 단계 2 : MAC 주소를 이용하여 64비트의 인터페이스 ID를 생성한다.
  00:40:2B:0E:0A:AD → 0240:2BFF:FE0E:0AAD
- 단계 3 : 서브넷 프리픽스와 인터페이스 ID를 결합하여 IPv6 주소 생성한다.
  IPv6주소 : 12AB:0:0:CD30:0240:2BFF:FE0E:0AAD/64

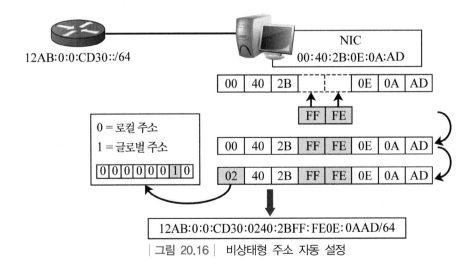

| 그림 20.16 | 비상태형 주소 자동 설정

20.6 IPv4/IPv6 연동

IPv4와 IPv6는 공존할 수 밖에 없기 때문에 이런 환경에서 차세대 인터넷 서비스를 제공하기 위해 다음과 같은 IPv4/IPv6 연동 기법이 사용될 수 있다.

- IPv4/IPv6 터널링
- IPv4/IPv6 변환
- IPv4/IPv6 듀얼 스택

IPv4/IPv6 터널링(tunnelling) 방식은 그림 20.17에서 보는 바와 같이 IPv6로 구축된 네트워크들이 IPv4를 통해 연결된 상황에서 IPv4 헤더의 목적지 IP 주소로 터널을 생성하여 IPv6 패킷이 전달될 수 있게 한다.

터널링 방식에는 미리 설정된 터널의 종단점 주소를 IPv4 헤더의 목적지 IP 주소로 하여 보내는 설정 터널 방식과 IPv6 주소 내에 IPv4 주소를 포함시키거나 서버로부터 터널 종단점의 IPv4 주소를 알아내는 자동 터널 방식이 있다.

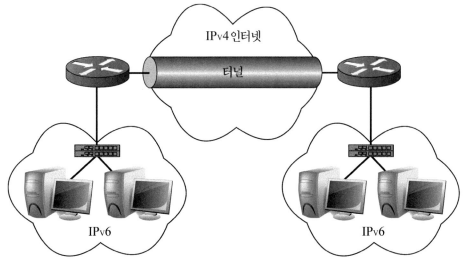

| 그림 20.17 | IPv4/IPv6 터널링

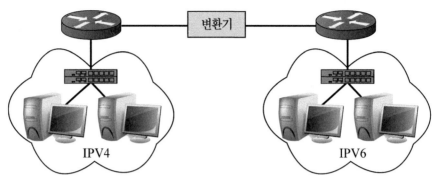

| 그림 20.18 | IPv4/IPv6 변환

IPv4/IPv6 변환(translation) 방식은 그림 20.18에서 보는 바와 같이 IPv4에 적합하게 구현된 응용을 IPv6에서도 지원할 수 있도록 변환해주는 방식이며, IPv4와 IPv6의 연결을 위해 변환기를 사용한다.

IPv4/IPv6 듀얼 스택(dual stack)은 그림 20.19에서 보는 바와 같이 호스트와 라우터가 IPv4와 IPv6 프로토콜을 모두 지원하는 방식이며, IPv4 주소와 IPv6 주소를 함께 사용하고 IPv4 패킷이나 IPv6 패킷으로 통신한다.

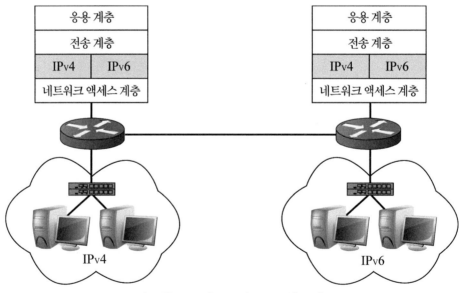

| 그림 20.19 | IPv4/IPv6 듀얼 스택

20.7 응용 분야

Data Communication & Computer Network

차세대 인터넷은 홈 네트워킹 분야와 군사 분야에 활용될 가능성이 높으며, 무한한 주소 공간을 제공하기 때문에 사물 인터넷에 널리 활용될 것이다.

홈 네트워크를 구축하기 위해서는 개개의 가전제품에 IP 주소를 할당할 수 있어야 하고, IP 주소 자동 설정에 의한 플러그 앤 플레이 기능이 제공되어야 하는 데 IPv6는 이런 조건을 충족시킬 수 있기 때문에 홈 네트워킹 분야에 차세대 인터넷이 활용될 수 있다.

군사 분야는 높은 서비스 품질과 고도의 보안성이 요구되는 데 IPv6는 이런 조건을 충족시킬 수 있을 뿐만 아니라 개개인의 군인이나 병기에 IP 주소를 부여할 수 있으므로 그림 20.20과 같이 매우 효과적으로 군사 작전을 통제할 수 있기 때문에 차세대 인터넷이 활용될 것이다.

| 그림 20.20 | 군사 분야에서의 차세대 인터넷 응용

20.8 사물 인터넷

사물 인터넷(IoT : Internet of Things)이란 1999년 Kevin Ashton이 처음 제안한 개념으로 사물에 RFID(Radio Frequency Identification) 및 센서가 탑재된 사물 인터넷이 구축될 것이라고 예상하였다. 인터넷 장비업체인 시스코는 사물 인터넷을 만물 인터넷(IoE : Internet of Everything)이라고 명명하는 등 사물 인터넷의 중요성을 강조하고 있다.

사물 인터넷은 정확하게 정의되어 있지는 않지만 사람이 원하는 것을 명령하지 않아도 인터넷으로 정보를 공유하고 있는 사물들이 정보를 수집하고 분석하여 필요한 정보를 제공해주는 기술과 서비스를 의미한다.

사물 인터넷으로 인간의 생활은 편리해지지만 개인의 생활 패턴과 건강 등의 정보뿐만 아니라 세상의 모든 정보가 노출되므로 정보 보안이 각별히 요구된다.

모든 것이 인터넷에 연결되는 IoT 시대에는 인간의 삶이 예전과는 다른 모습으로 변화하게 될 것이다.

IoT 시대에 출근하는 모습을 상상해보자.

내가 기상하면 집안의 사물들이 내 출근 준비를 한다. 전등이 켜지고 커튼이 열린다. 커피포트는 모닝커피를 준비한다. 욕실 거울에는 오늘의 날씨, 일정, 교통상황 등이 나타난다. 날씨와 일정에 맞춰 출근 복장도 추천을 받는다.

집 밖에 나오니 자동차의 실내 온도가 내가 선호하는 온도로 쾌적하게 맞춰져 있고 차의 시동이 걸리고 직장을 향해 출발한다. 자동차가 교통정보를 분석하여 최적의 경로를 탐색하고 무인 주행으로 직장에 도착한다. 나는 차에서 내리고 자동차 스스로 주차 공간을 찾아 주차한다.

이 얼마나 멋진 상상인가?

사물 인터넷은 다음과 같은 분야에 활용될 수 있다.

- 스마트 홈
- 헬스 케어
- 스마트 카
- 스마트 물류 시스템
- 스마트 시티

스마트 홈은 그림 20.21에서 보는 바와 같이 스마트 TV, 냉장고, 에어컨 등 생활 가전제품뿐만 아니라 조명, 전기, 가스, 수도, 난방 등 에너지 관리 분야와 도어 록, 창문 개폐, CCTV 등 홈 보안 분야의 모든 사물들이 인터넷에 연결되어 사람이 관여하지 않아도 자동으로 집안을 효율적으로 제어한다.

헬스 케어 분야는 웨어러블(wearable) 디바이스나 인체에 부착한 센서들에 의해 체온, 혈압, 심박 수, 칼로리 소모량, 운동량 등의 생체 자료를 이용하여 건강관리를 할 수 있으며, 환자의 경우에는 이들 자료가 주치의에게 직접 전송되어 신속하게 진료를 받을 수도

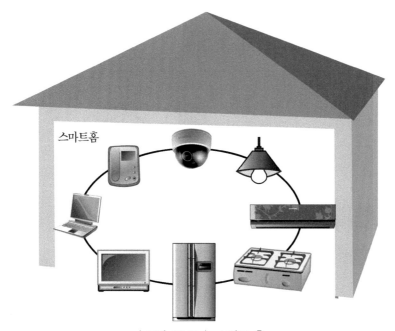

| 그림 20.21 | 스마트 홈

있다. 매일 혈당 관리를 해야 하는 당뇨병 환자에게 혈당 정보를 이용하여 인슐린을 주사하는 등의 치료에도 사물 인터넷이 활용될 수 있다.

스마트 카는 그림 20.22에서 보는 바와 같이 센서들에 의해 차량과 차량(V2V : Vehicle to Vehicle) 간의 통신이 이루어지고, 차량과 인프라 장치(V2I : Vehicle to Infrastructure) 간의 통신이 이루어져서 무인 주행이 가능하다. 스마트 주차 시스템은 차량이 스스로 주차 공간을 확보하고 주차하여 운전자에게 편리함을 제공할 뿐만 아니라 교통 체증도 상당 부분 경감시켜준다.

스마트 물류 시스템은 소비자가 온라인으로 주문하면 보관대에 있는 제품이 자동으로 컨베이어에 실리게 되고 그대로 배송까지 이어짐으로써 인건비 절감은 물론 배달 속도가 빨라져서 생산성이 향상된다.

스마트 시티는 버스 정류장의 도착시간 안내 서비스를 비롯한 지능형 교통 시스템, 스마트 파킹, 스마트 쓰레기통, 스마트 가로등, 스마트 물 관리 시스템, 스마트 전력망, 감시 카메라들을 통합한 보안 시스템 등 다양한 형태로 사물 인터넷을 활용할 수 있으며, 이를 통해 시민들에게 보다 쾌적하고 안전한 사회를 제공할 수 있다.

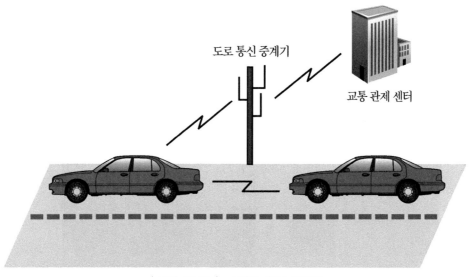

| 그림 20.22 | 스마트 카의 개념도

Index

저자 약력

■ 오창석(吳昌錫)

　충북대학교 컴퓨터공학과 교수
　한국엔터테인먼트산업학회 명예회장
　연세대학교 전자공학과(공학박사)
　한국전자통신연구원 연구원 역임
　미국 Stanford University 객원교수 역임

■ 저서 : 〈생동하는 TCP/IP 인터넷〉, 〈뉴로 컴퓨터 개론〉, 〈뉴로 컴퓨터〉, 〈데이터 통신〉,
　　　　 〈정보통신과 TCP/IP 인터넷〉, 〈TCP/IP 네트워킹〉, 〈인터넷 활용〉, 〈컴퓨터 프로그래밍〉

데이터 통신과 컴퓨터 네트워크

:: Data Communication & Computer Network

발행일 | 2015년 11월 25일

발행인 | 모흥숙
발행처 | 내하출판사

저자 | 오창석

등록 | 1999년 5월 21일 제6-330호
주소 | 서울 용산구 한강대로 104 라길 3
전화 | 02) 775-3241~5
팩스 | 02) 775-3246

E-mail | naeha@naeha.co.kr
Homepage | www.naeha.co.kr

ISBN | 978-89-5717-439-5 93560
정가 | 28,000원

이 도서의 국립중앙도서관 출판예정도서목록(CIP)은 서지정보유통지원시스템 홈페이지(http://seoji.nl.go.kr)와
국가자료공동목록시스템(http://www.nl.go.kr/kolisnet)에서 이용하실 수 있습니다.(CIP제어번호: CIP2015029894)